CHASSE À L'HOMME

PETER L. BERGEN

CHASSE À L'HOMME

Du 11 Septembre à Abbottabad,
l'incroyable traque de Ben Laden

Traduit de l'anglais (États-Unis)
par Marie-France Desjeux, Michel Faure,
Johan-Frédérik Hel Guedj, Jean-Paul Mourlon

ROBERT LAFFONT

Titre original : MANHUNT
© Peter L. Bergen, 2012
Traduction française : Éditions Robert Laffont, S. A., Paris, 2012 (publié avec l'accord de Crown Publishers, imprint de Crown Publishing Group, division de Random House, Inc.)

ISBN 978-2-221-13323-1
(édition originale : ISBN 978-0-307-95557-9, Crown Publishers, New York)

À Pierre Timothy Bergen, né le 17 novembre 2011

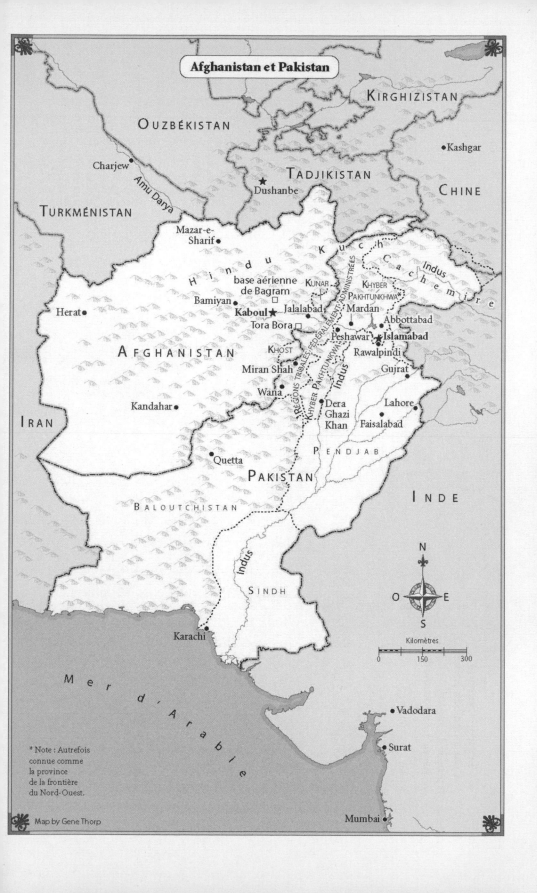

Afghanistan et Pakistan

KIRGHIZISTAN

OUZBÉKISTAN

Kashgar

Charjew

TADJIKISTAN

Dushanbe

CHINE

TURKMÉNISTAN

Amu Darya

Mazar-e-
Sharif

H i n d u   K u c h   Cachemire

Indus

base aérienne
de Bagram

KUNAR

KHYBER
PAKHTUNKHWA*

Herat

Bamiyan

Kaboul

Jalalabad

Mardan

Abbottabad

Tora Bora

Islamabad

AFGHANISTAN

KHOST

Peshawar

Rawalpindi

Gujrat

Miran Shah

Wana

Lahore

Kandahar

Dera
Ghazi
Khan

Faisalabad

IRAN

RÉGIONS TRIBALES FÉDÉRALEMENT ADMINISTRÉES

KHYBER PAKHTUNKWA*

Indus

INDE

Quetta

PAKISTAN

PENDJAB

BALOUTCHISTAN

N

Indus

O   E

SINDH

S

Kilomètres

0   150   300

Karachi

M e r   d ' A r a b i e

Vadodara

Surat

* Note : Autrefois
connue comme
la province
de la frontière
du Nord-Ouest.

Map by Gene Thorp

Mumbai

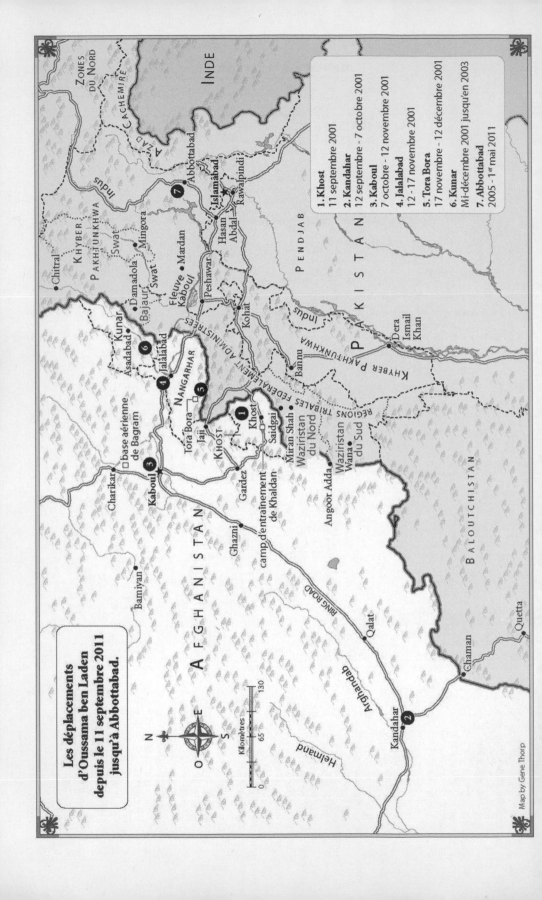

Les déplacements d'Oussama ben Laden depuis le 11 septembre 2011 jusqu'à Abbottabad.

1. **Khost**
11 septembre 2001

2. **Kandahar**
12 septembre - 7 octobre 2001

3. **Kaboul**
7 octobre - 12 novembre 2001

4. **Jalalabad**
12 - 17 novembre 2001

5. **Tora Bora**
17 novembre - 12 décembre 2001

6. **Kunar**
Mi-décembre 2001 jusqu'en 2003

7. **Abbottabad**
2005 - 1er mai 2011

Map by Gene Thorp

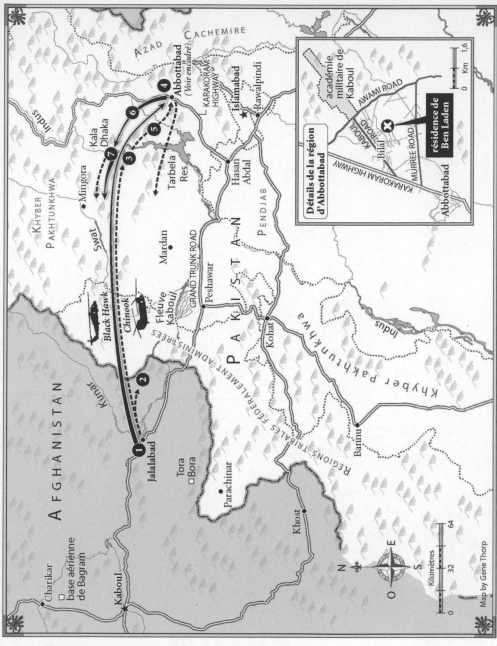

Le raid des Navy Seals à Abbottabad

1. Deux hélicoptères Black Hawk et trois hélicoptères Chinook décollent de Jalalabad pour un raid sur la résidence de Ben Laden à Abbottabad.

2. L'un des Chinook se pose juste avant la frontière avec le Pakistan.

3. Les deux autres Chinook se posent sur une rive de l'Indus, à Kala Dhaka, prêts à soutenir les deux Black Hawk.

4. Les Seals à bord des Black Hawk prennent d'assaut la résidence et tuent Ben Laden. L'un des Black Hawk est accidenté lors de son atterrissage et doit être détruit.

5. L'un des Chinook décolle de Kala Dhaka et vole jusqu'à Abbottabad où il embarque le corps de Ben Laden et les Seals qui étaient venus à bord du Black Hawk accidenté. Il retourne ensuite directement à Jalalabad.

6. Le deuxième Black Hawk rejoint le deuxième Chinook resté sur la rive de l'Indus et refait le plein de carburant.

7. Les deux hélicoptères retournent à Jalalabad.

Détails de la région d'Abbottabad

Map by Gene Thorp

« Nous dormons dans nos lits d'un sommeil profond parce que dehors, dans la nuit, des hommes sont prêts à faire violence à ceux qui veulent nous nuire. »

Winston Churchill

« Ce n'est pas le critique qui compte. Ce n'est pas l'homme qui vous montre du doigt le puissant qui trébuche ou vous explique comment l'homme d'action aurait pu faire mieux encore. L'homme qui compte est celui qui se trouve dans l'arène, le visage couvert de poussière, de sueur et de sang. Il se démène avec courage, se trompe et rate, une fois encore, son objectif, parce que rien n'aboutit sans passer d'abord par l'erreur et l'échec, mais il connaît aussi les grands enthousiasmes, l'élan, la volonté de se dédier à une juste cause. C'est celui qui, au mieux, connaîtra finalement les plus grands succès et, au pis, s'il échoue, saura qu'il a échoué avec audace. Il n'aura jamais sa place parmi les âmes froides et prudentes, celles qui ne connaissent ni la victoire ni la défaite. »

Theodore Roosevelt

Une note sur ce livre

J'ai rencontré Oussama ben Laden en mars 1997, au milieu de la nuit sous une hutte en terre dans les montagnes de l'est de l'Afghanistan. J'étais venu réaliser sa première interview télévisée pour CNN. Ben Laden, contrairement à ce que j'avais imaginé, n'était pas un révolutionnaire du genre à taper du poing sur la table. Il avait plutôt l'air d'un ecclésiastique réservé, mais, si ses manières étaient affables, ses paroles étaient pleines de haine à l'encontre des États-Unis. Il nous a surpris en déclarant la guerre à l'Amérique devant notre caméra. C'était la première fois qu'il le faisait à l'attention d'un public occidental. Cet avertissement ne fut pas suffisamment pris au sérieux et, quatre ans plus tard, ce fut le 11 Septembre.

D'une certaine manière, je me suis préparé à écrire ce livre depuis le jour de cette rencontre. Même si personne ne pouvait savoir la date exacte de la capture ou de la mort de Ben Laden, il était évident qu'un jour il serait pris. Ce livre retrace toute cette histoire.

Depuis la mort de Ben Laden, je me suis rendu trois fois au Pakistan. Lors de mon dernier voyage, j'ai visité de fond en comble la maison d'Abbottabad dans laquelle il passa les dernières années de sa vie. Je fus le premier observateur étranger que l'armée pakistanaise, qui en contrôlait l'accès, autorisa à entrer. Deux semaines après mon passage, à la fin de février 2012, le bâtiment fut démoli.

Visiter ce lieu m'a permis de mieux comprendre comment le chef d'Al-Qaïda, sa famille et ses fidèles avaient pu vivre là pendant des années sans être repérés, et de mieux comprendre aussi le déroulement du raid des Seals* qui l'ont tué. Je me suis retrouvé dans la pièce où Ben Laden a vécu les six dernières années de sa vie et dans laquelle il est mort. J'ai parlé à plusieurs membres de la sécurité pakistanaise et à des responsables militaires qui ont enquêté sur cette action des Seals, qui ont assisté aux interrogatoires des femmes et des enfants de Ben Laden qui vivaient avec lui.

Du côté américain, j'ai parlé à presque tous les hauts responsables de la Maison-Blanche, du département de la Défense, de la CIA, du Département d'État, du Centre national du contre-terrorisme et du Bureau du directeur du Renseignement national. Ce dernier avait en charge la collecte et l'analyse des renseignements sur Ben Laden. Il lui revint d'étudier les différents scénarios des actions possibles contre cette propriété d'Abbottabad, dont on pensait qu'elle était la résidence de Ben Laden, puis de superviser le raid du commando américain. Dans ce livre, un grand nombre de ces responsables sont identifiés par leur nom, mais d'autres ne sont pas cités nommément en raison du caractère sensible de certains aspects de cette mission. Dans les cas où l'identité d'un membre de la CIA n'a pas été rendue publique, j'ai utilisé un pseudonyme. (Ni moi ni personne n'a pu interviewer les membres du commando des Seals qui ont participé à la mission.) Ceux-ci ont récupéré environ six mille documents dans la maison de Ben Laden d'Abbottabad. À la Maison-Blanche, j'ai pu consulter certains de ceux dont le caractère secret venait d'être levé, des documents encore jamais publiés à la mi-mars 2012.

---

* Les Seals sont les membres du SEAL, les forces spéciales de la marine des États-Unis. Ils interviennent aussi bien en mer que sur la terre ou dans les airs, d'où leur nom, acronyme de « Sea, Air and Land ». Nous garderons cette appellation dans l'ensemble du texte. Par ailleurs, *seal* signifie « phoque » en anglais. *(N.d.T.)*

WikiLeaks, le site Internet antisecrets, s'est révélé être, lui aussi, une source d'informations très utile. J'y ai consulté des documents confidentiels sur Guantánamo qui m'ont permis de retracer sur une carte les déplacements de Ben Laden après les attaques du 11 Septembre et de comprendre comment la CIA avait pu identifier le porteur de messages qui l'a conduite sur le seuil de la porte du leader d'Al-Qaïda.

Bien sûr, qu'un document du gouvernement américain soit classé secret ne garantit pas qu'il soit exact. J'ai donc fait de mon mieux pour comparer ces documents à d'autres récits et à d'autres sources.

À ce travail se sont ajoutées des interviews avec d'anciens responsables de la CIA et des officiers américains qui avaient pris part à la traque de Ben Laden au cours de la décennie qui a suivi le 11 Septembre. J'ai voyagé de nombreuses fois, aussi, en Afghanistan pour y suivre les traces de Ben Laden lors de la bataille de Tora Bora où, durant l'hiver 2001, il réussit à échapper aux Américains.

Quand, en 1997, j'ai rencontré Ben Laden, nous étions à l'extérieur de la ville afghane de Jalalabad, proche des montagnes de Tora Bora. C'est dans cette région, quatre années plus tard et quelques mois seulement après le 11 Septembre, que le chef d'Al-Qaïda allait mettre en scène l'une des disparitions les plus extraordinaires de l'Histoire, faisant de lui la cible de la chasse à l'homme la plus intense et la plus coûteuse de tous les temps. Une décennie plus tard, dans la nuit sans lune du 1er mai 2011, c'est de nouveau de Jalalabad qu'ont décollé les hélicoptères des Seals et que commence le récit des derniers instants de la vie de Ben Laden. Alors que les engins prenaient de l'altitude, les membres du commando présents à bord pouvaient voir à travers leurs lunettes de vision nocturne les montagnes de Tora Bora, environ à quarante-cinq kilomètres plus au sud, s'élever de 4 300 mètres vers le ciel. Ce fut le dernier endroit où quelques membres des forces spéciales américaines eurent Ben Laden en ligne de mire. Cette fois-ci, ils en firent le serment, le vieux terroriste ne leur échapperait pas.

Prologue

Une retraite bien tranquille

C'est la cachette parfaite. Les maisons soignées qui grimpent sur les vertes collines et les montagnes qui entourent Abbottabad font penser à la Suisse ou à la Bavière. La ville pakistanaise, qui compte quelque cinq mille habitants, est posée, à 1 200 mètres d'altitude, au pied de la chaîne de l'Himalaya qui s'étire jusque vers la frontière avec la Chine. Elle fut fondée en 1853 par James Abbott, un officier anglais qui joua son rôle dans le grand jeu opposant Anglais et Russes dans leur lutte pour s'assurer la maîtrise de l'Asie centrale. Quelque peu inhabituel pour un administrateur de l'Empire, le commandant Abbott fut bien aimé des habitants d'Abbottabad[1]. Il leur écrivit un poème, maladroit mais sincère, quand il quitta la ville pour retourner en Angleterre :

Je me souviens de mon premier jour ici,
J'ai senti l'air doux d'Abbottabad...
Je vous dis au revoir le cœur lourd
Toujours, vous resterez présents dans mon esprit[2].

On peut apercevoir encore quelques vestiges du passé colonial d'Abbottabad, avec l'église anglicane de St. Luke, qui donne l'impression d'avoir été aéroportée directement du Sussex, ou bien ces bâtiments bas, datant du dix-neuvième siècle, qui bordent les rues principales et abritèrent les administrateurs de l'Empire.

Aujourd'hui, Abbottabad est connue comme la « ville des écoles[3] » à cause de ses excellents établissements scolaires et de la présence de l'Académie militaire pakistanaise. Des soldats des forces spéciales américaines s'y trouvaient en 2008 pour participer à l'entraînement de nouvelles recrues[4].

Prisée pour ses étés relativement frais et une criminalité négligeable, Abbottabad attire les officiers et les fonctionnaires à la retraite, et quelques entrepreneurs qui ont fait de bonnes affaires dans les pays du Golfe. La saison d'été commence en juin, quand les familles des plaines chaudes montent jusqu'ici pour jouir de la fraîcheur de la brise descendue des montagnes. Les golfeurs peuvent jouer sur l'un des meilleurs terrains du pays. L'atmosphère générale évoque un élégant *country club*, alors que les autres villes pakistanaises sont étouffantes, surpeuplées et enfumées.

Même si Abbottabad est peu connue, on y rencontre des étrangers. Des aventuriers occidentaux empruntent la route du Karakoram qui traverse la ville avant de se diriger vers le nord et la Chine, près de cinq cents kilomètres plus loin. Ils s'y arrêtent parfois pour acheter du matériel de camping ou manger une glace. On y trouve aussi de riches réfugiés afghans fuyant l'instabilité de leur pays[5]. Ils ont construit de grandes maisons derrière de hauts murs pour y cacher leurs femmes.

Cinq ans après sa grande victoire du 11 Septembre, Oussama ben Laden décide lui aussi de prendre sa retraite dans un faubourg tranquille d'Abbottabad. C'était l'un des derniers endroits du Pakistan auquel ceux qui le recherchaient auraient pu penser. La ville est assez loin des zones tribales, où presque tous les observateurs estimaient qu'il se cachait, mais assez près d'elles, tout de même, pour pouvoir communiquer facilement par messagers avec ses principaux lieutenants qui s'y étaient installés. Elle est également proche de la partie du Cachemire contrôlée par le Pakistan où s'activent des groupes de militants kashmiri avec lesquels Ben Laden s'était depuis longtemps allié. C'était un réseau de soutien sur lequel il pouvait compter.

Au printemps 2011, le chef terroriste entamait sa sixième année à Bilal, une banlieue d'Abbottabad. Il ne s'agit pas de l'adresse la plus chic de la ville, mais avec ses villas blanches agrémentées de portiques et ses nombreuses échoppes de fruits et légumes, l'endroit est assez plaisant.

Sept ans plus tôt, l'homme à qui Ben Laden avait confié sa vie, quelqu'un connu au sein d'Al-Qaïda sous le nom d'Abu Ahmed al-Kuwaiti – « le Koweitien père d'Ahmed » – avait commencé à rassembler quelques petites parcelles de terre agricole en bordure de Bilal[6]. Il acheta ces terres en quatre transactions, en 2004 et 2005, pour un prix d'environ cinquante mille dollars. La plupart des lopins appartenaient à un médecin local, Qazi Mahfooz Ul Haq. Ce dernier se souvient du Koweitien comme d'un « homme très simple, modeste et humble ». Il parlait le pachtoune, la langue locale, était habillé de façon traditionnelle et disait qu'il achetait ces terres pour l'un de ses oncles.

Le Koweitien avait engagé un architecte du cabinet Modern Associates, une entreprise familiale d'Abbottabad, pour qu'il conçoive une résidence pouvant accueillir une famille de douze personnes ou plus. Les caractéristiques de l'édifice n'étaient pas exceptionnelles : deux étages avec quatre chambres chacun, et une salle de bains par chambre. « Un de nos stagiaires aurait pu le concevoir[7] », affirme Junaid Younis, le patron de Modern Associates. Ce cabinet d'architecture soumit les plans aux services municipaux d'urbanisme et l'autorisation de construction fut dûment accordée.

Au cours de l'année 2005, la résidence de Ben Laden commença à sortir de terre en lieu et place des anciens champs. Selon les estimations des habitants du coin, le prix de cette propriété, qui s'étendait sur cinq mille mètres carrés, se situait entre cent et deux cent mille dollars. Pendant les travaux, un troisième étage fut ajouté, pour lequel aucun permis ne fut sollicité, une pratique courante dans cette partie du monde où payer ses impôts fonciers paraît un excès de zèle. L'étage non autorisé était destiné à l'usage exclusif[8] d'Oussama ben Laden et de sa nouvelle femme, Amal, une jeune Yéménite pleine d'enthousiasme.

Contrairement aux étages du dessous, ce troisième niveau n'avait de fenêtres que sur l'un de ses quatre côtés, et les vitres en étaient opaques. Quatre des cinq fenêtres n'étaient que de petites fentes bien au-dessus du niveau des yeux. La minuscule terrasse qui complétait l'étage était protégée des regards indiscrets par un mur de plus de deux mètres, juste un peu plus haut que Ben Laden lui-même, qui mesurait un mètre quatre-vingt-cinq.

Généralement habillé d'amples robes de couleur claire, d'une veste sombre et d'un bonnet de prière, Ben Laden a rarement quitté les deuxième et troisième étages de la maison pendant ces six années[9]. Lorsqu'il sortait, c'était juste pour faire quelques pas dans le potager de la propriété. Une bâche de fortune couvrait cette partie du jardin pour que ces sorties ne soient pas détectées par les satellites américains qui parcouraient le ciel[10].

Un homme comme lui, habitué à vivre au grand air, se vantant de pouvoir monter à cheval sur soixante kilomètres sans s'arrêter, a sûrement ressenti un sentiment de confinement dans cette propriété. Jadis, il emmenait souvent ses fils dans des randonnées difficiles[11] à travers les montagnes afghanes qui pouvaient durer plus de douze heures d'affilée. Ben Laden était aussi un fan de football et un amateur de volley-ball[12]. Avant la chute des talibans, l'une de ses grandes satisfactions était d'emmener ses multiples femmes et enfants en expédition dans les immenses déserts du sud de l'Afghanistan. Il voulait que chacun chasse et s'endurcisse, pour affronter la vie de fugitif qui serait un jour, il en était certain, leur sort commun.

Désormais, Ben Laden vivait dans sa prison d'Abbottabad qu'il s'était fait construire. Il pouvait s'en consoler en pensant qu'il était loin des frappes des drones américains qui abattaient régulièrement ses anciens lieutenants, la crème de la crème d'Al-Qaïda, dans les zones tribales du Pakistan, quelque trois cents kilomètres plus à l'ouest. Et il n'était pas non plus tapi dans une cave humide, comme de nombreux « infidèles » l'imaginaient. Il ne souffrait pas davantage d'une maladie des reins[13], ainsi qu'on le racontait souvent en Occident. En fait, il était en bonne forme, alors qu'il s'approchait de ses cinquante-cinq ans, même si ses cheveux avaient blanchi et qu'il vivait au ralenti entre ses quatre murs. Père de famille accompli, il était content d'être entouré de trois de ses épouses et d'une douzaine de ses enfants et petits-enfants.

Najwa, sa première femme, sa grande et belle cousine syrienne, n'était plus avec lui[14]. Ils s'étaient mariés en 1974. Il avait dix-sept ans, elle en avait quinze et elle l'avait fidèlement suivi alors qu'il se lançait dans une vie de djihad qui le mena au Pakistan et en Afghanistan pendant les années 1980, puis au Soudan et de nouveau en Afghanistan à la fin des années 1990. Après avoir passé cinq ans dans cet Afghanistan lugubre sous le règne des talibans, Najwa en eut assez. Au cours de l'été 2001, elle insista pour rentrer en Syrie voir sa famille. Après tout, elle avait donné onze enfants à Ben Laden, et près de trente ans de sa vie dont une bonne part en exil. Il finit par accepter son départ[15], mais il ne l'autorisa à partir qu'avec seulement trois de leurs enfants encore célibataires[16], voulant garder avec lui leur fille de onze ans, Iman, et leur fils de sept ans, Ladin.

Ben Laden régnant en monarque absolu sur sa famille, Najwa ne put rien faire pour contrer sa décision. Alors qu'elle quittait l'Afghanistan il lui déclara (pressentant peut-être qu'il la voyait pour la dernière fois) : « Jamais je ne divorcerai de toi, Najwa. Si on te dit que j'ai divorcé, ce sera faux[17]. » Najwa quitta l'Afghanistan le 9 septembre 2001[18], le jour même où les hommes de main de Ben Laden tuèrent Ahmad Shah Massoud, le commandant des rares forces afghanes qui luttaient encore contre les talibans, et quarante-huit heures seulement avant les attaques d'Al-Qaïda sur Washington et New York. Peut-être Ben Laden savait-il que la douce Najwa, qu'il avait épousée bien avant de consacrer sa vie aux rigueurs de la guerre sainte, ne pourrait pas supporter les conséquences de ces attaques des États-Unis.

Une décennie après le 11 Septembre, Ben Laden avait tout de même la satisfaction d'avoir encore auprès de lui, dans sa cachette d'Abbottabad, ses trois autres femmes. La plus jeune, Amal, avait vingt-neuf ans, et la plus âgée, Khairiah, soixante-deux ans. Cette dernière était récemment réapparue dans la vie de Ben Laden, comme par surprise et avec plaisir, après neuf années d'absence.

Il avait épousé Khairiah en 1985, alors qu'il avait vingt-huit ans et elle trente-cinq, un âge particulièrement avancé pour le mariage d'une femme en Arabie saoudite. Les motivations de Ben Laden étaient en partie religieuses[19]. Il pensait qu'épouser une « vieille fille » serait bien vu d'Allah et qu'il augmenterait le nombre des musulmans sur terre en faisant avec elle des enfants. Avant son mariage, Khairiah avait eu une carrière lui offrant une relative indépendance. Elle était enseignante auprès de jeunes sourds-muets. Elle avait aussi un doctorat, était issue d'une famille riche et distinguée qui prétendait descendre du prophète Mohammed. Elle avait accepté d'être la deuxième épouse de Ben Laden pour être mariée à un soldat de Dieu[20] dont les exploits, lors des combats contre les Soviétiques en Afghanistan, commençaient à être connus en Arabie saoudite au milieu des années 1980. Quatre ans après son mariage, elle eut un fils, Hamza. Depuis ce jour, elle fut connue sous le nom de Um Hamza, la « mère d'Hamza ».

Alors qu'au cours de l'automne 2001 le régime des talibans implosait, Khairiah quitta l'Afghanistan pour se réfugier en Iran[21] avec son fils et plusieurs des enfants que Ben Laden avait eus avec ses autres épouses. Pendant des années, Um Hamza et ces enfants furent soumis, de façon officieuse, à une sorte d'assignation à résidence à Téhéran. Leurs conditions de vie n'étaient pas inconfortables, ils pouvaient sortir, faire des courses en ville, aller à la piscine, mais ils étaient néanmoins en cage, même si celle-ci était dorée. Le régime iranien voyait les membres de la famille de Ben Laden comme une possible monnaie d'échange en cas d'un éventuel accord de paix avec les États-Unis.

À la fin de l'année 2008, quand des militants d'Al-Qaïda enlevèrent Heshmatollah Attarzadeh-Niyaki[22], un diplomate iranien dans la ville de Peshawar, dans l'ouest du Pakistan, le régime de Téhéran avait, depuis belle lurette, abandonné l'idée d'un quelconque accord avec les États-Unis. Le diplomate fut retenu en otage pendant plus d'une année et finalement rendu à l'Iran, discrètement, au printemps 2010, à l'issue d'un arrangement[23] qui incluait la liberté de mouvement de la famille Ben Laden en Iran.

Au cours de l'été torride de 2010[24], Khairiah, déjà sexagénaire, réussit à traverser toute la partie occidentale de l'Iran jusqu'au nord du Waziristan, une région tribale du Pakistan qui s'étend à plus de deux mille cinq cents kilomètres de Téhéran. Il lui fallut traverser des chaînes de montagnes et des déserts parmi les plus hostiles au monde. Elle poursuivit sa route vers Abbottabad pour rejoindre son mari qu'elle n'avait plus vu depuis près d'une décennie. Son seul regret[25] fut qu'Hamza, son fils unique qui avait voyagé avec elle depuis l'Iran, restât dans les régions tribales du Pakistan où vivaient alors de nombreux leaders d'Al-Qaïda.

La troisième femme de Ben Laden était Siham bin Abdullah bin Husayn. Elle avait le même âge que lui. À l'instar de Khairiah, elle venait elle aussi d'une famille saoudienne distinguée qui se vantait de descendre du Prophète. Pour Ben Laden, qui tentait – du moins dans son esprit – de vivre sur le modèle de la vie du Prophète, ce lien, à travers ses femmes, avec le fondateur de l'islam avait une grande importance. Khalid[26], vingt-deux ans, le fils de Siham, vivait aussi avec son père et sa mère dans la propriété d'Abbottabad.

Siham étudiait la religion[27] à l'université King Abdulaziz, dans la ville sainte de Médine, quand Ben Laden la demanda en mariage, vers 1985. Elle voulut d'abord finir ses études avant d'accepter, une requête à laquelle il accéda de mauvais gré. Les parents de Siham étaient contre ce mariage car Ben Laden avait déjà d'autres femmes, mais elle décida quand même de l'épouser, adhérant pleinement au projet djihadiste de son prétendant, décidé à combattre les Soviétiques en Afghanistan. Au moment de leur mariage, Ben Laden était déjà connu comme un héros de cette guerre sainte, ce qui le rendait attrayant aux yeux de la jeune femme. Quand il lui offrit les traditionnels bijoux d'or en cadeau de mariage, Siham en fit don au djihad afghan.

Elle continua ses études à Médine pour obtenir un master, puis plus tard un doctorat en grammaire coranique alors qu'elle vivait avec Ben Laden au Soudan au milieu des années 1990. Poète et intellectuelle, elle édita souvent les écrits de son mari, mais dédia son doctorat à ses enfants et non à son époux, qui ne l'avait pas encouragée dans la poursuite de ses études supérieures. Selon son frère, Siham était « enchaînée » à Ben Laden par l'amour de ses enfants.

L'occasion de prendre la quatrième épouse autorisée par la loi coranique s'est présentée à Ben Laden alors qu'il vivait au Soudan au milieu de la décennie 1990. L'une de ses plus anciennes femmes, une Saoudienne nommée Khadija, lui dit un jour qu'elle ne l'avait pas épousé pour vivre la vie du djihad et de l'exil dans une ville pleine de mouches comme Khartoum, ni dans le dénuement qu'Oussama ben Laden, fils d'un milliardaire, avait récemment adoptés. Elle lui demanda le divorce. Ben Laden accepta et commença à penser aux qualités que sa nouvelle femme devrait montrer.

Selon l'iman yéménite qui l'aida à trouver la nouvelle élue, « celle-ci devait être religieuse... et assez jeune pour ne pas être jalouse des autres femmes du Cheikh (Ben Laden)[28]. » Il avait en tête une personne à laquelle il avait enseigné la religion. « Une jeune fille très pieuse », ajouta-t-il. Venant d'une famille modeste, elle pourrait faire face aux difficultés que la vie avec le dirigeant d'Al-Qaïda impliquait. Et elle « croyait vraiment qu'être une femme prévenante et obéissante lui assurerait une place au paradis[29]. » Elle s'appelait Amal Ahmed al-Sadah.

En 1999, Ben Laden envoya un émissaire parler à la mère d'Amal à son domicile d'Ibb, une petite ville provinciale perdue, à cent cinquante kilomètres au sud de la capitale yéménite. La proposition de mariage fut d'abord présentée comme venant d'un homme d'affaires de la province yéménite d'Hadramaut, mais au fil des négociations, l'émissaire reconnut que le prétendant était en fait Oussama ben Laden. Cette révélation ne provoqua pas vraiment d'émoi chez les parents de l'adolescente, Ben Laden n'étant pas encore très connu au Yémen et Al-Qaïda n'ayant pas encore envoyé un bateau bourré d'explosifs sur le destroyer américain USS *Cole*, qui avait jeté l'ancre près du port d'Aden. Cette action terroriste sera menée un an plus tard.

Amal, une jeune fille au teint clair, à la tignasse noire indisciplinée, mignonne, souriante et peu instruite, consentit à cette union avec le mystérieux M. Ben Laden en disant que « Dieu l'avait bénie ». L'heureux élu dépêcha l'un de ses plus sûrs gardes du corps d'Afghanistan, avec une dot de cinq mille dollars[30] en main dont une partie devait servir à acheter des bijoux en or et des vêtements de fête pour Amal. « Nous avons accepté ce mariage parce qu'on savait que Ben Laden était un musulman très pieux, mais on n'en savait pas plus[31] », déclara plus tard un cousin d'Amal. Il ajouta que la dot était « très modeste », ce qui n'aurait surpris personne ayant déjà eu affaire avec le leader d'Al-Qaïda, enfant d'un famille riche, certes, mais néanmoins notoirement radin.

En 2000, la jeune mariée enthousiaste et quelques hommes de sa famille firent le long voyage du Yémen jusqu'à Kandahar, dans le sud de l'Afghanistan, où vivait alors Ben Laden. Celui-ci organisa une grande fête – avec des hommes pour seuls invités – pendant laquelle des poèmes furent récités, des moutons égorgés et des coups de feu tirés en l'air en signe d'allégresse. De leur côté, les femmes eurent aussi leur fête, mais de moindre ampleur.

Dans un premier temps, les autres épouses[32] furent fâchées de voir arriver une nouvelle consœur âgée d'à peine dix-sept ans. Ben Laden leur avait dit qu'Amal était une femme « mûre » de trente ans qui connaissait le Coran par cœur. L'iman yéménite qui a arrangé le mariage avait-il dupé Ben Laden ? Ce dernier a-t-il menti à ses autres femmes ? En tout cas, le chef des gardes du corps de Ben Laden se souvient qu'au début de son mariage avec Amal, son patron « traînait son quatrième mariage comme un boulet », même si les sentiments du marié changèrent plus tard.

Le père d'Amal fit le voyage du Yémen en Afghanistan[33] pour voir sa fille un an environ avant les attaques du 11 Septembre. Il dut attendre quelque temps au Pakistan, où les membres d'Al-Qaïda voulaient s'assurer qu'il n'avait pas été suivi, puis parcourir un chemin difficile à travers l'Afghanistan, pour finalement être conduit jusqu'à une maison reliée à un réseau de grottes où vivait sa fille, certainement dans les montagnes de Tora Bora, dans l'est du pays. Au deuxième jour de sa visite, son gendre apparut. Ben Laden, qui portait une arme, semblait agité et inquiet à l'idée que son beau-père puisse être un espion.

Il raconta au père d'Amal les diverses tentatives d'assassinat auxquelles il avait survécu. Ces anecdotes achevées, il le remercia chaleureusement de la bonne éducation qu'il avait donnée à sa fille. « Merci pour ce fantastique travail, lui dit-il. Je ne m'y attendais pas. Elle est comme moi[34]. » Puis il fit une folie, abattant un taureau en l'honneur de la visite de son beau-père. Amal, alors pleinement consciente de la personne qu'était son mari, dit à son père qu'elle voulait être une martyre aux côtés de Ben Laden.

Au cours de son adolescence, Amal confia à l'un de ses cousins qu'en grandissant elle voulait « laisser sa marque dans l'Histoire[35]. »

« Ton histoire, c'est la cuisine », répondit le cousin, à quoi elle rétorqua : « Veux-tu dire que l'Histoire est réservée à vous seuls, les hommes ? »

Avec Ben Laden comme mari, l'occasion lui était donnée de laisser une trace dans les livres d'histoire, une chance que son obscur village yéménite ne lui aurait jamais offerte.

Ben Laden épousa Amal alors qu'il avait quarante-trois ans, mais les vingt-six années qui les séparaient ne les ont pas empêchés de vivre un véritable amour. Safia, leur premier enfant, vit le jour un an avant les attaques du 11 Septembre. Ben Laden expliqua à ses proches qu'il lui donna le nom de la Safia, contemporaine du prophète Mohammed[36], au septième siècle, qui avait tué un juif. Il ajouta qu'il espérait que sa fille tuerait, elle aussi, des juifs en grandissant. Amal eut quatre autres enfants, dont deux alors qu'elle et son mari vivaient à Abbottabad.

La vie de famille à Abbottabad était une véritable consolation pour Ben Laden qui pensait vraiment que polygamie et procréation constituaient des obligations religieuses. Il répétait souvent à ses amis des propos attribués au prophète Mohammed : « Marie-toi et fais des enfants car ainsi avec toi j'agrandis la nation de l'Islam. » Avec d'autres, il blaguait : « Je ne comprends pas ceux qui ne prennent qu'une seule femme. Avec quatre, on vit toujours comme un jeune homme[37]. » (Il semble que ce soit la seule plaisanterie jamais attribuée à Ben Laden.)

La vie dans le huis clos d'Abbottabad n'était certainement pas luxueuse, et pour Amal la différence n'était pas grande avec la vie qu'elle avait menée dans la campagne yéménite. La consommation hebdomadaire de viande de la bonne vingtaine de personnes qui composaient la maisonnée – avec l'ami intime koweitien, son frère et leurs familles – se limitait aux deux chèvres égorgées chaque semaine à l'intérieur des murs de la propriété[38]. Le lait provenait de vaches qui vivaient dans une étable en ciment, les œufs d'une centaine de poules en cages, le miel d'abeilles d'une ruche et les légumes, comme les concombres, d'un grand jardin potager. À ces produits maison venaient s'ajouter des boîtes d'huile d'olive Sasso et des paquets de Quaker Oats achetés localement.

L'alimentation était simple et la vie sociale inexistante. Séparée des autres maisons par des champs, la propriété n'était accessible que par un seul chemin de terre. Murs d'enceinte de près de quatre mètres, fil de fer barbelé et caméras de surveillance la faisaient ressembler à une prison de haute sécurité, ce qui n'encourageait guère les visiteurs impromptus à frapper à la porte. Si les enfants des voisins lançaient par hasard une balle de cricket par-dessus le mur, on leur donnait cinquante roupies en leur disant l'aller s'en acheter une autre[39]. S'ils prenaient leur courage à deux mains et frappaient à la porte d'entrée de la propriété pour demander à jouer avec tous les enfants qui s'y trouvaient, il leur fallait patienter dix ou vingt minutes avant que quelqu'un leur réponde[40]. Finalement, quand des enfants sortaient, ils ne donnaient jamais leur nom aux autres et se montraient très religieux, s'arrêtant de jouer quand les mosquées voisines lançaient l'appel à la prière[41].

À l'intérieur de l'enceinte, aucune peinture et aucune image n'était visible, selon les croyances fondamentalistes de Ben Laden. Aucun conditionneur d'air non plus, et seuls quelques appareils rudimentaires de chauffage au gaz, dans une région où la température peut atteindre 38 °C en été et où il neige en hiver. D'où de faibles factures d'énergies[42] – cinquante dollars en moyenne par mois – pour une propriété de cette taille où vivaient environ deux douzaines de personnes. Pour les membres de la famille, les lits étaient faits de planches clouées ensemble. Même s'ils restèrent là longtemps, les habitants de cette résidence y vécurent comme dans un campement de fortune.

Mener une vie austère n'était pas nouveau pour la famille Ben Laden. Pendant des décennies, le leader d'Al-Qaïda avait adopté une éthique de survie, rejetant tous les bons côtés de la vie moderne. Quand il partit vivre au Soudan, un pays torride, il assura que sa famille n'avait pas besoin d'air conditionné[43], et quand ils s'installèrent tous dans le désert de Kandahar, leur maison n'avait pas l'eau courante[44]. Un militant libyen se souvient que Ben Laden disait à ses partisans : « Vous devez apprendre à vous passer de tous les éléments de la modernité, comme l'électricité, l'air conditionné, les réfrigérateurs, l'essence. Si vous vivez dans le luxe, il vous sera très dur de partir ensuite vous battre dans les montagnes[45]. »

Mis à part les fils d'un des messagers qui fréquentaient une madrasa[46], les enfants vivant dans la propriété n'allaient pas à l'école[47]. Les deux femmes de Ben Laden les plus âgées, toutes deux diplômées[48], leur enseignaient l'arabe et le Coran dans une chambre du deuxième étage transformée en salle de classe. Avec un tableau noir, les deux épouses faisaient passer des contrôles de connaissances aux enfants et Ben Laden, qui aimait se penser poète, leur apprenait des vers[49]. Adepte d'une stricte discipline, il faisait presque chaque jour un exposé à toute la famille sur la façon d'élever les enfants, sur ce que chacun devait faire ou ne pas faire, et il terminait par un sermon religieux[50].

Il avait depuis longtemps réfléchi à la meilleure façon de vivre l'existence d'un polygame. Pendant ses études universitaires, il avait mené de longues discussions avec son meilleur ami sur la manière de « gérer » plus d'une femme à la fois et de le faire en « bon musulman » et dans la crainte de Dieu. Les deux copains étaient tombés d'accord pour dire qu'ils ne suivraient jamais l'exemple du père de Ben Laden qui ne cessait de divorcer et de se remarier – tant de fois qu'il eut une vingtaine d'épouses. Cet ami se souvient qu'Oussama lui avait dit qu'il ne se marierait qu'avec les quatre femmes autorisées par l'islam et qu'il les traiterait de façon totalement égalitaire. « Il faut être juste, leur accorder le même traitement, leur donner autant de temps et répondre à leurs besoins essentiels », avaient-ils conclu.

À cause de son âge et de son caractère sévère, l'épouse la plus âgée, Khairiah, occupait la première place dans l'ordre hiérarchique, mais les femmes de Ben Laden se disputaient peu. Chacune s'était mariée en sachant qu'elle entrait dans une communauté polygame, ce qu'elles croyaient être approuvé par Dieu. Pour que règne l'harmonie – en Arabie saoudite dans les années 1980, au Soudan au début des années 1990, ou plus tard en Afghanistan et à Abbottabad – Ben Laden organisa dans toutes ses résidences un espace dédié à chacune de ses épouses[51]. À Abbottabad, chaque femme avait son appartement et sa cuisine (dont l'extracteur de fumée n'était qu'un seau en métal renversé suspendu au-dessus de la cuisinière et équipé de tuyaux qui envoyaient les odeurs à l'extérieur)[52]. Le troisième étage du bâtiment principal était le domaine d'Amal[53], et le deuxième celui des deux épouses les plus âgées.

Malgré ses vues fondamentalistes sur le rôle des femmes dans la société, Ben Laden montrait du respect à ses épouses, leur disant que si elles considéraient trop dure sa vie de combattant de la guerre sainte, elles étaient autorisées à le quitter. Il citait le verset du Coran qui stipule : « Maris et femmes doivent vivre ensemble de façon équitable, ou se séparer dans la douceur. » Jamais il n'éleva la voix contre elles[54], peut-être à cause du fait que, enfant unique, il avait été particulièrement proche de sa mère[55]. Adulte, il adorait toujours autant celle-ci, lui baisant les mains et les pieds dès qu'il la voyait. Il lui téléphonait souvent – jusqu'au jour où il dut arrêter de le faire – pour lui parler de tout et de rien, lui demander ce qu'elle cuisinait ce jour-là.

C'est peut-être grâce au sirop Avena – un genre de Viagra naturel à base d'avoine sauvage – que cet homme de quarante-cinq ans pouvait donner à chacune de ses épouses « ce dont elle avait besoin »[56]. Ce sirop a été retrouvé dans la propriété après sa mort. Ben Laden refusait d'avaler quelque produit chimique que ce soit, et les médicaments qu'il prenait étaient constitués d'herbes et autres produits naturels.

Bien qu'habitant dans la même propriété d'Abbottabad que Ben Laden, le fidèle messager surnommé « le Koweitien », le frère de ce dernier, leurs femmes et leurs enfants, vivaient dans une abjecte pauvreté. Ben Laden payait le messager et son frère environ douze mille roupies par mois[57], un peu plus de cent dollars, signe non seulement de son avarice légendaire, mais aussi du fait que les coffres d'Al-Qaïda étaient désormais presque vides. Dans les bijouteries d'Abbottabad et dans la ville voisine de Rawalpindi, l'un des deux frères achetait et vendait parfois quelques bracelets et bagues en or[58], des transactions qui, mises ensemble, équivalaient à environ mille cinq cents dollars. Nul doute que ce petit négoce les a aidés à joindre les deux bouts.

Un modeste immeuble d'un étage abritait le Koweitien et sa famille. Un mur de deux mètres séparait cette construction de la grande maison principale où Ben Laden vivait. La femme du Koweitien, Mariam, se rendait rarement dans celle-ci, sauf pour y faire le ménage. Une fois seulement, au printemps 2011, elle y vit un homme grand, étrange, parlant arabe[59]. Des années plus tôt, son mari lui avait expliqué qu'un étranger y vivait et lui avait dit de ne jamais en parler. Ben Laden se cachait même des gens habitant dans l'enceinte de sa propriété.

Dans son sanctuaire du dernier étage, le chef d'Al-Qaïda passait le temps en compagnie d'Amal. Des murs blanchis à la chaux et de grandes fenêtres vitrées donnant sur la petite terrasse entourée de hauts murs éclairaient relativement bien la chambre, mais l'espace était exigu pour un homme aussi grand que lui. Le plafond n'était qu'à deux mètres de hauteur. À côté, dans la minuscule salle de bains, des murs recouverts de carreaux de faïence verts, des toilettes rudimentaires – un trou dans le sol en ciment, au-dessus duquel il fallait s'accroupir – et une douche en plastique bon marché. C'est dans cette salle de bains que Ben Laden appliquait régulièrement une teinture Just for Men sur ses cheveux et sa barbe, tentant ainsi de garder un semblant de jeunesse. Adjacente à la chambre, la cuisine avait la taille d'un placard. De l'autre côté du couloir se trouvait le bureau de Ben Laden, avec ses livres rangés sur des étagères de bois grossier et son ordinateur.

À Abbottabad, l'étroitesse des pièces à vivre évoquait le

refuge rural de Ben Laden dans les montagnes de Tora Bora, une petite hutte de terre qu'il avait construite de ses mains et dans laquelle il avait vécu le dernier semestre de 1996 et les premiers mois de 1997. C'est là qu'il avait semblé être le plus heureux. Dans ce lieu reculé, situé à environ trois heures d'un chemin cahoteux de la petite ville la plus proche, ses partisans et lui faisaient pousser leurs propres légumes, cuisaient leur pain, un mode de vie très « retour à la terre ». Ben Laden s'était promené en liberté dans les montagnes de la région, respirant l'air des cimes, ce qu'il décrivait à ses visiteurs comme l'un de ses plus grands plaisirs.

À Abbottabad, Ben Laden se voyait maintenant contraint de rester enfermé et, bien sûr, il avait du temps à tuer. Il conservait certainement les pratiques religieuses de sa jeunesse, se levant avant l'aube et priant sept fois par jour, deux fois de plus que l'islam traditionnel ne le réclame.

Passionné d'informations, il regardait Al Jazeera à la télévision et écoutait attentivement la BBC à la radio[60]. Dans une pièce nue, il s'asseyait à même le sol, enveloppé d'une couverture contre le froid, et repassait de vieilles vidéos de lui-même sur un téléviseur de pacotille. Il écoutait aussi les conférences de presse du président américain Barack Obama, aussi haï et méprisé par les leaders d'Al-Qaïda que le fut son prédécesseur, George W. Bush. Le premier lieutenant de Ben Laden, Ayman al-Zawahiri, avait, en public, traité Obama de « Nègre domestique[61] », signifiant par là un esclave mieux traité par ses maîtres blancs que ceux travaillant dans les champs.

Ben Laden consacra une bonne partie de ses loisirs forcés à écrire sur un large éventail de thèmes, dont la Palestine, mais aussi sur l'environnement ou l'économie mondiale[62]. Et il lisait avec avidité des livres hostiles à la politique étrangère américaine[63], comme *Rogue State : A Guide to the World's Only Superpower*. Il appréciait particulièrement *Imperial Hubris : Why the West Is Losing the War on Terror*, une critique cinglante de la politique étrangère de Bush qui, subtile ironie, fut écrite par

Michael Scheuer, l'homme qui avait dirigé l'unité de la CIA travaillant sur Ben Laden et avait passé des années à rassembler des renseignements qui permettraient un jour de le trouver et de le tuer. Obsédé depuis son adolescence par la question palestinienne, Ben Laden avait aussi parmi ses lectures des livres critiques à l'égard d'Israël comme ceux du président Jimmy Carter et des spécialistes américains en sciences politiques Stephen Walt et John Mearsheimer.

Bien que confinée, la retraite du leader d'Al-Qaïda fut confortable. Il pouvait satisfaire ses penchants pour la lecture et les informations, tout en continuant à suivre rigoureusement les principes de l'islam. Trois de ses épouses étaient à son service, bon nombre de ses enfants bien-aimés l'entouraient. Pour le fugitif le plus recherché de la planète, la vie, après tout, n'était pas si mal.

1.

Le 11 Septembre et ses lendemains

Ben Laden était convaincu que les États-Unis étaient une nation fragile. Au cours des années qui précédèrent le 11 Septembre, il parlait souvent de l'impuissance américaine à ses partisans, citant comme exemple le retrait des GIs du Vietnam dans les années 1970 et de la Somalie deux décennies plus tard, après que deux hélicoptères Black Hawk furent abattus dans la capitale du pays, Mogadiscio, et dix-huit soldats américains tués. Le chef d'Al-Qaïda aimait raconter comment l'organisation terroriste avait introduit des combattants en Somalie en 1993 afin d'y entraîner les clans combattant les forces américaines présentes dans le cadre d'une mission de l'ONU destinée à nourrir la population affamée. « Nos troupes furent surprises de voir à quel point le moral des soldats américains était bas, elles réalisèrent qu'ils n'étaient que des tigres de papier[1] », racontait un Ben Laden jubilant à ses disciples qui l'aimaient comme un père.

Ben Laden assurait ses hommes que les Américains « aimaient la vie comme nous aimons la mort », et c'est pourquoi ils auraient toujours peur de mettre les pieds sur le sol afghan[2]. Voyez quelle raclée nous avons infligée aux Soviétiques en Afghanistan ! Et l'Amérique était en tous points aussi faible que l'ancienne Union soviétique[3], lançait-il à ses acolytes hochant du bonnet. Ceux, parmi ses proches, qui avaient des doutes à cet égard les gardaient pour eux.

Alors que le plan des attaques du 11 Septembre prenait forme, des responsables d'Al-Qaïda soulevèrent l'éventualité qu'elles fâchent le mollah Omar, le leader taliban auquel Ben Laden était censé avoir fait serment d'allégeance. Pendant les cinq années au cours desquelles Ben Laden avait été l'invité d'honneur des talibans, le mollah Omar et ses proches avaient décidé qu'Al-Qaïda ne pourrait pas utiliser l'Afghanistan comme base pour lancer une guerre contre l'Amérique. Ben Laden pensa s'affranchir de leur éventuelle fureur en leur offrant une tête sur un plateau : celle d'Ahmad Shah Massoud, le commandant légendaire de ce qui restait de la résistance antitaliban en Afghanistan. Pour frapper Massoud, Ben Laden avait recruté deux assassins belgo-tunisiens d'Al-Qaïda qui se déguisèrent en journalistes désireux d'interviewer le chef de la guérilla[4].

Au cours de l'été 2001, alors qu'Al-Qaïda formait les assassins de Massoud, les responsables du groupe mettaient la dernière main à leur plan d'attaque de la côte Est des États-Unis. Ramzi bin al-Shibh, un conspirateur basé à Hambourg, envoya un message à Ben Laden le jeudi 6 septembre indiquant que les actions de Washington et de New York auraient lieu le mardi suivant[5]. Et le 9 septembre Ben Laden reçut une bonne nouvelle : ses assassins avaient mortellement blessé Massoud, un homme pour lequel il éprouvait depuis longtemps du mépris. Le décor était planté pour ce que Ben Laden voyait comme son plus beau triomphe : une frappe de grande dimension sur un pays qui était le premier ennemi de l'islam pour soutenir les dictatures et monarchies sans foi du Proche-Orient et, bien sûr, Israël. En un seul coup terrible contre l'Amérique, Ben Laden allait pousser les États-Unis à se retirer du Proche-Orient, puis Israël tomberait, tout comme les autocraties arabes remplacées par des régimes de style taliban. Tels étaient l'ardent espoir et la conviction du chef d'Al-Qaïda.

À partir du jour de la prise de fonctions de George W. Bush – le 20 janvier 2001 –, un responsable de la CIA, Michael

Morell, informa chaque matin le président sur ce que les responsables du renseignement pensaient être les questions de sécurité nationale les plus graves du moment[6]. Mince comme une liane à l'aube de sa quarantaine, Morell s'exprimait en peu de mots, avec précision. Le 6 août, huit mois après l'investiture de Bush, Morell se rendit dans la maison de vacances du président, au Texas, pour lui annoncer que la CIA possédait des informations selon lesquelles Ben Laden était déterminé à lancer une attaque sur le territoire américain. Cette rencontre fut marquée par le fait qu'Ahmed Ressam, un Algérien flirtant avec Al-Qaïda, accusé d'avoir tenté de faire exploser une bombe à l'aéroport de Los Angeles à la mi-décembre 1999, avait récemment plaidé coupable. Le compte rendu de la réunion du 6 août indique que le FBI détenait également une information faisant état de « détournements d'avion ou autres types d'attaques en préparation ». Après ce briefing, Bush poursuivit ses vacances, les plus longues qu'un président se soit accordées en trente ans[7].

Le matin du 11 septembre 2001, à Sarasota, en Floride, Morell présenta, comme toujours, son rapport quotidien au président. Rien à signaler ce jour-là. Avec le conseiller politique Karl Rove et le porte-parole de la Maison-Blanche Ari Fleischer, Morell se joignit au cortège de voitures qui emmenait le président visiter une école primaire locale. Pendant le trajet, Fleischer demanda à Morell s'il avait entendu parler d'un avion ayant percuté le World Trade Center à New York[8]. Morell répondit que non, mais qu'il allait contacter le centre d'opérations de la CIA. Des responsables de ce centre lui confirmèrent aussitôt la nouvelle en précisant qu'il ne s'agissait pas d'un petit modèle, comme cela avait été dit, mais d'un gros avion de ligne.

Dans l'école, Bush lisait une histoire de chèvre devant un groupe d'élèves de CE1 quand la télévision annonça qu'un second avion avait heurté le World Trade Center. Bush fut vite expédié hors de l'école, direction son avion, *Air Force One*, qui décolla aussitôt pour rejoindre la base de Barksdale, près de

Shreveport, en Louisiane. Ce jour-là, Fleischer prit des notes avec soin et écrivit pour la première fois le nom de Ben Laden à 10 h 41, quand le chef de cabinet Andy Card dit à Bush à bord d'*Air Force One* : « Pour moi, c'est un coup signé Ben Laden[9]. » Les deux tours du World Trade Center étaient alors en train de s'effondrer et l'un des avions détournés s'était encastré dans le Pentagone. Bush, qui bouillonnait de rage, se fit un serment intime : « On va trouver celui qui a fait ça, et on va lui botter le cul[10]. »

Ce même matin, Ben Laden dit à Ali al-Bahlul, à la fois garde du corps et conseiller média, qu'il était « très important aujourd'hui de regarder le journal télévisé. » Bahlul était prêt à se plier à la volonté de son patron, Ben Laden dirigeant Al-Qaïda comme il régentait sa famille, en monarque absolu. Comme chaque jour, ce dernier était entouré de sa fidèle garde personnelle, principalement des Yéménites et des Saoudiens. De la même façon que d'autres membres d'Al-Qaïda, ces gardes avaient prêté un serment religieux d'obéissance personnelle à Ben Laden plutôt qu'à son organisation militante. (Tout comme ceux qui, en adhérant au parti nazi, avaient prêté serment de fidélité à Adolf Hitler et non au nazisme.)

Ben Laden avait fondé Al-Qaïda en 1988 et depuis avait constamment consolidé sa position d'autocrate absolu. Il était communément admis qu'Ayman al-Zawahiri, un médecin égyptien, longtemps numéro deux dans la hiérarchie de l'organisation, était le « cerveau » de l'organisation. Mais en menant à bien le changement de stratégie le plus radical de l'histoire d'Al-Qaïda – désigner les États-Unis comme l'ennemi principal, plutôt que les régimes du Proche-Orient – Ben Laden avait balayé l'idée fixe de son second de renverser le gouvernement égyptien[11]. Pendant des années, il ne dit rien non plus à Zawahiri de la plus importante opération d'Al-Qaïda – la préparation des attentats du 11 Septembre – n'en informant son adjoint qu'au cours de l'été 2001.

Pour ses partisans, Ben Laden était un véritable héros, un homme qui avait rompu avec la vie de luxe à laquelle le fils d'un milliardaire saoudien pouvait prétendre. Il vivait au service de la guerre sainte, entre périls et pauvreté, et se montrait à la fois désarmant de modestie et fervent religieux. Les membres d'Al-Qaïda prenaient en exemple l'homme qu'ils appelaient « le Cheikh », buvant la moindre de ses paroles, et lui demandant la permission de parler quand ils voulaient s'adresser à lui.

Ses partisans *l'adoraient*. Abu Jandal, un Yéménite qui fut l'un des gardes du corps de Ben Laden, évoque sa première rencontre avec celui-ci, en 1977, comme un moment « magnifique ». Un autre le décrit comme une « personne très charismatique capable de persuader n'importe qui par la seule force de sa parole ». On peut dire qu'il « séduisit de nombreux jeunes garçons. »

Ce matin du 11 Septembre, la bande de gardes du corps de Ben Laden se mit bien volontiers en route avec lui, quittant son quartier général proche de la ville de Kandahar, dans le Sud, pour la région montagneuse de Khost, dans l'est de l'Afghanistan. Bahlul bricola une réception satellite de la télévision dans un minibus, l'un des véhicules du chef, mais en arrivant à Khost, celle-ci devint difficile et Ben Laden brancha la radio pour écouter le service arabe de la BBC.

« Si le journaliste dit : "Nous venons juste d'apprendre que...", cela signifiera que nos frères ont frappé[12] », dit-il à ses troupes. À environ 17 h 30 heure locale, le présentateur de la BBC annonça : « La nouvelle en provenance des États-Unis vient de nous parvenir, un avion de ligne a été détruit après s'être écrasé sur le World Trade Center à New York. » Ben Laden demanda à ses hommes d'« être patients[13] ». Très vite l'information arriva qu'un second appareil se fracassait sur la tour sud du World Trade Center. Les gardes de Ben Laden sautèrent de joie. Leur guide menait une grande guerre cosmique contre les infidèles !

Environ mille trois cents kilomètres plus au sud, dans la

gigantesque et foisonnante ville pakistanaise de Karachi, quelques-uns des lieutenants les plus sûrs de Ben Laden s'étaient eux aussi rassemblés pour regarder les attaques à la télévision. Il s'agissait de Khalid Cheikh Mohammed, le corpulent commandant en chef des opérations du 11 Septembre ; de Ramzi bin al-Shibh, un Yéménite très religieux qui avait joué un rôle clef dans la coordination des attaques ; et Mustafa al-Hawsawi, le caissier saoudien qui avait transféré des dizaines de milliers de dollars aux pirates de l'air aux États-Unis quand ils y vivaient et prenaient des cours de pilotage.

À côté de ces trois architectes du 11 Septembre se trouvaient aussi d'autres « frères » d'Al-Qaïda. Tandis que la télévision montrait les avions détournés se jetant sur le World Trade Center, ces hommes pleuraient de joie et se prosternaient en criant : « Dieu est grand ! » Bin al-Shibh les réprimanda : « Patience, patience, regardez l'écran, ce n'est pas fini ! » Puis vint l'attaque du Pentagone et la nouvelle d'un quatrième avion tombé en Pennsylvanie. Ils s'embrassèrent et pleurèrent de nouveau, cette fois-ci de tristesse devant la mort de leurs frères dans les avions détournés[14].

Ben Laden était sûr que les États-Unis ne riposteraient aux attaques de New york et de Washington qu'avec des tirs de missiles de croisière, comme cela avait été le cas trois ans plus tôt, après les attaques d'Al-Qaïda contre deux ambassades américaines en Afrique, en 1998. Au pis, il s'attendait à des raids aériens du genre de ceux que les États-Unis et l'OTAN avaient menés pendant la guerre au Kosovo en 1999. Le tigre de papier pouvait montrer ses crocs, mais il ne plongera pas dans la bataille.

À Washington, la nouvelle qu'une organisation terroriste palestinienne, le Front démocratique pour la libération de la Palestine, revendiquait la responsabilité des attaques commença à circuler. Bush appela Morell pour lui demander ce qu'il en pensait.

« Le FDLP a une histoire terroriste contre Israël, répondit

le conseiller, mais ses moyens sont limités. Il n'a ni les ressources ni les capacités d'action lui permettant de réaliser une telle opération[15]. »

En début d'après-midi, *Air Force One* quitta la Louisiane pour la base aérienne d'Offutt, près d'Omaha, au Nebraska. C'est là que se trouve le Stratcom, le Commandement stratégique américain qui gère les missiles nucléaires. Bush demanda à rencontrer Morell de nouveau, insistant pour avoir son avis sur les responsables des attaques. « Je n'ai pas encore d'information. Tout ce que je peux vous offrir, c'est mon opinion personnelle, dit-il. Seuls deux pays terroristes sont capables de mettre au point une opération aussi complexe, l'Iran et l'Irak. Ils n'ont pas grand-chose à gagner, cependant, et beaucoup à perdre en attaquant les États-Unis. Il est quasi certain que le responsable de ces attaques n'est pas un État, et je pense que nos recherches nous conduiront bientôt sur la piste de Ben Laden et d'Al-Qaïda. — Quand le saurons-nous vraiment ? » demanda Bush.

Morell passa en revue plusieurs attaques terroristes précédentes pour voir combien de temps il avait fallu aux États-Unis pour identifier les coupables. « En 1998, on a su en deux jours qu'Al-Qaïda était responsable des attaques à la bombe des ambassades américaines en Afrique, mais dans le cas de l'attaque du *Cole*, ça nous a pris deux mois. Donc, Monsieur, ça peut aller vite, mais ça peut aussi prendre du temps[16]. »

En fait, seules quelques heures suffiront. Quand Bush atterrit au Nebraska, vers 15 h 30, il parla pour la première fois au directeur de la CIA, George Tenet, qui lui dit que les attaques « ressemblaient, sentaient, avaient le goût de Ben Laden », et que les noms de deux membres connus d'Al-Qaïda, Nawaf al-Hamzi et Khalid al-Mihdhar, figuraient sur la liste de passagers de l'un des avions écrasés. Depuis plusieurs mois, une soixantaine d'agents de la CIA savaient que Hamzi et Mihdhar vivaient aux États-Unis, mais, bizarrement, ils avaient oublié d'en informer le FBI.

Au cours des jours suivants, Bush et son cabinet de guerre

élaborèrent un plan pour renverser les talibans en Afghanistan – un plan non conventionnel puisqu'il ne reposait que sur quatre cents hommes des Bérets verts, des forces d'opérations spéciales et des gens de la CIA sur le terrain, appuyés par une puissance de feu massive dans les airs. Et le 17 septembre, Bush signa une autorisation hautement confidentielle de chercher et, si nécessaire, de tuer les dirigeants d'Al-Qaïda, donnant à la CIA une grande liberté d'action quant à la façon d'y parvenir. John Rizzo, l'un des plus grands juristes de l'Agence (la CIA) qu'il avait rejointe en pleine guerre froide, contribua à rédiger ce texte. « Je n'avais jamais écrit ni lu une autorisation présidentielle d'une portée aussi large et d'un ton aussi agressif, dit-il. C'était tout simplement extraordinaire[17]. » Au Pentagone, quand Bush signa le document, il parla avec quelques journalistes : « Je veux que justice soit faite. Et je me souviens du vieux poster du Far West qui disait : Recherché, mort ou vif[18]. »

Le 12 septembre, Jamal Ismail, le correspondant au Pakistan de la chaîne de télévision d'Abu Dhabi, reçut dans son bureau un messager de Ben Laden[19] qui lui dit ceci : « Jamal, je suis arrivé d'Afghanistan en toute hâte la nuit dernière. » Puis il lui lut une déclaration de Ben Laden selon laquelle ce dernier ne revendiquait pas la responsabilité des attaques, mais les approuvait totalement. « Nous croyons que ce qui s'est passé à Washington et ailleurs contre les Américains est une punition d'Allah le Tout-Puissant, et ceux qui ont agi sont de bonnes personnes. Nous soutenons leur action. » Sans attendre, Ismail lut ce message à la télévision.

Journaliste palestinien en poste depuis longtemps au Pakistan, Ismail avait rencontré le chef d'Al-Qaïda à plusieurs reprises au cours des quinze dernières années, ayant travaillé au milieu des années 1980 comme reporter pour *Djihad*, un magazine financé par Ben Laden qui relatait les exploits des Arabes dans leur lutte contre les Soviétiques. Les deux hommes avaient récemment renoué des relations, Ismail ayant interviewé Ben Laden pour faire son portrait pour la chaîne Al Jazeera, en 1999. Pour le journaliste, le message qu'il venait de diffuser suggérait que son auteur en savait bien plus sur les pirates de l'air qu'il ne voulait le dire. « Oussama ne fait jamais l'éloge de non-musulmans. Je pense qu'il connaît ces pirates. Il a des liens avec eux[20]. »

L'administration Bush exigea vite que les talibans lui remettent Ben Laden, ce que l'administration Clinton avait déjà demandé, sans succès, à plusieurs reprises, après les attaques d'Al-Qaïda sur les ambassades américaines en Afrique, en 1998. Abu Walid al-Misri, un Égyptien vivant à Kandahar et proche à la fois d'Al-Qaïda et des talibans, se souvient du mollah Omar lui disant : « Je ne livrerai pas un musulman à un infidèle[21]. »

« Selon l'islam, lui expliqua Omar, lorsqu'un musulman demande un toit, tu le lui donnes et tu ne le livres jamais à l'ennemi. Et selon notre tradition afghane, même si un ennemi demande un toit, tu le pardonnes et tu lui donnes un toit. Oussama a aidé le djihad en Afghanistan, il était avec nous dans les moments difficiles et je ne vais le livrer à personne[22]. »

Rahimullah Yusufzai, l'un des plus importants journalistes pakistanais, interviewa le mollah Omar plusieurs fois, en personne et au téléphone. À la fois avant et après le 11 Septembre, le leader taliban se montra inflexible sur la question de livrer Ben Laden aux Américains. « Je ne veux pas rester dans l'histoire comme celui qui a trahi son invité, déclara-t-il à Yusufzai. Je suis prêt à donner ma vie, à rendre mon pouvoir, mais puisque nous avons donné refuge à Ben Laden, je ne vais pas le mettre dehors. »

Le mollah Omar accordait une grande importance au pouvoir des rêves. Il avait demandé à Yusufzai : « Avez-vous été à la Maison-Blanche ? Mon frère a rêvé qu'elle était en flammes. Je ne sais pas comment interpréter ça. » Omar était également convaincu que les menaces de Washington, si Ben Laden n'était pas remis aux Américains, étaient des fanfaronnades. Le mollah Abdul Salam Zaeef, l'ambassadeur des talibans au Pakistan, pensait qu'Omar était bien naïf de croire que les États-Unis ne lanceraient pas d'opération militaire en Afghanistan[23] : « Pour le mollah Omar il y avait moins de dix pour cent de chances que l'Amérique aille au-delà des menaces. » Zaeef n'était pas d'accord avec lui, et le lui dit.

Le fanatisme ingénu du mollah Omar était un trait bien connu de son caractère. Quand il arriva au pouvoir, il se nomma « commandant des Fidèles », un titre religieux rarement utilisé depuis le septième siècle et qui suggérait qu'il était non seulement le leader des talibans, mais aussi de tous les musulmans au monde. Pour s'assurer cette place de calife planétaire, Omar, en 1996, s'était drapé – au propre comme au figuré – dans la « cape du Prophète », une relique prétendument portée par Mohammed, gardée à Kandahar depuis des siècles et qui n'avait presque jamais été montrée en public. Sortant le vêtement de son placard, Omar monta sur le toit d'un immeuble et s'enroula dans cette cape devant une foule de centaines de talibans enthousiastes.

Peu éduqué et résolument rural, le chef taliban, qui dirigea l'Afghanistan pendant cinq ans, ne se rendait que rarement à Kaboul, assimilant cette ville à Sodome et à Gomorrhe. À part la radio des talibans, Radio Sharia, la presse afghane était inexistante, et la compréhension du monde du mollah Omar, nulle. Une carence qu'il semblait cultiver en évitant soigneusement de croiser des non-musulmans. Une fois, il ne put éviter un groupe de diplomates chinois qui lui offrirent une petite statue d'un animal. Le leader taliban réagit comme s'ils lui avaient présenté un « morceau de charbon ardent », tant était grande son aversion des images d'êtres vivants. Bref, il était un fanatique buté et plein d'illusions de grandeur. Il se croyait envoyé en mission par Allah. L'Histoire démontre que négocier avec des types dans son genre est assez décourageant.

Pour savoir comment Omar allait gérer le problème Ben Laden, il suffisait d'étudier la destruction, quelques mois plus tôt, des bouddhas de Bamiyan. Dominant cette vallée, au centre du pays, pendant plus de mille cinq cents ans, les deux bouddhas géants avaient été taillés dans une falaise de grès[24]. Le plus grand s'élevait à 55 mètres au-dessus de la vallée – la hauteur d'un immeuble de quinze étages – et le plus petit atteignait l'équivalent de douze étages. Ces bouddhas constituaient la principale attraction touristique d'Afghanistan et avaient survécu aux hordes mongoles de Genghis Khan comme à toutes les autres invasions. En mai 2001, sous la pression d'Al-Qaïda qui s'opposait à toute représentation humaine, les talibans annoncèrent qu'ils projetaient de détruire les bouddhas aux explosifs.

Nombreux furent les pays du globe, notamment musulmans, qui supplièrent les talibans de renoncer à cet acte de vandalisme culturel[25] – des appels qui semblèrent conforter le mollah Omar dans sa détermination à faire sauter ces statues. Il raconta à une délégation d'officiels pakistanais qu'avec le temps les pluies avaient creusé de grands trous à la base des sculptures, une façon que Dieu avait choisie pour lui dire : « C'est l'endroit où tu dois placer la dynamite pour détruire les idoles. »

Ben Laden lui-même avait fait le voyage de Kandahar à Bamiyan en hélicoptère, y restant quelques heures. Avec un acolyte, ils avaient frappé de leurs chaussures les têtes des bouddhas, signe d'irrespect dans le monde arabe. Les talibans s'étaient escrimés pour détruire ces statues, lançant même un missile contre l'une d'elles car les explosifs ne l'avaient pas totalement détruite. Ben Laden envoya ensuite une lettre au mollah Omar pour le féliciter. « Je prie Dieu, après qu'Il vous a permis de détruire les faux dieux morts, sourds et muets [les bouddhas de Bamiyan], qu'Il vous accorde de détruire aussi les faux dieux vivants, telles les Nations unies. »

Une semaine après le 11 Septembre, le mollah Omar réunit plusieurs centaines de religieux afghans à Kaboul pour qu'ils réfléchissent ensemble au sort à accorder à Ben Laden. Omar n'assista pas à cette assemblée, mais lui adressa un message disant que si les États-Unis détenaient la preuve de la culpabilité de Ben Laden dans les attaques du 11 Septembre, un groupe d'érudits religieux afghans devrait alors prendre une décision. La réunion dura deux jours, et le groupe des religieux demanda à Ben Laden de quitter l'Afghanistan afin qu'une guerre soit évitée[26]. Bien sûr, Ben Laden laissa cette requête sans réponse.

Alors même qu'à Kaboul l'assemblée se dispersait, des responsables américains enregistraient leur premier succès dans leur traque de Ben Laden, à trois mille kilomètres au sud-ouest de l'Afghanistan, dans la capitale yéménite de Sanaa. Le 17 septembre, un agent du FBI, Ali Soufan, et Robert McFadden, détective du Naval Criminal Investigative Service, le service des enquêtes criminelles de la marine de guerre américaine, interrogèrent Abu Jandal, un ancien garde du corps de Ben Laden qui avait travaillé pour lui pendant des années. De son vrai nom Nasser Ahmed Naser al-Bahri, il était emprisonné au Yémen depuis 2000. Les deux enquêteurs, qui parlaient arabe et suivaient Al-Qaïda depuis longtemps, eurent recours à la méthode classique du « questionneur bien informé », prétendant en savoir beaucoup plus que ce n'était le cas.

Le dossier FBI 302s, le compte rendu officiel de ces interrogatoires, indique qu'Abu Jandal a dévoilé un grand nombre d'informations – des renseignements d'autant plus importants qu'ils concernaient la période post-1996, peu connue, alors, des spécialistes, quand Ben Laden et ses partisans s'étaient installés en Afghanistan. Soufan se souvient que le garde du corps « nomma des douzaines et des douzaines de personnes » membres de l'organisation. Il expliqua la structure d'Al-Qaïda, les noms et les responsabilités de ses dirigeants, les qualifications demandées pour être intégré au groupe, le régime dans les camps d'entraînement, les adresses de ses hôtels à Kaboul, ses méthodes de communications codées par radio. À partir de photos, il reconnut huit des pirates de l'air du 11 Septembre[27]. Il donna les noms d'une douzaine de membres de l'équipe en charge de la sécurité de Ben Laden et révéla qu'ils étaient armés de missiles SAM-7, de mitrailleuses russes PK et de lance-grenades. Il expliqua que le leader d'Al-Qaïda voyageait généralement avec une douzaine de gardes du corps répartis dans trois pick-up Toyota Hilux, chacun contenant un maximum de cinq hommes armés. Il fournit aussi sept pages de compte rendu détaillé des divers mitrailleuses, mortiers, mines, fusils à lunette, missiles sol-air et autres radars en possession d'Al-Qaïda et des talibans.

Fait décisif, Abu Jandal raconta à ses interrogateurs que les très efficaces missiles antiaériens américains Stinger, tombés aux mains d'Al-Qaïda et des talibans – un héritage de la guerre afghane contre les Soviétiques – manquaient constamment de batteries. C'était une information vitale pour les stratèges militaires américains qui planifiaient une invasion de l'Afghanistan.

Au cours des semaines suivantes, alors que l'administration Bush travaillait à sa riposte aux attaques du 11 Septembre, la CIA tentait secrètement d'élargir les fissures existant entre les talibans et Al-Qaïda. L'Agence savait que plusieurs leaders afghans en avaient assez des singeries de Ben Laden sur la scène mondiale. Robert Grenier, le chef de l'équipe de la CIA au Pakistan, s'était fait dire que le numéro deux des talibans, le mollah Akhtar Mohammed Osmani, n'était pas un fan de Ben Laden. « Étant eux-mêmes de grands manipulateurs, les Afghans comprenaient très bien comment Ben Laden, à travers des dons ciblés, tentait de les manipuler pour constituer au sein des talibans sa troupe de partisans[28]. »

Fin septembre, Grenier s'était rendu dans la province pakistanaise du Baloutchistan, une région peu peuplée de la taille de l'Allemagne, pour un rendez-vous secret avec le mollah Osmani. Omar approuva cette rencontre entre son numéro deux et le responsable de la CIA. Elle fut organisée à l'hôtel Serena, un cinq étoiles de Quetta, la capitale baloutche, où le mollah Osmani se rendit avec un détachement de gardes armés et bardés de cartouchières. Grenier n'est pas du genre à donner de grandes claques dans le dos à ses interlocuteurs.

C'est un homme réservé, élégant et attentionné. « Les Américains arrivent, dit-il à Osmani. Vous devriez faire quelque chose pour vous en sortir indemne. — Je suis d'accord, répondit le mollah de façon inattendue. Il faut faire quelque chose. À quoi pensez-vous ? »

Grenier proposa un deal à Osmani : les forces américaines se saisiraient discrètement de Ben Laden pendant que les talibans regarderaient ailleurs. « Rien de plus simple, lui dit-il. Vous nous donnez ce dont nous avons besoin, vous nous laissez la voie libre, l'homme disparaît, et vous pouvez clamer votre innocence. — Je vais en parler au mollah Omar », répondit Osmani en empochant les notes qu'il venait de prendre avec soin.

Grenier rencontra de nouveau Osmani à Quetta le 2 octobre et lui fit une proposition encore plus radicale : la CIA l'aiderait à monter un coup d'État contre le mollah Omar en contrepartie de quoi Ben Laden serait remis aux Américains. Grenier suggéra que le mollah Osmani capture son patron, coupe ses moyens de communication, prenne le contrôle des stations de radio et prononce un discours sur le thème : « Nous prenons les décisions nécessaires pour sauver le mouvement taliban car les Arabes n'ont pas rempli les obligations qui incombent aux invités et ont commis des actes de violence. Ils ne sont plus les bienvenus et doivent quitter immédiatement notre pays. »

« C'est très intéressant, je vais y réfléchir, répondit Osmani. Restons en contact. » Il semblait ragaillardi par cette discussion et s'assit pour un copieux déjeuner avec l'agent de la CIA. En fait, le mollah ne donna pas suite à l'idée d'un coup d'État. Selon Grenier, il ne se voyait pas en chef des talibans.

Pendant ce temps-là, Ben Laden faisait la navette entre son quartier général de Kandahar et les hôtels contrôlés par Al-Qaïda à Kaboul. Alors qu'il devenait évident que les États-Unis préparaient une attaque contre l'Afghanistan, Ben Laden écrivit le 3 octobre une lettre au mollah Omar citant une récente étude selon laquelle sept Américains sur dix souffraient de problèmes psychologiques à la suite des attentats du

11 Septembre[29]. Dans cette lettre, il affirmait qu'une attaque de l'Afghanistan serait le début d'une autodestruction des États-Unis, provoquant à long terme « des problèmes économiques qui obligeraient l'Amérique à recourir à la seule option qu'avait eue l'ancienne Union Soviétique : retrait d'Afghanistan, désintégration, repli. »

Le 7 octobre, quand l'aviation américaine commença à bombarder les positions afghanes, Ben Laden rencontrait à Kandahar le mollah Mansour, un haut responsable taliban. Lui et sa suite décampèrent vite en direction de Kaboul, ville plus sûre, à leurs yeux, compte tenu du faible nombre de dirigeants talibans qui s'y trouvaient et de l'importance de la population civile. Le même jour, le chef d'Al-Qaïda fit une apparition surprise dans une vidéo qui fit le tour du monde. Habillé d'une veste camouflage, une mitraillette en bandoulière, il déclara, dans ce qui était son premier commentaire depuis le 11 Septembre, que ces attaques avaient été la réponse à l'humiliation infligée depuis longtemps par l'Occident au monde musulman.

« Regardez l'Amérique que Dieu a blessée, déclara-t-il. Ses plus beaux immeubles ont été détruits, et nous en remercions Dieu. Regardez l'Amérique qui a peur, du nord au sud, d'ouest en est. Nous en remercions Dieu. Ce que l'Amérique vit aujourd'hui n'est rien comparé à ce que nous avons vécu pendant de nombreuses années. Le monde musulman a connu l'humiliation et le déclin depuis plus de quatre-vingts ans[30]. »

Cette approbation était inédite. La position initiale de Ben Laden était de nier son rôle dans les attaques du 11 Septembre. « En tant que musulman, je fais de mon mieux pour éviter de mentir, et je ne savais rien de ces attaques », avait-il ainsi déclaré, à la fin septembre, à un journal pakistanais. La vérité, c'est qu'il était dans le pétrin : s'il reconnaissait son rôle dans les attentats de New York et de Washington, la position des talibans selon laquelle il n'existait aucune preuve de son implication dans cette affaire ne tiendrait plus debout. Le mollah Omar n'aurait pas d'autre choix que de le livrer aux États-Unis. Reste que l'ego de Ben Laden lui imposait de s'attribuer *une part* de ce qu'il considérait être sa plus grande réussite, et quand les Américains commencèrent à bombarder l'Afghanistan, c'est exactement ce qu'il fit.

Pendant des années, avant septembre 2001, Tayseer Allouni, journaliste de la télévision Al Jazeera, avait été le seul correspondant international autorisé par les talibans à travailler en Afghanistan. Le 21 octobre, Ben Laden lui accorda une longue interview[31], mais pour des raisons que la chaîne n'expliqua jamais vraiment, elle ne fut diffusée qu'un an plus tard. Selon Al Jazeera cette diffusion avait été reportée car l'interview « n'était pas intéressante ». Évidemment, c'était ridicule. Il s'agissait de la première et unique interwiew de Ben Laden après le 11 Septembre[32], et même si celui-ci avait lu les pages d'un annuaire téléphonique, elle aurait été reprise dans le monde entier. Il est probable que la famille royale du Qatar, propriétaire d'Al Jazeera, céda aux pressions de l'administration Bush, pressions qui s'exercèrent aussi sur les télévisions américaines afin qu'elles ne fassent pas la « propagande » de Ben Laden[33].

En fait, cette interview est très intéressante, comme on put s'en rendre compte trois mois plus tard, quand CNN en obtint une copie et la diffusa sans l'accord d'Al Jazeera. On y voit un Ben Laden détendu qui, pour la première fois en public, s'implique directement dans les attaques du 11 Septembre.

« L'Amérique dit détenir des preuves que vous êtes derrière les événements survenus à New York et à Washington, lui demande Allouni. Que répondez-vous ?

— Si pousser des gens à faire ça, c'est du terrorisme, et si tuer ceux qui tuent nos fils, c'est du terrorisme, alors laissons l'Histoire décider si nous sommes des terroristes... Nous pratiquons un bon terrorisme.

— Et que pensez-vous de la mort de civils innocents ?

— Les hommes que Dieu a aidés [le 11 septembre] n'ont pas cherché à tuer des enfants, répond Ben Laden, ils ont cherché à détruire la première puissance militaire au monde, à attaquer le Pentagone... [Le World Trade Center] n'est pas une école. »

Puis le chef d'Al-Qaïda jubile quand il passe en revue, devant le correspondant d'Al Jazeera, les conséquences économiques désastreuses des attaques[34] : baisse de 16 % des actions à Wall Street, 170 000 personnes licenciées par les compagnies aériennes, 20 000 employés renvoyés par la chaîne d'hôtels Intercontinental.

Quelques semaines plus tard, au cours d'une réunion avec un partisan saoudien flagorneur filmée par la branche média d'Al-Qaïda, Ben Laden montra qu'il comprenait parfaitement la portée médiatique du 11 Septembre. Selon lui, les pirates de l'air, à New York et à Washington, « ont tenu un discours qui a été entendu à travers le monde, compris à la fois par les Arabes et par les autres – même les Chinois ». Il ajouta qu'à la suite du 11 Septembre de nombreuses conversions à l'islam avaient été observées dans des pays comme les Pays-Bas.

À partir de ce moment-là, Ben Laden commença à relever du domaine du mythe. Pour ses partisans, il était le noble « émir du djihad », le prince de la guerre sainte – une vénération qu'il ne décourageait pas. Imitant le prophète Mohammed qui reçut les premières révélations du Coran dans une caverne, Ben Laden fit ses premières déclarations vidéo dans les grottes et les montagnes d'Afghanistan. Des rassemblements en sa faveur attiraient des dizaines de milliers de personnes au Pakistan, et on pouvait voir son effigie imprimée sur des T-shirts dans l'ensemble du monde musulman. Pour ses détracteurs – et ils étaient nombreux, même parmi les fidèles de l'islam – Ben Laden n'était qu'un démon responsable du massacre gratuit de milliers de civils dans une ville, New York, que beaucoup considéraient comme la capitale du monde. Mais qu'il soit admiré ou détesté, personne ne contesta qu'il était devenu l'un des rares individus au monde à avoir radicalement changé le cours de l'Histoire.

Hamid Mir, le rédacteur en chef d'*Ausaf*, un journal protaliban en ourdou, était le candidat idéal pour réaliser la seule interview de Ben Laden dans la presse écrite après le 11 Septembre. Le 6 novembre, Mir fut conduit dans une camionnette depuis son bureau d'Islamabad jusqu'à Kaboul. Sur le chemin, on lui banda les yeux et on l'empaqueta dans un tapis[35]. Le 8 novembre au matin, il arriva dans une maison où l'attendait Ben Laden, et lui qui avait encore des doutes sur la responsabilité du chef d'Al-Qaïda dans les attaques du 11 Septembre changea d'avis en voyant sur les murs des photos de Mohammed Atta, le chef des pirates de l'air.

Ignorant apparemment que la chute de Kaboul était imminente[36], Ben Laden fut de bonne humeur durant cette rencontre, attablé devant un petit déjeuner copieux de viande et d'olives. À un moment, il tendit le bras pour éteindre le magnétophone de Mir en lui disant : « Oui, c'est moi le responsable. Maintenant, tu peux rallumer ton appareil. » Mir s'exécuta et Ben Laden lui déclara alors : « Non, je ne suis pas le responsable[37]. » Quand Mir lui demanda comment il pouvait justifier la mort de tant de civils, il répondit : « L'Amérique et ses alliés nous massacrent en Palestine, en Tchétchénie, au Cachemire et en Irak. Les musulmans ont le droit d'attaquer les Américains en retour. »

Mir demanda à Ben Laden sa réaction aux rapports affirmant qu'il avait tenté d'acquérir des armes nucléaires et chimiques. « Je souhaite vous déclarer que si l'Amérique utilisait des armes nucléaires et chimiques contre nous, nous pourrions répondre avec des armes nucléaires et chimiques. Nous avons ces armes, elles nous servent à la dissuasion. » Mir continua : « D'où viennent ces armes ? — Passez à la question suivante », répliqua l'interviewé.

Une fois cet entretien terminé, Mir prit le thé avec l'adjoint de Ben Laden, le docteur Ayman al-Zawahiri. « Il est difficile de croire que vous détenez des armes nucléaires[38], lui lança le journaliste. — Monsieur Hamid Mir, ce n'est pas difficile, lui répondit son interlocuteur. Si vous avez trente millions de dollars, vous pouvez vous procurer des bombes nucléaires qui tiennent dans une valise sur le marché noir de l'Asie centrale. »

Cette affirmation est absurde. Al-Qaïda n'a jamais possédé quoi que ce soit qui se rapproche d'une arme nucléaire, et le supposé marché des « bombes-valises » dans l'ancienne Union soviétique n'existe qu'à Hollywood. Cette déclaration n'était sans doute qu'une tentative maladroite de guerre psychologique destinée à dissuader l'administration Bush d'attaquer l'Afghanistan. Zawahiri savait bien que les Américains avaient peur que des armes de destruction massive tombent entre les mains de terroristes. Deux années plus tôt, il avait déjà critiqué le programme d'Al-Qaïda en matière d'armes chimiques et biologiques, un travail, selon lui, digne « d'amateurs mal payés ».

Pendant que Mir interrogeait les dirigeants d'Al-Qaïda, un autre étranger était admis dans le petit cercle des responsables de l'organisation : le docteur Amer Aziz, un chirurgien pakistanais réputé. Sympathisant des talibans, il avait soigné Ben Laden pour un problème de dos en 1999[39]. Il fut convoqué à Kaboul début novembre 2001 pour traiter Mohammed Atef, un ancien policier égyptien devenu commandant militaire d'Al-Qaïda. À l'occasion de cette visite, il avait de nouveau rencontré Ben Laden. Pendant des années, le bruit avait couru que le leader d'Al-Qaïda souffrait d'une maladie des reins, ce que le docteur Aziz démentit : « Il était en excellente santé. Il marchait, il allait bien. Je n'ai vu aucun signe de problème de rein, aucune évidence de dialyse. »

Tandis que les bombardements américains s'intensifiaient et que les forces spéciales commençaient à arriver par petits groupes au nord de l'Afghanistan, Ben Laden dut établir des plans d'urgence[40]. Organiser un repli était une éventualité que le chef d'Al-Qaïda n'avait pas envisagée en donnant le feu vert aux attaques du 11 Septembre. À la mi-octobre, il rencontra Jalaluddin Haqqani, sans doute le plus efficace commandant militaire des talibans, que Ben Laden avait connu dès les premiers jours du djihad contre les Soviétiques. Ils envisagèrent une longue guérilla contre les infidèles américains, comme ils l'avaient fait avec ceux de Moscou. Haqqani était convaincu que les Américains étaient des « gens qui aiment bien leur confort » et finiraient pas être vaincus. À la même époque, un autre combattant de la guerre contre les Soviétiques, Yunis Khalis, invita Ben Laden à venir vivre sur ses terres proches de Jalalabad, dans l'est de l'Afghanistan, la région dans laquelle Ben Laden garda longtemps son refuge de Tora Bora.

Le jour de son interview par Mir, le chef d'Al-Qaïda participa à une réunion à la mémoire d'un militant ouzbek tué par une frappe aérienne américaine. Le lendemain, la ville de Mazar-e-Sharif, la plus grande agglomération du nord de l'Afghanistan, tomba aux mains de l'Alliance du Nord et d'un petit groupe des forces spéciales américaines. Vingt-quatre heures plus tard, un conseiller de Ben Laden pour la sécurité, le docteur Amin ul-Haq, rencontra des chefs tribaux de la région de Jalalabad et leur donna chacun dix mille dollars et un cheval en échange de leur promesse d'héberger les membres d'Al-Qaïda qui allaient bientôt déferler dans cette zone proche de la frontière avec le Pakistan.

Le 12 novembre, ce fut au tour de Kaboul de tomber aux mains des forces de l'Alliance du Nord. Juste avant leur arrivée, Ben Laden et ses partisans quittèrent la capitale précipitamment et dévalèrent la route raide, étroite et sinueuse qui mène à Jalalabad[41].

Quelques jours plus tard, Mohammed Atef fut tué par le tir d'un drone américain. Il avait été non seulement le commandant militaire d'Al-Qaïda, mais aussi son meilleur manager, travaillant vingt-quatre heures sur vingt-quatre pour organiser les troupes et les gérer les opérations. Il avait été le plus proche collaborateur de Ben Laden depuis la formation du groupe, en 1988[42]. Un membre saoudien d'Al-Qaïda se souvient que la mort d'Atef les « avait profondément bouleversés car il était destiné à succéder à Ben Laden ».

Craignant pour leur vie, le gendre de Ben Laden, Muataz, organisa le départ de Kandahar de trois des femmes de Ben Laden et leur passage au Pakistan.

Deux mois après le 11 Septembre, Ben Laden avait perdu son commandant, une bonne partie de sa famille avait fui le pays et le régime des talibans qui lui avait offert un sanctuaire était désormais sous assistance respiratoire. Au lieu de harceler les États-Unis pour qu'ils se retirent du monde arabe, Le chef d'Al-Qaïda devait subir des bombardements américains continus et massifs et une Alliance du Nord revigorée alliée à de petits commandos très efficaces des forces spéciales américaines. Un vrai désastre dont Ben Laden ne faisait que commencer à saisir l'ampleur. Il ne lui restait plus qu'un seul plan, fuir vers Tora Bora – un lieu qu'il connaissait bien depuis le milieu des années 1980 – et y organiser une ultime résistance avant de disparaître et de se préparer à d'autres combats.

2.

Tora Bora

En dépit de cette retraite précipitée, Ben Laden ne sembla nullement découragé. Les chefs d'Al-Qaïda et ses fantassins se regroupèrent dans la petite ville de Jalalabad et Ben Laden leur fit des discours enthousiastes[1]. Le 17 novembre, en plein ramadan, il partit en voiture avec Ayman al-Zawahiri et plusieurs gardes du corps pour un périple de trois heures sur une piste cahoteuse vers les montagnes de Tora Bora. Ils voulaient s'y cacher en attendant l'assaut américain imminent.

Tora Bora est une base idéale pour y mener une guérilla. Pendant les années 1980, les moudjahidin afghans s'en servaient pour lancer des attaques éclairs contre les Soviétiques et il leur était facile, ensuite, de prendre des chemins détournés pour rejoindre Parachinar, une région du Pakistan qui, tel un bec de perroquet, fait une saillie en Afghanistan. En 1987, Ben Laden avait mené sa première grande bataille contre les Soviétiques dans la vallée de Jaji, à une trentaine de kilomètres à l'ouest de Tora Bora. Cette région avait été la cible de plusieurs offensives de la part des Russes, dont une engageant des milliers de soldats, des douzaines d'hélicoptères de combat et plusieurs avions Mig, mais les caves creusées dans les rides des montagnes du Spin Ghar forment une défense si compacte que les Soviétiques furent repoussés par une petite centaine d'Afghans[2].

Toujours en 1987, Ben Laden entreprit d'ouvrir une route

de Jaji à Jalalabad, alors occupée par les Soviétiques. Elle devait traverser les montagnes de Tora Bora, un véritable défi que releva le chef d'Al-Qaïda grâce aux bulldozers fournis par l'entreprise saoudienne de construction appartenant à sa famille. Six mois furent nécessaires pour construire cette route de terre que seuls des véhicules 4 × 4 pouvaient emprunter[3].

Quand Ben Laden quitta le Soudan, en 1996, il choisit de vivre sur les hauteurs de Tora Bora, au sein du hameau de Milawa, dans une maison de terre de style afghan entourée de postes de guet. « Je me sens en sûreté dans ces montagnes, racontait-il à ses visiteurs. J'aime ma vie ici. » C'est à Milawa que Ben Laden emmenait ses fils les plus âgés pour de longues expéditions à pied. « On ne sait jamais quand la guerre va éclater, leur disait-il. On doit apprendre à sortir de la montagne[4]. »

Ses trois femmes et sa douzaine d'enfants ne partageaient pas sa joie de vivre comme un paysan pauvre, dans un lieu où la seule lumière, le soir, venait de la lune ou de lampes à gaz, et l'unique chaleur – alors que les tempêtes violentes y étaient fréquentes – d'un vieux poêle à bois. Les enfants de Ben Laden connaissaient parfois la faim. Leur alimentation quotidienne se résumait à des œufs, du fromage salé, du riz et du pain[5].

Ben Laden était décidé à faire bon usage de sa parfaite connaissance des montagnes de Tora Bora. Dès qu'il fut évident que les États-Unis allaient attaquer l'Afghanistan, il pensa pouvoir renouveler ses exploits de 1987, lors de cette fameuse bataille de Jaji qui dura une semaine, elle aussi pendant le mois saint du ramadan. À la tête d'une cinquantaine de combattants arabes, il affronta un groupe bien plus important de soldats soviétiques, parmi lesquels se trouvaient des troupes d'élite, avant d'être forcé de battre en retraite. Sa capacité de résistance ne passa pas inaperçue dans le monde arabe. Elle marqua son ascension du statut de simple bailleur de fonds à celui de commandant héroïque du djihad.

Avant de repartir pour Tora Bora en 2001, Ben Laden y

avait envoyé Walid bin Attash, l'un des responsables de l'attentat contre l'USS *Cole*, afin qu'il y prépare son arrivée. Vers le début de novembre, plusieurs de ses gardes du corps commencèrent à stocker de la nourriture et à creuser tranchées et tunnels entre les petites caves éparpillées au sein des montagnes[6].

À la même époque, la CIA surveillait de près les mouvements de Ben Laden. Le responsable de l'Agence sur le terrain était alors Gary Berntsen. Il parlait le dari, l'une des langues locales. Peu après la chute de Kaboul, Berntsen prit connaissance de plusieurs rapports secrets indiquant que le chef d'Al-Qaïda et ses partisans avaient quitté la capitale pour la région de Jalalabad[7]. Quelques jours plus tard, il reçut d'autres messages, émanant de sources locales, selon lesquels Ben Laden et ses hommes s'étaient installés dans le réseau de caves de Tora Bora[8].

La nouvelle qu'un gros contingent de combattants d'Al-Qaïda était à Tora Bora fut confirmée par le Centre du contre-terrorisme du quartier général de la CIA, en Virginie. Cette annonce fut intégrée dans une carte électronique permettant de rassembler les renseignements sur les positions des talibans et d'Al-Qaïda et de les comparer avec celles des soldats des forces spéciales américaines, des agents de la CIA sur le terrain et de leurs alliés afghans. Cette carte, une fois élaborée, était transmise au CENTCOM, à Tampa, en Floride, le commandement central qui coordonnait l'ensemble des forces. Selon la CIA, Ben Laden allait « faire de la résistance le long des pics nord des montagnes du Spin Ghar », un lieu nommé Tora Bora[9].

Au cours de la dernière semaine de novembre, Ben Laden dit à ses hommes que ce serait « une grave erreur de partir avant la fin des combats ». Début décembre, il nomma Ibn al-Cheikh al-Libi commandant en chef de ses armées à Tora Bora. C'était un Libyen grand, maigre et élégant qui avait combattu les Soviétiques en Afghanistan et dirigé le camp d'entraînement de Khaldan où, avant le 11 Septembre, s'étaient entraînés au combat des militants islamistes venus du monde entier. Ben Laden était convaincu que les soldats américains atterriraient bientôt en hélicoptère dans les montagnes du Spin Ghar et que ses hommes leur infligeraient de lourdes pertes[10], ce qui ne se produisit jamais. À part ce vague espoir, Ben Laden ne semblait avoir aucun plan de bataille[11].

Le combat eut bien lieu, sur un théâtre d'opérations de près de quatre-vingts kilomètres carrés, mais ne se résuma qu'à une série d'escarmouches entre les hommes d'Al-Qaïda et les troupes indociles de trois chefs de guerre afghans, stipendiés par les États-Unis, ponctuées d'intenses bombardements américains[12].

Pendant tout ce temps, la neige tombait sur les montagnes et la température, la nuit, devenait glaciale[13]. Ben Laden demanda à Ayman Saeed Abdullah Batarfi, un chirurgien orthopédiste yéménite âgé d'une trentaine d'années, de soigner les blessés. Aux alentours du 1er décembre, celui-ci n'avait plus de médicaments et s'était résolu à amputer les blessés, de plus en plus nombreux, à l'aide de couteaux et de ciseaux. Il prévint Ben Laden que, s'ils ne quittaient pas rapidement Tora Bora, « personne ne resterait en vie » sous les bombes américaines. Selon lui, le chef d'Al-Qaïda ne s'était pas vraiment préparé au combat et semblait surtout préoccupé par sa propre sortie du champ de bataille.

L'un des problèmes concernant sa fuite était le manque d'argent. Il en avait besoin pour trouver un toit, payer les déplacements. Un Yéménite membre d'Al-Qaïda vint le voir pour lui apporter trois mille dollars et il en emprunta lui-même sept mille à un religieux local.

À Washington et à Tampa, au CENTCOM, on était de plus en plus persuadé que Ben Laden était piégé dans ces montagnes[14]. « On l'a approché de très près, se souvient le lieutenant général Michael DeLong, adjoint du commandant du CENTCOM. Il était là quand on a bombardé les caves[15]. Chaque jour, le secrétaire à la Défense, Donald Rumsfeld, me demandait : "Alors ? On l'a eu ? On l'a eu ?" » Le

20 novembre, le vice-président Dick Cheney raconta au journal télévisé de la chaîne ABC que Ben Laden « était prêt à s'enterrer. Il pense disposer d'un endroit sûr avec des caves souterraines ».

Dalton Fury (un pseudonyme), un adjudant de trente-sept ans des forces Delta, était à Tora Bora à la recherche de Ben Laden. Il commandait une petite troupe de soixante-dix hommes, des soldats des forces spéciales américaines et britanniques et des agents de la CIA[16]. Dès le début, il identifia la véritable faiblesse du plan américain : les routes permettant de s'échapper vers le Pakistan n'étaient pas surveillées. Fin novembre, il avait requis le parachutage de son équipe à plus de deux mille mètres dans les montagnes. Munie de bouteilles d'oxygène, elle aurait alors grimpé jusqu'à quatre mille mètres, jusqu'au pic le plus élevé de la région – une marche de quelques jours – et de là serait redescendue pour attaquer les positions d'Al-Qaïda par le haut, ce à quoi les partisans de Ben Laden ne s'attendaient pas. Mais, quelque part le long de la chaîne du commandement, cette requête fut rejetée.

En dépit des blessés et des conditions climatiques extrêmes, les combattants d'Al-Qaïda se défendaient à coups de mortiers et d'armes légères[17]. Mohammed Zahir, commandant d'un groupe de trente miliciens afghans postés en première ligne, affronta des militants arabes et pakistanais qui se battaient avec une telle puissance de feu que celle-ci ne put être maîtrisée qu'avec l'aide de bombardements aériens américains[18]. Muhammad Musa, un autre commandant afghan dont les soldats se battaient, eux aussi, aux avant-postes à Tora Bora, se souvient du courage fanatique des combattants de Ben Laden : « Ils se battaient dur. Quand on les capturait, ils se suicidaient avec des grenades. J'en ai vu trois le faire[19]. » Les combattants d'Al-Qaïda étaient sans aucun doute exaltés par le fait qu'ils se battaient pendant le mois saint du ramadan – comme s'était battu, quatorze siècles plus tôt, le prophète Mohammed qui avait emporté la bataille de Badr à la tête d'un petit groupe de soldats musulmans contre une vaste armée d'infidèles.

Le matin du 3 décembre[20], de lourds bombardements américains inaugurèrent une période de quatre jours qui a vu plus de trois cents tonnes de bombes tomber sur Tora Bora. Au même moment, Ben Laden apparaissait sur une vidéo dans laquelle il conseillait à ses partisans de creuser des tranchées pour se mettre à l'abri[21]. Sur cette vidéo, on remarque une bombe exploser dans le lointain et Ben Laden déclarer d'une voix calme : « Nous étions là-bas la nuit dernière. »

Alors que les bombardements américains s'intensifiaient, Ben Laden évoquait avec plaisir devant son adjoint, Ayman al-Zawahiri, ses souvenirs des dix-neuf pirates de l'air du 11 Septembre, parlant avec émotion de chacun d'entre eux. Craignant d'être tué et désireux de travailler à la mémoire de ces « héros martyrs », il écrivit dix-neuf certificats de décès à leur attention[22].

Les chefs militaires afghans qui collaboraient avec les Américains ne s'entendaient pas entre eux et, chaque soir durant la bataille, commandants et soldats rentraient chez eux pour célébrer la fin du jeûne. Le soir du 3 décembre, conscient que les forces afghanes seraient incapables d'encercler les responsables d'Al-Qaïda, Gary Berntsen, l'agent de la CIA, envoya un message à l'Agence. Il lui demanda huit cents hommes des Rangers[23], l'élite de l'armée américaine, pour prendre d'assaut le réseau de caves où Ben Laden et ses lieutenants étaient censés se trouver, et pour bloquer les routes qui leur permettraient de s'échapper. Henry A. Crumpton, le patron de Berntsen, était alors sûr « à cent pour cent » que Ben Laden était coincé dans les montagnes de Tora Bora. Il appela le commandant en chef du CENTCOM, Tommy Franks, qui supervisait l'opération, pour obtenir ces soldats supplémentaires. Franks fut réticent, soulignant que l'approche américaine par « petits pas » avait fait ses preuves pour renverser les talibans, et qu'il faudrait des semaines pour que ces hommes arrivent sur les lieux. Il ne demanda jamais ces renforts à Donald Rumsfeld, et celui-ci ne lui demanda jamais non plus s'il en avait besoin[24].

Le général Franks pensait que les États-Unis pouvaient compter sur les Pakistanais pour couper la route aux membres d'Al-Qaïda en fuite[25]. C'était, au mieux, une hypothèse irréaliste. À plusieurs reprises, Crumpton avait averti la Maison-Blanche, la CIA et le CENTCOM que les Pakistanais étaient incapables d'assurer la sécurité de leurs frontières[26]. Le président Bush lui avait posé la question personnellement : les Pakistanais pourraient-ils fermer cette frontière ? « Non, Monsieur », avait-il répondu[27].

Le chef d'escadron de Dalton Fury, le commandant des forces Delta, suggéra début décembre de parachuter des mines antipersonnel GATOR – qui se désactivent d'elles-mêmes au bout de quelques jours, selon leur programmation – dans les cols menant au Pakistan. Cette suggestion se perdit, elle aussi, quelque part le long de la chaîne de commandement.

Les hommes des Delta installèrent leur camp près de Tora Bora et tentèrent de s'approcher au plus près des positions d'Al-Qaïda afin de « voir leurs cibles ». Ils utilisèrent des rayons laser pour diriger sur elles les tirs aériens. Les services de renseignements indiquaient alors que Ben Laden se trouvait toujours dans cette zone. Le 9 décembre, un bombardier lâcha une bombe de près de sept tonnes, baptisée « coupe pâquerettes », sur les positions d'Al-Qaïda. L'un des membres de l'organisation, Abu Jafar al-Kuwaiti, fut « réveillé par un énorme bruit et de terribles explosions tout près de nous[28] ». La triste nouvelle de la destruction de la tranchée « Cheikh Oussama » se répandit au sein du groupe. Mais Ben Laden était indemne. Il avait changé de cache juste avant que soit larguée la « coupe pâquerettes ».

Le lendemain, l'agence américaine de la Sécurité nationale intercepta un message de Tora Bora : « Le Père [Ben Laden] essaie de traverser la ligne du siège ». À quatre heures du matin, des soldats afghans annoncèrent qu'ils avaient repéré Ben Laden. À Washington, Paul Wolfowitz, le numéro deux

65

du Pentagone, dit aux journalistes que Ben Laden était probablement toujours à Tora Bora : « Nous n'avons aucune preuve crédible qu'il soit ailleurs[29]. »

Le 11 décembre, Ben Laden comprit que son seul espoir de survie était la fuite. Il annonça à ses hommes qu'il les quittait et pria, la nuit tombée, avec ses gardes du corps les plus loyaux[30]. Le même jour, les leaders d'Al-Qaïda proposaient un cessez-le-feu à Hajji Zaman, l'un des chefs militaires afghans payés par les Américains, lui promettant leur reddition au petit matin. Au grand dam de ses « sponsors », Zaman accepta. Cette nuit-là, les militants retranchés à Tora Bora – et parmi eux Ben Laden – quittèrent leur refuge et battirent en retraite[31].

À Tora Bora, les opérateurs américains au sol interceptaient des messages radio de Ben Laden à ses partisans : « Je suis désolé de vous avoir entraînés dans cette bataille. S'il vous est impossible d'opposer une résistance, vous pouvez vous rendre avec ma bénédiction[32] », leur disait-il.

À Washington, un responsable du Pentagone, qui travaillait sans répit depuis 1997 à traquer Ben Laden, suivait toutes ces évolutions en temps réel. « Chacun de nous était informé de tous les messages radio qui arrivaient et de tous les rapports envoyés par nos forces spéciales. » Ce même responsable se souvient de son excitation et de celle de ses collègues quand Ben Laden sembla faire son dernier tour de piste. Ils ne pensaient pas qu'il essaierait de s'échapper, car sa crédibilité au sein d'Al-Qaïda et du mouvement djihadiste en serait entachée. « On n'avait pas imaginé qu'il s'agissait plutôt d'un au revoir. » Une erreur d'appréciation que le Pentagone allait longtemps regretter.

Accompagné de ses plus fidèles lieutenants, l'homme qui était à l'origine de la plus mortelle attaque terroriste de l'histoire américaine était en train de s'échapper. Pourquoi aucun effort n'avait-il été fait pour envoyer davantage de soldats américains au sol ? Le lieutenant général DeLong raconte que le Pentagone ne voulait pas accroître la présence américaine sur le terrain de peur qu'elle ne soit traitée en ennemie par les autochtones. « Les montagnes de Tora Bora se trouvent à l'intérieur d'un territoire contrôlé par des tribus hostiles aux États-Unis et aux étrangers en général. Si nous y envoyons des troupes, on finira par se battre contre des villageois afghans, créant ainsi un mauvais climat à une époque difficile. »

En novembre 2001, apportant sa pierre à la théorie de l'opposition radicale des Afghans à toute présence de troupes étrangères sur leur sol, la très influente revue *Foreign Affairs* publiait un article intitulé « Afghanistan : le cimetière des empires ». Il avait été écrit par un ancien responsable de la CIA, Milton Bearden, qui avait participé aux efforts de l'Agence pour armer les moudjahidin afghans contre les Soviétiques. Selon lui, envoyer de nombreux soldats américains au sol, c'était reproduire les erreurs des Soviétiques au vingtième siècle, et celles des Britanniques au dix-neuvième[33].

À l'époque, le Pentagone était plutôt réfractaire aux risques, ce qui est difficile à croire aujourd'hui, après les guerres menées pendant des années par les États-Unis en Afghanistan et en Irak, mais à ce stade de la guerre en Afghanistan, plus de journalistes avaient péri dans ce pays que de soldats américains[34], et pendant le conflit du Kosovo, en 1999, aucun Américain n'était mort au combat. Les chefs militaires américains semblaient convaincus que l'opinion publique ne tolérerait plus de pertes – même pour retrouver Oussama ben Laden[35].

L'Irak retenait aussi l'attention du Pentagone. Fin novembre, Donald Rumsfeld annonça au général Franks que le président Bush voulait que « nous considérions les options possibles en Irak[36] ». En plein milieu de la guerre en Afghanistan, cette demande laissa Franks pantois. « Nom de Dieu, qu'est-ce que c'est que cette histoire à la con[37] ? », s'exclamat-il devant les membres de son équipe. Il n'empêche que le 4 décembre, il exposait devant Rumsfeld et d'autres responsables du Pentagone des plans de guerre contre l'Irak, lesquels, fondés sur des études déjà existantes, furent réunis dans un document de huit cents pages. Rumsfeld ne les jugea pas satisfaisants. « Mon général, vous avez encore du travail à faire. » Franks reformula son plan d'invasion de l'Irak devant Rumsfeld le 12 décembre, le jour même où les leaders d'Al-Qaïda entamaient leur fuite de Tora Bora sous le couvert d'un accord de cessez-le-feu.

Des années plus tard, Franks expliquera pourquoi il n'avait pas envoyé plus de soldats sur les traces du noyau dur d'Al-Qaïda à Tora Bora :

Ma décision fut influencée par la faible présence de nos troupes sur le terrain et leurs engagements en cours en Afghanistan. De plus, le temps nécessaire pour déployer de nouveaux soldats aurait créé une « pause tactique » qui nous aurait fait courir le risque de perdre l'élan acquis dans ce pays. Enfin, l'incertitude régnait sur la présence de Ben Laden à Tora Bora. Nos services de renseignements pensaient qu'il s'y trouvait, mais, selon d'autres sources, il était au Cachemire... ou dans un bastion à la frontière iranienne[38].

Le général Dell Dailey, qui dirigeait le commandement des forces spéciales, le Joint Special Operations Command (JSOC) partageait les doutes de Franks : « Il était évident qu'il aurait fallu un nombre considérable de soldats pour boucler Tora Bora... On était en décembre. Chaque colline était couverte de neige, chaque base aurait eu besoin d'un support logistique important[39]. » Le commandant au sol de Dailey s'opposa à l'idée d'introduire plus d'hommes sur le terrain. « Pas question, lui dit-il. On a gagné cette guerre grâce à des opérations spéciales et à la CIA, sans combats conventionnels et sans les aspects négatifs des déplacements massifs de troupes. Restons-en là. » Le brigadier général James N. Mattis, commandant des mille deux cents marines stationnés près de Kandahar, vint sur la base aérienne de Bagram, près de Kaboul, pour débattre avec Dailey de l'opportunité d'envoyer certains de ses hommes à Tora Bora. Finalement, aucune force nouvelle n'y fut déployée.

Susan Glasser, qui couvrait la bataille de Tora Bora pour le *Washington Post*, se souvient qu'à l'origine il y avait là-bas « cinquante à soixante journalistes, peut-être une centaine, au plus fort des combats ». C'était juste un peu plus que le nombre de soldats occidentaux sur place[40]. Si de nombreux journalistes avaient réussi à s'approcher de la bataille, le Pentagone n'aurait-il pas pu déployer des forces en plus grand nombre ? Si. Quelque deux mille soldats américains se trouvaient déjà en Afghanistan[41]. Mille autres, appartenant à la 10ᵉ division de montagne, une unité d'infanterie légère, étaient stationnés en Ouzbékistan, le pays voisin au nord. Plus de mille marines, également, se trouvaient dans les environs de Kandahar. Et, enfin, il fallait moins d'une semaine aux huit cents hommes de la 82ᵉ division aéroportée pour quitter leur quartier général de Fort Bragg, en Caroline du Nord et prendre position à Tora Bora[42]. Bien sûr, ces troupes auraient dû affronter à la fois les terribles conditions climatiques de la région et une résistance féroce de la part d'Al-Qaïda. De plus, peu d'hélicoptères se trouvaient sur place, ce qui aurait rendu les questions logistiques difficiles[43]. Néanmoins, personne n'a cherché à savoir si ces obstacles pouvaient être surmontés.

Condoleezza Rice, la conseillère à la Sécurité nationale, raconta plus tard que les rapports sur les allées et venues de Ben Laden étaient « contradictoires », et qu'il ne fut jamais demandé à George Bush de se prononcer sur l'envoi de renforts à Tora Bora, ce que confirma le président[44]. Pourquoi les choses se sont-elles passées ainsi reste un mystère. On peut en partie l'expliquer par le fait que l'administration américaine venait de gagner l'une des victoires militaires les plus emblématiques de la modernité en renversant le régime taliban en trois semaines avec seulement trois cents hommes des forces spéciales et une centaine d'agents de la CIA au sol. Pourquoi changer de méthode ?

À partir du 12 décembre, sans qu'aucune force américaine ne les intercepte, un groupe de plus de deux douzaines de gardes du corps de Ben Laden[45] quittait Tora Bora à pied, direction le Pakistan. Ils y furent arrêtés le 15 décembre et remis aux Américains. Mais Ben Laden n'était pas avec eux. Lui et son adjoint Ayman al-Zawahiri avaient eu la bonne idée de se séparer du groupe et de rester en Afghanistan. Zawahiri quitta le refuge que leur offraient les montagnes en compagnie d'Uthman, l'un des fils de Ben Laden[46]. « Mon fils, lui dit ce dernier en guise d'adieu, restons fidèles à notre serment de nous battre pour le djihad, et marchons ainsi sur les traces d'Allah[47]. » Accompagné de quelques gardes, le leader d'Al-Qaïda prit la fuite avec un autre de ses fils, Mohammed, âgé de dix-sept ans.

Alors que Ben Laden abandonnait le champ de bataille, il écrivit un ultime testament, mettant ses enfants en garde contre le choix de vie qu'il avait fait : « Pardonnez-moi de vous avoir donné si peu de mon temps parce que j'ai répondu à l'appel du djihad. J'ai choisi une voie pleine de dangers, traversant des épreuves, rencontrant l'amertume, la trahison et la perfidie... Je vous conseille de ne pas travailler avec Al-Qaïda. » À ses femmes, il dit : « Vous saviez que le chemin était plein d'épines et de mines. Vous avez quitté la chaleur du foyer de vos parents pour partager mes difficultés. Vous avez renoncé aux plaisirs de ce monde avec moi, renoncez-y encore plus après moi. Ne pensez pas à vous remarier mais occupez-vous de nos enfants[48]. »

Ben Laden alla se reposer à Jalalabad, dans la maison d'Awad Gul, un allié sûr. Avant la bataille, il lui avait confié cent mille dollars. Peu après, Ben Laden, cavalier accompli, partit à cheval pour la province de Kunar, dans le nord-est du pays, un endroit idéal pour disparaître. Ses pics de près de quatre mille mètres, ses forêts denses, ses arbustes à feuilles persistantes rendent la détection de mouvements difficile depuis le ciel. De plus, ses rares habitants sont hostiles aux

étrangers et l'on n'y rencontre aucune représentation gouvernementale digne de ce nom.

Deux semaines après la fin de la bataille de Tora Bora, un
Ben Laden visiblement fatigué publia une vidéo dans laquelle
il évoqua sa propre mort[49]. « Je ne suis qu'un pauvre esclave
de Dieu. Que je sois mort ou vivant, la guerre continuera. »
Au cours de la demi-heure que dura cette vidéo, il ne bougea
pas une seule fois son côté gauche, ce qui fit penser qu'il avait
été gravement blessé. Quelques mois plus tard, Hamza ben
Laden, âgé de dix ans, écrivit sur un site d'Al-Qaïda un poème
déplorant le sort qui s'était acharné sur lui et sa famille : « Ô
Père, pourquoi nous ont-il douchés de bombes comme la pluie
l'aurait fait, n'ayant aucune pitié pour un enfant ? » Sur le
même site, Ben Laden répondit : « Pardonne-moi, mon fils,
mais je ne vois qu'un chemin ardu devant nous. Une décennie
est passée en errances et voyages, et nous voilà qui vivons toujours en pleine tragédie, sans sécurité, et non sans danger. »

Le 4 janvier 2002, dans le ranch du Texas où le président
Bush passait ses vacances, Michael Morell eut la tâche délicate
d'informer le président que la CIA pensait que Ben Laden
avait quitté sain et sauf Tora Bora. Furieux, Bush traita Morell
comme s'il était le responsable de cet échec[50].

Deux ans et demi plus tard, au cours d'une course serrée
à la présidence, le candidat démocrate John Kerry fit un
argument de campagne de la question de savoir si Ben Laden
aurait pu être tué à Tora Bora. L'idée qu'une opportunité se
soit présentée de liquider Ben Laden était « une affirmation
absurde », avait déclaré Bush. « Une vaste connerie », avait
précisé le vice-président Dick Cheney[51]. Néanmoins, selon
tous les rapports disponibles, il est clair que les États-Unis ont
été bernés par Ben Laden quand ils ont eu la possibilité de le
tuer ou de le capturer, trois mois après le 11 Septembre. Le
chef d'Al-Qaïda leur a filé entre les doigts. Il a disparu du
radar et a commencé à reconstruire, lentement, son organisation.

3.

Al-Qaïda dans la nature

Ben Laden se retira dans les montagnes de Kunar alors que son organisation était moribonde. Al-Qaïda – « la base » en arabe – venait justement de perdre la sienne, la meilleure base qu'elle ait jamais eue : l'Afghanistan. Dans ce pays, elle avait constitué une sorte d'État dans l'État, en parallèle à celui des talibans, et conduisait sa propre politique étrangère en attaquant des ambassades américaines, des bateaux de guerre, les centres du pouvoir économique et militaire américains, mais aussi en fabriquant des milliers de fantassins militants dans ses camps d'entraînement.

Avant le 11 Septembre, Al-Qaïda fonctionnait de façon plutôt bureaucratique. Elle comptait de multiples comités (pour la sensibilisation de la presse, pour la planification militaire, pour les affaires commerciales, et même pour l'agriculture), des responsables à tous les niveaux, des salaires versés à de nombreux membres, l'entraînement assuré à ses recrues et des formulaires détaillés à remplir par les candidats. Les statuts du groupe, qui remplissaient trente-deux pages dans leur traduction anglaise, couvraient budgets annuels, rémunérations, avantages médicaux, politique du groupe envers les handicapés, causes d'expulsion et allocations vacances.

Les leaders d'Al-Qaïda ressemblaient souvent aux cadres intermédiaires d'une grande entreprise. Ainsi, Mohammed Atef, le commandant militaire du groupe, envoya un jour une note courroucée à l'un de ses subordonnés : « Je suis très contrarié par ce que tu as fait. J'ai obtenu soixante-quinze mille roupies pour le voyage de ta famille en Égypte et j'ai appris que tu n'avais pas donné de reçu au comptable. Tu as fait une réservation pour une somme de quarante mille roupies et tu as gardé la différence[1]. » De la même façon, Ayman al-Zawahiri réprimanda des membres d'Al-Qaïda au Yémen qui avaient fait des folies en achetant un fax trop onéreux[2]. Elle avait beau être une organisation vouée à la guerre sainte révolutionnaire, elle ressemblait parfois, avant le 11 Septembre, à une compagnie d'assurances, si toutefois on peut en imaginer une qui soit lourdement armée.

Cette structure bureaucratique fut mise en péril par la décision imprudente de Ben Laden d'attaquer les États-Unis. En juin 2002, un membre d'Al-Qaïda écrivit une lettre à Khalid Cheikh Mohammed, que tous appelaient KSM, le commandant opérationnel du 11 Septembre : « N'agis pas trop vite, regarde tous les désastres successifs qui nous sont tombés dessus pendant seulement six mois. » L'auteur de cette lettre se plaignait que Ben Laden n'écoutât jamais ceux qui allaient à l'encontre de sa conviction qu'attaquer les États-Unis fut un coup de génie : « Si quelqu'un s'oppose à lui, il fait immédiatement intervenir une autre personne qui partage ses vues. » Toujours selon la même source, Ben Laden n'avait pas pris la mesure de ce qui s'était passé pour Al-Qaïda depuis le 11 Septembre, et il a continué à pousser KSM à agir. Pendant ce temps-là, des groupes djihadistes en Asie, au Proche-Orient, en Afrique et en Europe enregistraient d'énormes pertes. L'auteur de la lettre enjoignait à son lecteur de renoncer à d'autres attaques terroristes « jusqu'à ce que nous puissions nous asseoir et réfléchir au désastre que nous avons causé ».

Cette critique interne de Ben Laden prit une ampleur publique deux ans plus tard, quand Abu Musab al-Suri[3] publia sur Internet une histoire du mouvement djihadiste en mille cinq cents pages. Suri était un intellectuel syrien très sérieux qui avait connu Ben Laden dans les années 1980. Il était probablement le stratège le plus réfléchi du cercle rapproché du chef terroriste. Pendant une bonne partie des années 1990, il avait vécu en Espagne puis à Londres où il écrivait dans d'obscures publications favorables au djihad. Avant le 11 Septembre, il avait dirigé pendant un an son propre camp d'entraînement en Afghanistan dans lequel il défendait une structure d'Al-Qaïda plus linéaire, plus en réseaux et moins hiérarchique que celle alors en vigueur.

En fuite depuis la chute des talibans, et sachant qu'il serait arrêté à un moment ou à un autre (ce fut le cas en 2005, au Pakistan), Suri passait le plus clair de son temps à changer de toit tout en écrivant sa longue histoire du mouvement djihadiste. Elle raconte la dévastation qu'Al-Qaïda et ses groupes alliés ressentirent à la suite du 11 Septembre : « Nous connaissons une situation terriblement difficile et sommes totalement désespérés... Les Américains ont éliminé la majorité des leaders du mouvement djihadiste, ses infrastructures, ses partisans et ses amis. » Selon Suri, les estimations selon lesquelles trois à quatre mille militants avaient été tués ou capturés depuis le 11 Septembre étaient inférieures à la réalité.

« L'Amérique a détruit l'émirat islamique [des talibans] en Afghanistan, conclut-il. Il était devenu le refuge des moudjahidin. Elle a tué des centaines de moudjahidin qui défendaient l'émirat. Elle en a capturé plus de six cents, venant de différents pays arabes et du Pakistan et les a emprisonnés. Le mouvement djihadiste a connu ses heures de gloire dans les années 1960, et a poursuivi sa marche dans les années 1970 et 1980, jusqu'à l'émergence de l'émirat islamique d'Afghanistan, mais il fut anéanti après le 11 Septembre[4]. » Pour cet ami de longue date de Ben Laden, grand stratège du djihad, reconnaître publiquement que les attaques de New York et de Washington avaient conduit à la destruction d'une bonne partie d'Al-Qaïda, des talibans et de leurs alliés, était tout à fait révélateur.

Au sein d'Al-Qaïda, cependant, certains continuaient à

penser que le 11 Septembre avait été un grand succès pour leur mouvement. Dans un rapport interne sur les attaques du World Trade Center et du Pentagone, un rédacteur anonyme d'Al-Qaïda encense la sagesse de ces actions : « Prendre l'Amérique pour cible fut un choix stratégique très intelligent car le conflit avec les partisans des États-Unis dans le monde islamique avait montré que ceux-ci avaient besoin de l'aide des Américains pour rester à la tête de leurs régimes tyranniques. Donc pourquoi combattre le corps quand on peut tuer la tête[5] ? » Ce rapport se réjouissait aussi de l'attention des médias pour le 11 Septembre : « La grosse machine médiatique américaine fut mise KO par le coup de Cheikh Ben Laden. Les caméras de CNN et d'autres grands médias permirent de diffuser les images de l'attaque et de répandre la peur sans qu'Al-Qaïda ait à déverser un centime. »

De la même façon, Saif al-Adel, l'un des commandants militaires du groupe, expliqua, dans une interview publiée quatre ans après la chute des talibans, que les attaques de New York et de Washington avait fait partie d'un plan diaboliquement intelligent visant à pousser les États-Unis à réagir dans la démesure et à attaquer l'Afghanistan : « Le but ultime de ces frappes contre la tête du serpent était de le faire sortir de son trou... De telles actions peuvent inciter à faire n'importe quoi, y compris des erreurs graves et même parfois fatales... La première d'entre elles fut l'invasion de l'Afghanistan[6]. »

Un tel discours a relevé d'une rationalisation *a posteriori* de l'échec stratégique d'Al-Qaïda. Le but des attaques du 11 Septembre était de chasser les Américains hors du monde musulman, pas de les voir envahir et occuper l'Afghanistan, puis renverser les talibans. En cela, le 11 Septembre ressemble à Pearl Harbor. Alors que les Japonais remportaient une grande victoire tactique le 7 décembre 1941, ils déclenchaient aussi une suite d'événements qui allaient conduire à la chute du Japon impérial. De la même façon, les attaques du 11 Septembre déclenchèrent une suite d'événements qui conduisirent à la destruction d'une bonne partie d'Al-Qaïda, puis à la mort de son chef.

Il avait pour nom de code « Greystone » et fut probablement le programme d'opérations secrètes le plus onéreux de l'histoire de la CIA[7]. Autorisé par le président Bush à la suite du 11 Septembre, ce programme incluait la recherche dans le monde entier des personnes suspectées d'appartenir à Al-Qaïda. Des douzaines d'entre elles furent capturées là où elles vivaient et « livrées », à bord d'avions affrétés par la CIA, dans des pays comme l'Égypte et la Syrie où elles furent torturées par les services de sécurité locaux. Ce programme validait l'utilisation de ce que la CIA appelait des « techniques améliorées d'interrogatoire », dont le *waterboarding*, une technique de simulation de noyade, et conduisit à la création d'un système de prisons secrètes de la CIA en Europe de l'Est à l'attention des captifs « de grande valeur ». « Le consensus au sein des experts, des spécialistes du contre-terrorisme et de nos psychologues, raconte John Rizzo, un juriste de la CIA, considérait essentiel, pour interroger les responsables de haut niveau d'Al-Qaïda – je parle ici des pires parmi les pires, des psychopathes bien informés –, qu'ils soient maintenus totalement isolés et qu'ils aient accès au plus petit nombre de personnes possible[8]. » L'autorisation présidentielle donnait aussi le feu vert à la CIA pour tuer les leaders d'Al-Qaïda et de leurs alliés en utilisant des drones.

L'urgence de trouver Ben Laden s'accrut quand la CIA découvrit qu'il avait rencontré, au cours de l'été 2001, d'anciens scientifiques pakistanais afin de discuter avec eux des possibilités de mise au point d'un dispositif nucléaire[9]. Le général Richard Myers, président du comité des chefs d'état-major interarmées, raconte que six semaines après le 11 Septembre, Bush annonça, lors d'une réunion du Conseil national de sécurité, que Ben Laden « pourrait posséder un engin nucléaire » suffisamment élaboré pour pouvoir détruire la moitié de Washington. En fait, Al-Qaïda n'a jamais détenu ce type de matériel, mais, dans la panique des lendemains du 11 Septembre, une telle menace ne pouvait pas être prise à la légère[10].

Comme on le sait, Bush gardait dans un tiroir de son bureau une liste des leaders d'Al-Qaïda les plus recherchés. Elle se présentait sous la forme d'une pyramide, Ben Laden figurant au sommet[11]. Dès qu'un responsable d'Al-Qaïda était capturé ou tué, Bush mettait une croix sur son nom. Environ un an après la chute du régime des talibans, « le président pensait que le chef d'Al-Qaïda était peut-être déjà mort, qu'on l'avait tué, à Tora Bora ou ailleurs, et qu'on ne le savait pas », se souvient Ari Fleischer, le porte-parole de la Maison-Blanche. Après tout, rien, tout au long de 2002, n'offrit quelque chose ressemblant à une « preuve de vie » de Ben Laden.

L'incertitude quant au sort de Ben Laden prit fin le 12 novembre 2002 à 22 heures, quand Ahmed Zaidan, le chef du bureau d'Al Jazeera au Pakistan, reçut sur son portable l'appel d'un homme parlant en anglais avec un fort accent pakistanais. « J'ai quelque chose d'intéressant et d'exclusif pour vous. Venez me voir au Melody Market, derrière l'hôtel Islamabad. » Zaidan prit sa voiture, sous un gros orage, et la gara près de ce marché, habituellement très animé, mais ce soir-là déserté pour cause de mauvais temps et de l'heure tardive. Dès qu'il sortit de son véhicule, un homme au visage enroulé dans une écharpe s'approcha de lui et lui donna une cassette audio, « de la part d'Oussama ben Laden ».

« Attendez ! » lança Zaidan au messager, mais celui-ci avait disparu aussi vite qu'il était venu. Zaidan enfourna la cassette dans le lecteur de sa voiture et reconnut immédiatement la voix de Ben Laden. Ce que le leader d'Al-Qaïda disait démontrait bien qu'il avait survécu à la bataille de Tora Bora. C'était un vrai scoop pour Al Jazeera[12].

De retour à son bureau, Zaidan transmis le contenu de la cassette au quartier général d'Al Jazeera, au Qatar. La nouvelle se répandit aussitôt à travers le monde : Ben Laden est vivant. Sur cette cassette, le chef d'Al-Qaïda se réjouissait de la série de récentes attaques terroristes perpétrées par ses partisans : une bombe dans une synagogue en Tunisie, l'attaque d'un pétrolier français au large des côtes du Yémen, un attentat suicide dans deux boîtes de nuit sur l'île indonésienne de Bali qui tua deux cents jeunes gens, la plupart des touristes occidentaux[13]. Il s'agissait d'une « preuve de vie » suffisante pour réduire tout espoir que Ben Laden ait été tué à Tora Bora. Cette même nuit, la conseillère à la Sécurité nationale, Condoleezza Rice, appela le président Bush dans son appartement privé de la Maison-Blanche pour lui apprendre cette mauvaise nouvelle : Ben Laden était bien vivant.

Il était en vie, mais où ? Pendant les années qui suivirent le 11 Septembre, le consensus au sein du gouvernement américain était qu'il se cachait quelque part dans les zones tribales du Pakistan où Al-Qaïda commençait à se refaire une santé. Certains responsables du renseignement pensaient qu'il vivait peut-être dans le nord du Pakistan, dans les montagnes peu peuplées du district de Chitral. Cette analyse était en partie fondée sur les arbres propres à cette région que l'on pouvait voir sur une vidéo de Ben Laden de 2003, et sur le temps qu'il avait fallu pour porter cette vidéo jusqu'à ses destinataires, parmi lesquels se trouvait Al Jazeera. Généralement, il fallait environ trois semaines pour que les messages de Ben Laden soient connus du public. Mais ce schéma se trouvait parfois bouleversé. Ainsi, après que la branche saoudienne d'Al-Qaïda eut attaqué le consulat américain de Djeddah, début décembre 2004, faisant cinq morts parmi les employés, Ben Laden produisit une vidéo dans laquelle il se vantait de cette victoire qui fut rendue publique en une semaine. Peut-être, après tout, n'était-il pas dans le lointain Chitral ?

En réalité, les leaders d'Al-Qaïda qui ne s'étaient pas cachés dans les zones tribales du Pakistan étaient nombreux. Quelques-uns filèrent en Iran, mais beaucoup choisirent de se fondre dans l'anonymat de Karachi, l'une des plus grandes villes du monde. L'un des fils aînés de Ben Laden, Saad ben Laden, qui assumait depuis peu des responsabilités au sein d'Al-Qaïda, y passa les six premiers mois de 2002. Il aida d'abord l'une de ses tantes et plusieurs des enfants de son père à passer du Pakistan en Iran où ils vécurent, pendant des années, assignés à résidence. Saad les y rejoignit, de même que d'autres responsables d'Al-Qaïda comme Saif al-Adel, l'ancien officier des forces spéciales égyptiennes qui avait combattu contre les Soviétiques en Afghanistan. C'est depuis l'Iran qu'Adel autorisa la branche d'Al-Qaïda en Arabie saoudite à lancer une série d'attaques terroristes contre le royaume saoudien, attaques qui commencèrent en mai 2003 et firent de nombreuses victimes [14].

Depuis leur cache à Karachi, deux des concepteurs du 11 Septembre, KSM et Ramzi bin al-Shibh, accordèrent, au printemps 2002, une interview à un journaliste d'Al Jazeera dans laquelle ils expliquèrent en détail les plans d'attaque de New York et de Washington. Quelques mois plus tard, le jour anniversaire du 11 Septembre, Ben al-Shibh était arrêté à Karachi avec d'autres membres d'Al-Qaïda. On découvrit, dans la maison où ils s'étaient cachés, vingt paquets de passeports et de documents appartenant aux femmes et enfants de Ben Laden [15].

Karachi, la capitale économique du Pakistan, joua un rôle clef pour la famille Ben Laden après la chute des talibans. Elle était aussi la ville où Al-Qaïda réalisait ses opérations bancaires. Alors qu'au cours de l'hiver 2001 Ben Laden, à Tora Bora, manquait d'argent, l'année suivante à Karachi KSM maniait des centaines de milliers de dollars. Il donna, par exemple, cent trente mille dollars au Jemaah Islamiyah, le groupe terroriste d'Asie du Sud-Est responsable des attaques de Bali en octobre 2002.

À Karachi, KSM planifia une seconde vague d'attaques en Occident, rêvant d'envoyer des avions s'écraser sur l'aéroport d'Heathrow et cherchant comment insérer dans des cartouches de jeux vidéo des explosifs dont le déclenchement pouvait être géré par télécommande. Il voulait aussi relancer le programme de recherches menées par Al-Qaïda sur la maladie du charbon. Pour ce faire, il avait parlé avec Yazid Sufaat, un Malaisien, ancien étudiant en biochimie à la Polytechnic State University de Californie. Ce dernier avait déjà tenté, sans succès, de produire pour Al-Qaïda une arme chimique porteuse de cette bactérie. Sufaat confia à KSM qu'il était vacciné contre la maladie du charbon et ne serait donc pas victime de ses recherches, mais ce projet n'eut pas de suite[16].

Les complots de KSM prirent fin quand il fut capturé à Rawalpindi le 1er mars 2003, lors d'un raid mené à 3 heures du matin dans cette ville qui abrite le quartier général de l'armée pakistanaise. Il fut capturé grâce à l'aide d'un informateur qui se trouvait dans la même maison que lui et qui s'enferma dans les toilettes pour envoyer un texto aux Américains : « Je suis avec KSM. » Un peu plus tard au cours de cette même nuit, le « chef des opérations extérieures » d'Al-Qaïda était arrêté[17].

Cette arrestation permit à la CIA d'obtenir une manne d'informations. KSM était porteur de trois lettres de Ben Laden, l'une d'elles adressée à des membres de sa famille en Iran. La CIA mit aussi la main sur l'ordinateur du terroriste et découvrit, gravé sur le disque dur, un dossier intitulé « Barème des affaires ». Il contenait la liste des noms de 129 membres d'Al-Qaïda et le montant de leur indemnité mensuelle. Ils trouvèrent aussi dans l'ordinateur des tableaux où figuraient les familles ayant reçu une aide financière du groupe, une liste des « martyrs » blessés ou tués, et des photos d'identité d'agents de l'organisation[18].

Rien de tout cela, cependant, ne rapprochait la CIA de Ben Laden.

En octobre 2003, ce dernier appela à attaquer les pays occidentaux dont les troupes combattaient en Irak[19]. Des terroristes posèrent des bombes devant un consulat britannique en Turquie[20] et dans des trains de banlieue à Madrid[21]. Et à la veille de l'élection présidentielle américaine de 2004, Ben Laden apparut soudain sur une vidéo dans laquelle il se moquait de Bush lisant une histoire de chèvre dans une école primaire de Floride alors que les attaques du 11 Septembre étaient en cours. Sur cette vidéo, Ben Laden répondait aussi de façon sarcastique au président américain qui affirmait souvent qu'Al-Qaïda s'en prenait aux États-Unis parce qu'il détestait ses libertés plus encore que sa politique étrangère. « Si les déclarations de Bush selon lesquelles nous haïssons la liberté étaient vraies, alors qu'il nous explique pourquoi nous n'attaquons pas la Suède[22] ». En décembre 2004, Ben Laden désigna comme cibles les installations pétrolières saoudiennes[23], et une vague d'attentats eut lieu contre des entreprises énergétiques et des raffineries[24].

En dépit de ces vidéos moqueuses, un certain nombre de responsables d'Al-Qaïda furent capturés entre 2002 et 2005, tous dans des villes pakistanaises très peuplées. Les membres de l'organisation faisaient face à un dilemme : s'ils n'utilisaient ni téléphone ni Internet, il était compliqué de détecter leur présence, mais il était alors difficile pour eux de planifier des attaques et de communiquer entre eux. En fait, ceux qui jetèrent leurs portables à la poubelle et Internet aux oubliettes étaient peu nombreux. La CIA eut recours à de nouvelles techniques de localisation géographique pour repérer ces téléphones et les endroits associés aux adresses IP des ordinateurs qu'ils utilisaient[25]. KSM fut en partie repéré grâce aux cartes SIM suisses de son téléphone portable[26]. Elles étaient prisées par les responsables d'Al-Qaïda car elles étaient prépayées et l'acheteur n'avait pas à donner son nom.

La CIA eut aussi recours à un logiciel relativement nouveau permettant d'établir des liens potentiels entre les terroristes et des numéros de portables. Palantir, une entreprise de la Silicon Valley, devint l'un des fournisseurs favoris des agences américaines de renseignements, gagnant chaque année des centaines de millions de dollars grâce à ses capacités à rassembler des informations venant de différentes bases de données et à constituer le portrait le plus complet possible d'un suspect[27]. Un tout nouveau job vit le jour à la CIA : le

« cibleur »[28], qui aide les traqueurs de terroristes en rassemblant toutes les informations possibles laissées par les « traces digitales » d'un suspect, à travers ses portables, ses transactions par les distributeurs automatiques de billets de banque, etc. La CIA a vite reçu de nouveaux moyens pour lutter contre Al-Qaïda. Un an après le 11 Septembre, le personnel du centre du contre-terrorisme de l'Agence était passé de 340 à 1 500 agents et analystes[29].

Les relations entre la CIA et le service des renseignements militaires pakistanais, l'ISI, étaient plutôt bonnes au cours des premières années après le 11 Septembre. Après tout, Al-Qaïda constituait un ennemi commun qui avait pris pour cible le président du Pakistan, le général Pervez Musharraf, sujet de deux tentatives sérieuses d'assassinat en décembre 2003[30]. « Nous avions confiance en eux, on ne se cachait rien[31] », déclare le général Asad Munir, en charge des opérations de l'ISI dans la province frontalière du Nord-Ouest, en évoquant ses collègues de la CIA. Il raconte avoir travaillé étroitement avec l'Agence américaine en 2002 dans le cadre d'une douzaine d'opérations. Elle avait peu d'agents sur place et employait la main-d'œuvre que l'ISI pouvait lui fournir.

Les responsables d'Al-Qaïda capturés dans les villes pakistanaises peu après le 11 Septembre incluaient Abu Zubaydah, qui avait fourni un support logistique à l'organisation, Walid bin Attash, qui joua un rôle dans l'attaque de l'USS *Cole* au Yémen, Ahmed Khalfan Ghailani, un des cerveaux des attentats des ambassades américaines en Afrique, en 1998, et Abu Faraj al-Libi, le numéro trois d'Al-Qaïda, capturé par des policiers en burquas. Au total, le Pakistan livra 369 suspects aux Américains au cours des cinq années qui suivirent les attaques de New York et de Washington[32] – une coopération qui permit au gouvernement pakistanais de gagner des millions de dollars.

Les responsables d'Al-Qaïda encore au Pakistan et qui avaient échappé aux coups de filet se trouvaient devant un dilemme existentiel : rester dans les villes où ils pouvaient facilement communiquer avec les militants dans le pays et autour du globe, ou se retirer dans les zones tribales. Là, les communications étaient plus difficiles, mais le risque d'être repéré par la CIA ou les services pakistanais était presque nul.

Les leaders d'Al-Qaïda optèrent alors pour la survie. Et tant pis pour les communications.

4.

La résurgence d'Al-Qaïda

Au printemps 2003, alors que la guerre en Irak était en cours, un groupe de citoyens britanniques se rendit au Pakistan, bien décidé à s'entraîner avec Al-Qaïda avant d'affronter les forces américaines et de l'OTAN en Afghanistan. Omar Khyam, fils d'immigrés pakistanais et fou de cricket, en était le meneur[1]. Dans un camp de l'organisation, à la frontière entre les deux pays, ils apprirent à fabriquer des bombes à partir d'engrais. Pendant leur formation, Abdul Hadi al-Iraqi, l'un des principaux lieutenants de Ben Laden, leur fit savoir que l'organisation « avait déjà assez de gens [et que] s'ils voulaient vraiment faire quelque chose, ils pourraient rentrer [au Royaume-Uni] et agir là-bas[2]. » Vers la fin du séjour de Khyam au Pakistan, il rencontra un responsable d'Al-Qaïda qui lui enjoignit de mener à bien en Grande-Bretagne des « attentats multiples », « simultanés » ou « l'un après l'autre le même jour ».

À l'automne, Khyam et la majorité de son groupe rentrèrent au pays, et achetèrent 650 kilos d'un fertilisant, le nitrate d'ammonium – soit presque la quantité utilisée pour détruire le bâtiment fédéral d'Oklahoma City en 1995 –, qu'ils entreposèrent dans une consigne du West End de Londres. Ils songèrent à faire sauter diverses cibles, dont un centre commercial, des trains, des synagogues ou les « traînées » qui dansaient dans un night-club londonien fort connu, le

Ministry of Sound. En février 2004, Khyam contacta un responsable d'Al-Qaïda au Pakistan pour vérifier les instructions précises de fabrication de bombes, apprises dans les camps l'année précédente. À cette date, cependant, un employé soupçonneux de la consigne avait déjà prévenu la police ; les autorités britanniques substituèrent à l'engrais un matériau inerte ayant la même apparence[3]. Khyam fut arrêté le 30 mars 2004 dans un hôtel Holiday Inn du Sussex où il passait sa lune de miel[4].

Il était le premier exemple d'une relation inquiétante, qui se renforça pendant les années suivant le 11 Septembre, entre militants anglais et dirigeants d'Al-Qaïda installés dans les régions tribales du Pakistan. L'organisation terroriste eut plus de succès avec un autre groupe qui comptait quatre membres, tous citoyens britanniques, dont trois d'ascendance pakistanaise. Leur chef, Mohammed Khan, s'était lié à Al-Qaïda en novembre 2004, quand il avait interrompu son travail d'enseignant pour passer trois mois au Pakistan[5]. Pendant son séjour, cet instituteur à la voix douce fut chargé par un dirigeant de l'organisation, Abdul Hadj al-Iraqi, de commettre un attentat en Grande-Bretagne[6]. Le 7 juillet 2005, les quatre hommes firent exploser des bombes dans le métro londonien et dans un bus, tuant cinquante-deux voyageurs – et eux-mêmes. Ce fut l'attentat terroriste le plus sanglant de toute l'histoire du pays.

Deux mois plus tard, une vidéo de Khan apparut sur Al Jazeera, portant le logo d'As Sahab (« les nuages »), l'antenne médiatique pakistanaise d'Al-Qaïda. Il y décrivait Oussama ben Laden et son adjoint, Ayman al-Zawahiri, comme « les héros d'aujourd'hui[7] », puis Zawahiri lui-même faisait une apparition, expliquant que ces attentats entendaient punir la Grande-Bretagne d'avoir pris part à la guerre en Irak après avoir ignoré l'offre d'une « trêve » par Ben Laden[8]. Zawahiri demandait : « Le lion de l'islam, le moudjahid, le Cheikh Oussama ben Laden, ne vous en a-t-il pas proposé une ?... Voyez ce que votre arrogance a produit. »

Les attentats de Londres soulignaient qu'Al-Qaïda avait entrepris de reconstituer, dans les zones tribales du Pakistan et à plus petite échelle, le genre de base dont l'organisation avait disposé en Afghanistan du temps des talibans. Elle avait commencé à y former des Occidentaux, en particulier des Britanniques pakistanais de seconde génération, en vue de commettre des attentats en Occident. Si ceux de Londres n'étaient pas d'une ampleur comparable à ceux du 11 Septembre, ils témoignaient cependant de la préparation et de la capacité d'Al-Qaïda à frapper loin de ses bases, caractéristiques de ses attentats antérieurs, tel celui, par exemple, contre l'USS *Cole*, au Yémen en 2000.

L'échec d'une frappe de drone visant Zawahiri, le 13 janvier 2006, six mois après la tragédie de Londres, avait remonté encore plus le moral des militants d'Al-Qaïda. La CIA avait cru le cibler en tuant un groupe d'hommes rassemblés pour un dîner dans le village de Domodola, près de la frontière entre l'Afghanistan et le Pakistan. Ce n'étaient que des villageois locaux[9] et, deux semaines plus tard, Zawahiri fit diffuser une vidéo célébrant le fait qu'il était toujours vivant, et se livrant à des commentaires méprisants sur le président Bush[10].

Durant l'été 2006, Al-Qaïda tenta de faire sauter plusieurs avions de ligne partant d'Angleterre vers les États-Unis et le Canada, recrutant pour cela une demi-douzaine de citoyens britanniques. Le chef du groupe, un Londonien de vingt-cinq ans nommé Ahmed Abdullah Ali, enregistra une vidéo « martyre » dans laquelle il déclarait : « Le Cheikh Oussama vous a avertis bien des fois de quitter nos terres, faute de quoi vous seriez détruits. Maintenant le temps en est venu[11]. » Fort heureusement, la machination fut découverte par la police anglaise et les conspirateurs arrêtés. Michael Chertoff, responsable du département américain de la Sécurité intérieure, récemment créé, déclara que si le « complot des avions » avait réussi, il aurait « rivalisé avec le 11 Septembre en nombre de morts et en impact sur l'économie internationale[12] ».

Le regroupement d'Al-Qaïda dans les zones tribales du

Pakistan provoquait des inquiétudes de plus en plus vives au sein de la CIA et de l'administration Bush. Elles furent renforcées par la diffusion publique, à partir de début 2006, d'un nombre croissant de vidéos montrant Ben Laden. Par leur intermédiaire, « le Cheikh » réaffirmait sa mainmise stratégique sur les militants djihadistes du monde entier. En 2007, il appela à des attentats contre l'État pakistanais[13] – et le Pakistan, cette année-là, en connut plus de cinquante[14]. Quand le gouvernement saoudien interrogea près de 700 extrémistes arrêtés au cours des cinq années suivant le 11 Septembre, nombre d'entre eux citèrent le chef d'Al-Qaïda comme leur principale source d'inspiration[15].

Tandis qu'Al-Qaïda refaisait surface, la CIA ne capturait plus ses militants dans les villes du Pakistan et n'enregistrait que peu de succès dans la liquidation de ses dirigeants par des frappes de drones sur les zones tribales du pays. En 2005, elle avait présenté au président Bush un briefing secret sur la traque de Ben Laden[16]. Il fut surpris du petit nombre d'agents stationnés dans la région Afghanistan-Pakistan. « C'est tout ce qu'il y a ? » demanda-t-il[17]. En juin 2005, Porter Goss, le directeur de la CIA, déclara publiquement qu'il avait « une idée précise » de l'endroit où se trouvait Ben Laden, mais, en fait, personne à l'Agence n'en savait rien, bien qu'on pensât généralement qu'il était dans une des sept régions tribales pakistanaises[18]. Art Keller était l'un des agents – une poignée – postés là-bas, dans ces zones où Al-Qaïda était concentrée. « Une bonne part de nos ressources avait été consacrée à l'Irak, déclara-t-il. Je ne crois pas qu'on se rende compte que la CIA n'est pas vraiment une grosse organisation quand il s'agit du personnel sur le terrain[19]. »

L'Agence s'était concentrée sur l'Irak à partir de l'été 2002, quand Robert Grenier, le chef de station d'Islamabad – l'homme qui avait tenté de négocier la livraison de Ben Laden par les talibans – fut rappelé au siège de Langley, en Virginie, près de Washington. Il fut chargé d'occuper un poste nouvellement créé : « manager de la mission irakienne ».

Selon lui, les ressources affectées à l'Irak, « en forte augmentation », ont privé le Pakistan et l'Afghanistan des meilleurs spécialistes du contre-terrorisme, d'agents de terrain et de personnel de ciblage[20]. Depuis des années, l'Irak avait également accaparé l'essentiel de l'attention et des efforts du président Bush et de son équipe chargée de la Sécurité nationale. Jusqu'au milieu de 2007, « Ils ne pensaient qu'à l'Irak, tout le temps[21] », dira plus tard le gourou de la contre-insurrection, l'Australien David Kilcullen qui servit en Irak comme conseiller du général Petraeus, puis travailla au Département d'État auprès de Condoleeza Rice.

Selon Keller, les quelques agents de la CIA qui, comme lui, travaillaient dans les zones tribales, étaient handicapés par le fait de devoir vivre sur une base militaire pakistanaise et d'avoir peu de liberté de mouvement. « Avec mes cheveux blonds et mes yeux bleus, j'aurais pu sortir seul en Autriche, mais pas au Pakistan[22]. » Sur la base de renseignements, pour l'essentiel de peu de valeur, rassemblés sur place en 2006 et 2007, il y eut là-bas six frappes de drones, dont aucune ne tua le moindre dirigeant d'Al-Qaïda. Michael Hayden, le directeur de la CIA, s'en plaignit à la Maison-Blanche : « Nous en sommes à zéro pour 2007[23] », et il demanda l'autorisation de mener un programme de drones plus agressif.

Stephen Kappes, directeur adjoint de la CIA, et Michael Leiter, chef du Centre national de contre-terrorisme, formèrent à l'été 2008 un petit groupe « compartimenté »[24], c'est-à-dire hautement secret, de responsables du renseignement et d'experts extérieurs, afin de chercher des moyens novateurs de retrouver « Numéro Un » – Ben Laden – et « Numéro Deux » – Al-Zawahiri. Le plan supposait un nombre considérablement plus élevé de drones survolant les zones tribales, davantage d'agents de la CIA sur le terrain et l'augmentation du nombre des raids des forces spéciales menés, depuis leurs bases d'Afghanistan, au Pakistan.

Bush ordonna à la CIA d'accroître ses frappes de drones Predator et Reaper ; le gouvernement américain ne rechercha pas la coopération des officiels pakistanais, ni ne les prévint quand ces frappes étaient imminentes[25]. Dès lors, le temps écoulé entre l'identification d'une cible et sa frappe passa de plusieurs heures à quarante-cinq minutes[26]. Ces drones, contrôlés par la CIA et lancés depuis des bases en Afghanistan et au Pakistan, étaient dirigés par des « pilotes » de la base aérienne de Creech, dans le Nevada. Ces derniers, après une journée de travail consacrée à tirer des missiles sur l'autre côté de la planète, rentraient chez eux le soir retrouver leurs familles. D'un peu plus de huit mètres de long, ces drones, équipés de missiles Hellfire ou de bombes JDAM (*joint direct attack munition*), rôdaient au-dessus des zones tribales en quête de cibles[27].

Dans celle du Sud-Waziristan, l'un de ces engins tua Abou Khabab al-Masri, qui dirigeait un programme de fabrication d'armes chimiques primitives, ainsi que deux autres militants[28]. Son exécution marqua le début de la montée en puissance d'un programme chargé de faire disparaître les dirigeants d'Al-Qaïda à l'aide de drones. Cette campagne s'ouvrit dans les derniers mois de l'administration Bush, sans doute avec l'intention de laisser en héritage le démantèlement de l'ensemble de la direction de l'organisation terroriste. Entre juin 2008 et son départ de la Maison-Blanche, le président autorisa ainsi trente frappes de Predator et de Reaper en territoire pakistanais, contre six lancés par la CIA pendant les six premiers mois de la même année 2008 – soit cinq fois plus[29].

Parmi les dirigeants d'Al-Qaïda tués par ces frappes au cours de cette période, il faut compter Abou Haris, chef de l'organisation au Pakistan ; Khaled Habib, Abou Zubair al-Masri, Abou Wafa al-Saudi, et Abdullah Azzam al-Saudi, tous membres importants du groupe ; Abou Jihad al-Masri, chef de la propagande d'Al-Qaïda, ainsi qu'Oussama al-Kini et cheikh Ahmed Salim Swedan, qui avaient joué un rôle décisif dans la préparation des attentats contre deux ambassades américaines en Afrique. En six mois, les drones avaient tué la moitié de la direction d'Al-Qaïda dans les zones tribales et fait de la fonction de son « numéro trois » l'une des plus dangereuses de la planète[30]. Mais aucune de ces frappes ne visait Ben Laden, qui avait tout simplement disparu. Et pourtant, depuis le début, le président Bush « aurait adoré pouvoir se le faire[31] », dit Ari Fleischer, son secrétaire à la presse.

Au moment même où il donnait le feu vert à l'accélération des frappes de drones, Bush autorisa également les forces d'opération spéciales à mener des actions au sol dans les zones tribales, sans demander la permission préalable du gouvernement pakistanais[32]. Le 3 septembre 2008, un commando de Seals basé en Afghanistan franchit la frontière et pénétra dans le Sud-Waziristan pour attaquer, dans le village d'Angour Adda, un bâtiment abritant des militants[33]. Vingt de ses occupants furent tués, mais nombre d'entre eux se révélèrent être des femmes et des enfants. La presse pakistanaise dénonça cet assaut, qui suscita l'indignation des responsables du pays qui y voyaient la violation flagrante de leur souveraineté nationale. Le chef d'état-major de l'armée pakistanaise, le général Ashfaq Parvez Kayani, déclara sans ambages : « L'intégrité territoriale du pays [...] sera défendue par tous les moyens », laissant entendre que toute future intrusion de soldats américains au Pakistan se heurterait aux forces armées du pays[34]. Les missions de franchissement de la frontière par des commandos cessèrent, mais les attaques de drones gagnèrent en intensité.

5.

Une hypothèse de travail

Le quartier général de la CIA est un ensemble de bâtiments modernes aux allures d'un parc de bureaux très classe s'étendant sur des hectares boisés. Il est situé à Langley, en Virginie, à vingt minutes en voiture de Washington. On n'y encourage guère les visites à l'improviste. Pour atteindre le bâtiment principal, il faut d'abord traverser le centre des visiteurs – dans lequel des machines reniflent l'air constamment, en quête de toxines chimiques ou biologiques. Des gardes hérissés d'armes automatiques dirigent la circulation, puis l'on marche pendant un quart d'heure sur une route étroite, encadrée de clôtures élevées et surmontées de fil barbelé, avant de dépasser le château d'eau et la centrale électrique. On arrive enfin à un bâtiment moderne de six étages, tout de verre et de béton, datant des années 1950. Le sol est de marbre blanc, sur lequel est gravé le sceau de la CIA. Sur un mur, on peut lire une citation de l'Évangile selon saint Jean : « Et tu connaîtras la vérité et la vérité te rendra libre[1]. »

On voit, sur l'un des murs de l'entrée, des dizaines d'étoiles d'or. Chacune représente un agent mort en action depuis la fondation de l'agence en 1947. En dessous de ces étoiles, les noms des défunts sont écrits à l'encre noire, dans un livre sous verre. Dans certains cas, l'étoile est anonyme, l'agent restant clandestin jusque dans la mort. Au cours de la décennie qui suivit le 11 Septembre, les noms de vingt-quatre hommes disparus en service commandé ont été ajoutés à ce tableau d'honneur[2]. Il rappelle que l'agence est bien plus qu'un ensemble de bureaux dans une banlieue de Virginie.

C'est au rez-de-chaussée du bâtiment principal que se trouve le centre du contre-terrorisme, qui supervisa longtemps la traque de Ben Laden[3]. Au cours des années qui suivirent sa disparition, pendant la bataille de Tora Bora, la poursuite s'enlisa, se heurtant à une impasse après l'autre[4]. L'un des responsables qui le poursuivaient se souvient que tout élément nouveau ressemblait à un « on a vu Elvis »[5]. Toutes les informations, cependant, devaient être examinées, raconte Michael Scheuer, le fondateur de l'unité Ben Laden : « Après le 11 Septembre, les hauts responsables de l'Agence, et tout le monde dans la communauté du renseignement, cherchaient à se couvrir. Si vous receviez un rapport selon lequel Oussama était au Brésil, à se dorer au soleil à Rio, il fallait au moins répondre au message. Nous pourchassions un nombre considérable d'apparitions. Et comme tout le monde avait peur qu'il se passe de nouveau quelque chose, nous suivions des pistes que n'importe quel adulte normal aurait négligées. »

Barbara Sude, analyste chevronnée de l'Agence, titulaire d'un doctorat de l'université de Princeton sur la pensée arabe médiévale, travaillait à plein temps depuis des années sur Al-Qaïda. Elle se joignit à un groupe d'analystes de diverses agences qui se réunissaient régulièrement, pendant plusieurs semaines d'affilée, pour échanger des idées sur la manière de retrouver Ben Laden. Sude était presque une icône dans ce groupe très fermé : elle avait été la principale rédactrice du briefing ultrasecret remis au président Bush le 6 août 2001, intitulé « Ben Laden résolu à frapper aux États-Unis »[6]. Ce texte faisait valoir en détail qu'Al-Qaïda préparait un attentat sur le sol américain. Il faudra deux ans pour que la commission sur le 11 Septembre rende le document public, et de nombreuses années encore avant que son auteur soit identifié[7]. Sude avait la réputation d'être une « analyste pour

analystes », et d'avoir une mémoire quasiment photogra-
phique de centaines de rapports produits par la communauté
du renseignement sur Al-Qaïda[8].

Elle se souvient que, début 2002, il était évident, pour elle
comme pour ses collègues, que la piste de Ben Laden s'était
perdue et que le meilleur moyen d'espérer la retrouver était
de tenter de cartographier les relations de ceux qui connaissaient le mieux le chef d'Al-Qaïda : quels étaient ses rapports
familiaux ? Ses liens avec les groupes de moudjahidin qui, en
Afghanistan, avaient combattu les Soviétiques ? À qui faisait-il
confiance ? Les analystes rédigèrent une description schéma-
tique de sa famille et de ses associés, ainsi qu'une chronologie
de toutes ses activités. Ils firent circuler des photos retouchées
montrant à quoi il pourrait ressembler, s'il était glabre et vêtu
d'un costume rayé à l'occidentale. « Il avait l'air vraiment
bizarre[9] », dit Sude. Ils discutèrent également de la récompense pour sa capture, alors fixée à vingt-cinq millions de
dollars. Certains estimaient que bien des gens, en Afghanistan
– l'un des pays les plus pauvres du monde –, ne pourraient
même pas imaginer une telle somme. Ne serait-il pas plus judi-
cieux, en fait, d'en abaisser le montant ? Mais cette prime
resta inchangée.

Les analystes produisirent également des rapports pour
déterminer s'il valait mieux tuer Ben Laden ou le capturer[10].
Mort, il deviendrait un martyr, ce qui pourrait provoquer des
attentats de représailles, mais, tout de même, il serait *mort*.
Capturé, il s'efforcerait de transformer son procès en tribune.
Ses disciples pourraient tenter de kidnapper des Américains
comme monnaie d'échange pour la libération de leur chef. Et
s'il mourait d'une maladie dans une prison américaine ? Ou
s'il était assassiné par un autre détenu ? Robert Dannenberg,
chef des opérations antiterroristes de la CIA, admet qu'en
raison de ces inquiétudes il n'a jamais vraiment été question
de s'emparer de lui : « Nous ne voulions pas nous retrouver
dans une situation où nous serions contraints de le capturer
et non de le tuer... Nous préférions de beaucoup jeter une

bombe de 250 kilos sur sa cachette et ramasser son ADN quelque part, que le faire passer en jugement[11]. »

Dès la fondation, en décembre 1995, de l'unité Ben Laden – c'était la première fois que la CIA créait une « station » ciblant spécifiquement un individu –, les femmes analystes, telle Barbara Sude, jouèrent un grand rôle dans la chasse à Al-Qaïda. Michael Scheuer, le fondateur de cette unité, explique : « Elles semblent avoir un don exceptionnel du détail. Elles ont l'art de voir les structures et de comprendre les relations. Et puis, franchement, elles passent beaucoup moins de temps que les gars à se raconter des histoires de guerre, à bavarder ou à sortir fumer une cigarette. Si j'avais pu installer une pancarte disant : "Les mecs, inutile de vous porter candidats", je l'aurais fait[12]. »

Jennifer Matthews, l'une des principales adjointes de Scheuer, se concentra sur une région cruciale, la frontière entre l'Afghanistan et le Pakistan. Son travail joua un rôle décisif dans l'arrestation, au printemps 2002, d'Abu Zubaydah, le logisticien d'Al-Qaïda, qui fournit la première indication que KSM avait organisé les attentats du 11 Septembre[13]. Ce fut une surprise totale pour la CIA où, jusque-là, on ne voyait en lui qu'une figure marginale. Matthews avait une connaissance approfondie de l'histoire de l'islam et de la manière dont l'organisation terroriste pensait s'y insérer. Son expertise fit d'elle une redoutable interrogatrice des détenus membres d'Al-Qaïda, et certains d'entre eux furent particulièrement déconcertés d'avoir affaire à une femme aussi bien informée. Après le 11 Septembre, en plus d'un travail très prenant à la CIA, elle devait élever trois jeunes enfants.

Frederica (pseudonyme) était une autre responsable de la CIA, intelligente et coriace, qui se montrait infatigable dans la poursuite d'Al-Qaïda. Scheuer dit d'elle : « Si elle vous mord la cheville, elle ne vous lâchera plus. Vous êtes fait. Vous feriez mieux de laisser tomber. Ça peut lui prendre deux ans, mais elle vous aura[14]. »

Et il y avait Gina Bennett qui, en août 1993, travaillant au

Bureau de renseignement et de recherche du Département d'État, avait écrit un texte qui fut la première mise en garde stratégique contre un nommé « Usama Bin Ladin »[15]. Quand, en mai 1996, Ben Laden fut expulsé vers l'Afghanistan par le régime soudanais, elle rédigea une analyse prémonitoire : « Son séjour prolongé en Afghanistan – où des centaines de moudjahidin arabes reçoivent une formation terroriste, et où d'importants dirigeants extrémistes se réunissent souvent – pourrait à long terme se révéler plus dangereux pour les États-Unis que sa liaison de trois ans avec Khartoum[16]. »

Dans les années qui suivirent les attentats de New York et de Washington, Bennett contribua de façon essentielle à la rédaction de plusieurs *National Intelligence Estimates** sur la situation d'Al-Qaïda, tout en répondant aux exigences de ses cinq enfants[17]. Elle rendait compte à David Low, qui se souvient à quelle allure elle absorbait des informations complexes : « Je pouvais entrer dans son bureau à midi et lui dire : "Il me faut quinze pages sur ceci ou cela", et elles étaient là trois heures plus tard. Elle est vraiment rapide[18]. »

Le rôle éminent joué par les femmes dans la traque de Ben Laden reflétait le plus grand bouleversement culturel de la CIA de ces vingt dernières années. « Quand j'ai commencé, il n'y avait à ma connaissance que quatre femmes parmi les responsables des opérations, se souvient Glen Carle, un vétéran de l'Agence, et pour survivre il leur fallait être les pires filles de putes de l'univers. Les autres étaient traitées comme des gadgets sexuels. » Quand Scheuer mit sur pied l'unité Ben Laden, Carle se souvient de la réaction de ses collègues : « Mais qu'est-ce que c'est que cette équipe ? Il n'y a que des femmes ! On en parlait beaucoup entre nous, on évoquait "la bande des nanas", on était plutôt condescendants et dédaigneux. En fait, le message de Scheuer et de son équipe, c'était : "Hé, les gars, vous feriez mieux de nous écouter. C'est

---

* Les *National Intelligence Estimates* (NIE) sont des évaluations officielles sur un sujet particulier relevant de la Sécurité nationale des États-Unis.

vraiment du sérieux. Un gros truc. Des gens vont mourir." Et, bien évidemment, ils avaient raison. »

Au cours des années précédant le 11 Septembre, l'équipe de Scheuer avait entrepris avec détermination d'éliminer Ben Laden, mais ses efforts avaient suscité une certaine confusion. Les hauts responsables de la Sécurité nationale servant sous Clinton croyaient que le président avait autorisé l'assassinat du chef terroriste, tandis que les responsables de l'Agence chargés d'exécuter le programme pensaient qu'il s'agissait de le capturer, et qu'il ne pourrait être tué que par accident. En 1999, un agent de la CIA expliqua au commandant Ahmed Shah Massoud, le chef des milices afghanes du Panshir qui menait alors une lutte à mort avec les talibans, que l'agence américaine espérait s'entendre avec lui pour capturer, et non pas tuer, Ben Laden. « Vous êtes cinglés, répondit Massoud. Vous ne changerez jamais[19] ! »

Les agents de la CIA en Afghanistan eurent Ben Laden dans leur viseur à plusieurs reprises. Le nombre exact prête à discussion : Richard Clarke, coordinateur du contre-terrorisme de l'administration Clinton, parle de trois fois[20], Scheuer de dix[21]. Mais on s'accorde à penser que la meilleure occasion de le capturer ou de le tuer se présenta en février 1999, quand il fut repéré par des contacts de la CIA alors qu'il prenait part à une partie de chasse non loin de Kandahar[22]. Le groupe chassait des outardes avec des faucons dans une zone désertique isolée, il y avait donc peu de risques de pertes civiles lors d'une frappe – considération qui avait jusqu'à présent contrarié les précédentes opérations de ciblage de Ben Laden.

Le 9 février 1999, des images satellite confirmèrent l'existence d'un camp de chasseurs. L'équipe de la Sécurité nationale de Clinton se mit aussitôt à préparer deux plans : le lancement de missiles de croisière depuis des sous-marins dans les eaux de la mer d'Oman, et la mission d'alliés afghans de la CIA de s'emparer du chef d'Al-Qaïda. La tâche devint beaucoup plus compliquée quand l'imagerie satellitaire révéla la présence dans le camp d'officiels des Émirats arabes unis.

Une frappe de missiles pourrait fort bien à la fois rater Ben Laden et tuer quelques princes émiratis chassant l'outarde, qui se trouvaient être, par ailleurs, les représentants d'un pays allié officiel des États-Unis. Le 11 février, les militaires étaient prêts à lancer une frappe, mais l'opération fut décommandée à la fois par Clarke et par George Tenet, le directeur de la CIA, en raison de la présence des princes. Le lendemain, de nouvelles informations indiquèrent que le chef d'Al-Qaïda avait quitté le camp[23].

Ben Laden était une cible difficile. Son obsession pour la sécurité remontait à l'année 1994, quand il vivait au Soudan et fut la cible d'une tentative d'assassinat : des hommes armés avaient criblé de tirs de mitraillette sa maison de Khartoum. Il prit alors grand soin de sauvegarder sa vie, changeant souvent de lieu de résidence de façon imprévue, et s'entourant toujours de gardes du corps qui lui étaient totalement dévoués. Avant le 11 Septembre, le tuer avec des missiles de croisière était d'autant plus difficile que toute information sur l'endroit où il se trouvait devait être *prévisionnelle*. Une fois la décision prise à Washington, il fallait du temps pour que les missiles émergent des tubes de lancement de sous-marins croisant dans la mer d'Oman, puis volent, plusieurs heures durant, vers leurs cibles en Afghanistan. Aussi les responsables devaient-ils savoir, non seulement où se trouvait Ben Laden quand ils prendraient leur décision, mais où il serait douze heures plus tard. Ce genre de renseignement parfait fut, bien sûr, rarement, voire jamais, disponible.

En 1997, producteur pour CNN, je fis partie d'une équipe de trois personnes qui rencontra Ben Laden dans l'est de l'Afghanistan pour enregistrer sa première interview télévisée. Nous fûmes témoins des efforts herculéens des membres d'Al-Qaïda pour protéger leur chef. Mes collègues et moi fûmes emmenés vers sa cachette à la nuit tombante ; on nous fit changer de véhicule après nous avoir bandé les yeux, et il nous fallut passer trois groupes successifs de gardes armés de

mitraillettes et de lance-grenades. Ils nous fouillèrent exhausti-
vement, puis nous passèrent sur le corps une sorte de scanner
électronique pour voir si nous dissimulions des armes ou des
dispositifs de traçage[24] (en fait, l'appareil ne fonctionnait pas,
mais les conseillers de Ben Laden tenaient à duper l'équipe
de CNN – ce qui plus tard la fit bien rire[25]).

Malgré l'absence de tout indice fiable pendant les années
suivant les attentats de New York et de Washington, ceux qui
à la CIA pourchassaient Ben Laden continuaient à penser qu'il
s'agissait d'« une énigme qu'on pouvait résoudre. » Ils avaient
bâti peu à peu « une théorie des hypothèses de travail de
l'affaire[26] » : dans quelles conditions il pourrait vivre, qui
pourrait le protéger, et, plus généralement, où il pourrait se
trouver. Pour une part, on y parvenait en procédant par élimination. Les analystes arrivèrent assez tôt à la conclusion qu'il
était très improbable que Ben Laden ait quitté ses vieux
domaines d'Afghanistan et du Pakistan pour un pays comme
le Yémen, terre d'origine de sa famille. Il était si reconnaissable que ce voyage aurait été trop dangereux, et ses réseaux
de soutien les plus fiables se trouvaient en Asie du Sud[27].
Au fil des années, la CIA commença également à éliminer
de sa liste de protecteurs possibles certains des vieux amis de
Ben Laden du temps de la guerre en Afghanistan contre les
Soviétiques. Les Haqqani étaient une milice taliban contrôlant
une part de l'est du pays et du nord du Waziristan, dans les
régions tribales du Pakistan. Ben Laden connaissait le
patriarche de la famille, Jalaluddin Haqqani, depuis le milieu
des années 1980[28]. Mais les responsables du contre-terrorisme
en vinrent à penser qu'il était de moins en moins probable
qu'il vive près de la base des Haqqani au Waziristan[29]. Les
communications venant de lui semblaient parvenir à des
membres d'Al-Qaïda qui s'y trouvaient, mais n'en émanaient
pas. Pareillement, Gulbuddin Hekmatyar, chef d'un autre
groupe afghan militant installé des deux côtés de la frontière

avec le Pakistan, était l'allié d'Al-Qaïda depuis la fin des années 1980. Mais il avait changé de camp si souvent au cours des guerres ayant tourmenté son pays lors des précédentes décennies que les responsables du contre-terrorisme pourchassant Ben Laden le jugeaient « peu fiable » ; pas quelqu'un sur qui le méfiant Oussama voudrait miser sa vie.

En 1996, fuyant le Soudan, il avait été accueilli en Afghanistan par certains de ses vieux contacts du temps de la guerre contre les Soviétiques, la milice de la famille Khalis, dans l'est du pays, mais rien ne semblait indiquer qu'il ait maintenu ces rapports dans les années postérieures au 11 Septembre[30]. La CIA écarta également l'idée qu'il puisse être avec le mollah Omar, chef des talibans, lui-même en fuite et dont on croyait qu'il vivait dans la ville pakistanaise de Quetta ou à proximité[31].

Ses poursuivants examinèrent avec minutie les bandes audio et vidéo que Ben Laden diffusait parfois, en quête d'indices sur sa santé, son état d'esprit et sa possible cachette. Le 29 octobre 2004, il paraissait tout à fait remis de ses émotions – il avait frôlé la mort lors de la bataille de Tora Bora –, délivrant son « message au peuple américain » vêtu de tuniques beige et or[32]. Il semblait même lire sur un téléprompteur. S'adressant aux électeurs américains cinq jours avant les présidentielles, à l'issue de la course serrée entre Bush et son challenger démocrate John Kerry, il leur dit que peu importait pour qui ils voteraient – il leur faudrait changer de politique étrangère dans le monde musulman s'ils voulaient éviter de nouveaux attentats d'Al-Qaïda.

Cette pose d'aîné du djihad était d'autant plus insupportable pour Bush et son équipe chargée de la Sécurité nationale, dit Fran Townsend, son principal conseiller en matière de contre-terrorisme, ancien procureur fédéral pleine de fougue, dont les audacieux costumes de grands couturiers et les chaussures Christian Louboutin ne passaient pas inaperçus dans la mer de flanelle grise de la Maison-Blanche. Townsend se souvient : « Je vois encore l'image de Ben Laden à l'écran, contemplant le monde entier en chef d'État, debout sur un podium. Il était exaspérant[33]. »

Chose frustrante, de telles vidéos ne révélaient jamais grand-chose sur le lieu où se trouvait Ben Laden. Après le 11 Septembre, il en diffusa plus de trente, mais on n'y entendit jamais personne à l'arrière-plan chuchoter quelque chose d'utile du genre : « Qu'il fait chaud ici au Waziristan ! » Parlant de ceux qui le poursuivaient, Scheuer déclare : « Quand il y avait des vidéos, l'arrière-plan était le plus important. On se foutait éperdument de ce qu'il pouvait dire. S'il se promenait aux environs, on faisait venir des géologues pour voir si les rochers étaient typiques d'une région d'Afghanistan[34]. » Quand un oiseau gazouillait sur une bande, on recourait à un ornithologue allemand pour l'identifier. Si des plantes étaient visibles, on les analysait pour voir si elles étaient propres à un endroit spécifique. Rien de tout ce travail d'identification ne donna jamais un indice utile[35].

Les responsables du Pentagone étaient pareillement frustrés. À l'occasion du deuxième anniversaire du 11 Septembre, Al-Qaïda rendit publique une déclaration célébrant les attentats, avec un court film d'un Ben Laden aux traits tirés marchant dans un paysage montagneux très escarpé en s'appuyant sur un bâton. Les analystes estimèrent que la région ressemblait à la province de Kunar, dans le nord-est de l'Afghanistan, mais l'examen de la végétation visible sur la bande ne permit pas de conclure.

Les responsables du renseignement du Pentagone durent, comme ceux de la CIA, pourchasser tout indice pouvant mener à Ben Laden, si improbable qu'il parût. L'un d'entre eux se souvient : « Chaque fois qu'un rapport disait : "Il est en Thaïlande", ou "Il est à tel endroit", nous devions littéralement monter un petit projet particulier que nous appelions "Où est Waldo ?", et nous nous livrions à une étude approfondie, dans le monde entier, de toutes les mentions tordues ou délirantes des endroits où on voyait un grand type barbu d'allure arabe. »

Pendant sa fuite, les diverses déclarations vidéo de Ben Laden donnèrent bel et bien quelques indices sur ses possibles conditions de vie. En 2004, il fit référence à *Fahrenheit 9/11*[36], un film du documentariste américain Michael Moore, et trois ans plus tard recommanda la lecture des œuvres de Noam Chomsky[37]. Qu'il puisse regarder des DVD et lire des livres tendait à écarter l'idée qu'il vivait dans une grotte perdue. Par ailleurs, lors de ses apparitions en vidéo, ses vêtements étaient toujours bien repassés, et la scène bien éclairée. Sude, à qui on demanda souvent de rédiger des analyses de ces bandes, se souvient des débats qu'elles suscitaient au sein de l'Agence : « Nous ne pensions pas forcément qu'ils se trouveraient tous dans une caverne. Mais nous ne cessions de nous interoger. "Est-ce qu'il y a un rideau levé ? Est-ce qu'il recouvre la paroi d'une grotte[38] ?" »

Les responsables décidèrent d'étudier un certain nombre de chasses à l'homme fructueuses pour voir si on pouvait en tirer des leçons – ainsi la manière dont les Israéliens avaient réussi, après bien des années, à retrouver Adolf Eichmann, qui pendant la Seconde Guerre mondiale avait envoyé des millions de Juifs à la mort dans des camps d'extermination. Après la guerre, il s'était enfui en Argentine, où pendant une quinzaine d'années il vécut dans un certain confort avec sa famille à Buenos Aires. Ce fut son fils qui révéla toute l'affaire quand il vanta le passé nazi de son père devant celui de sa petite amie[39]. Lequel, étant à demi Juif, contacta en Allemagne un juge qui avait poursuivi d'anciens nazis. Le Mossad, le service de renseignement israélien, en eut vent, et envoya à Buenos Aires des agents qui kidnappèrent Eichmann et l'embarquèrent de force dans un vol pour Israël, où il fut jugé. La leçon, pour les chasseurs d'hommes de la CIA, était que la famille pouvait sans le vouloir fournir d'importants indices sur l'endroit où se trouvait la cible.

La CIA étudia également une autre opération, celle montée pour retrouver Pablo Escobar, l'ultraviolent baron de la drogue colombien, maître du lucratif trafic de cocaïne aux États-Unis pendant les années 1980, qui avait fait enlever et assassiner de nombreux journalistes et politiciens colombiens[40]. Contrairement à Ben Laden, on savait qu'il vivait dans un lieu précis : sa ville natale de Medellín, dans les taudis tentaculaires de laquelle ce trafiquant rondouillard, porté à faire l'amour à des adolescentes et à torturer à mort ses ennemis, était une sorte de héros populaire. Et pourtant, si les unités d'élite de la police colombienne, travaillant avec des responsables de la CIA et les forces d'opérations spéciales américaines, savaient qu'Escobar se cachait quelque part à Medellín, il leur fallut deux ans pour le trouver, et cela avec l'assistance intéressée de ses rivaux du cartel de Cali. Escobar se déplaçait en ville dans des taxis anonymes, et quand il discutait avec ses associés par radiotéléphone, changeait constamment de fréquence, ce qui rendait difficile de savoir où il se trouvait.

Ce fut l'amour pour son fils qui finit par le perdre. Escobar prenait toujours soin de ne parler que peu de temps au téléphone, connaissant les prouesses des Américains en ce domaine, mais un jour il discuta plusieurs minutes avec Juan Pablo, âgé de seize ans, et cela suffit pour qu'une technologie de pointe fournie par la CIA à la police colombienne permette à celle-ci d'identifier la rue où il se trouvait. Elle envahit sa cachette et l'abattit.

Les deux leçons qu'on pouvait tirer de tout cela, c'est que l'amour de la famille peut vous perdre, et que jamais il ne faut parler au téléphone. Mais, comme l'a observé le général Mike Hayden, directeur de la CIA pendant une bonne part du second mandat de George Bush : « On peut jeter tous ses téléphones, mais on en paie le prix en rapidité, en agilité. Nous avons donc découvert que les gens ne les jettent pas. Ils s'en servent en essayant d'être prudents[41]. » Le problème était que Ben Laden avait cessé de communiquer de cette manière bien avant le 11 Septembre. Il avait, selon le Saoudien Khaled al-Fawwaz, son conseiller média installé à Londres, commencé à éviter toute communication électronique dès 1997, comprenant qu'on pourrait l'intercepter[42]. Les dirigeants d'Al-Qaïda avaient par ailleurs suivi de près l'assassinat en avril 1996 de Djokhar Doudaïev, le Premier ministre tchétchène, tué par un missile russe guidé par le signal qu'émettait son portable[43]. À l'époque, la Tchétchénie était un centre essentiel des efforts d'Al-Qaïda en vue de fomenter un djihad mondial.

Aux États-Unis mêmes, les responsables examinèrent le cas d'Eric Rudolph qui, lors des Jeux olympiques d'Atlanta, en 1996, avait déposé une bombe remplie de clous dans un parc de la ville plein de touristes. Elle avait tué une femme ; plus tard, Rudolph s'en prit à des cliniques d'avortement et à des night-clubs gay. Il fit bientôt l'objet d'une des chasses à l'homme les plus intensives de toute l'histoire du FBI, mais échappa pendant des années à ses poursuivants, se cachant dans les bois et les montagnes de Caroline du Nord, près de l'endroit où il avait grandi. Cinq ans passèrent, et sa piste se perdit. Le fugitif commença à prendre plus de risques, descendant de ses cachettes des Appalaches pour aller manger dans des fast-foods tels que Taco Bell. Un jour, un flic débutant vit un clochard fouiller dans les poubelles derrière une épicerie Piggy Wriggly et l'arrêta. Un de ses collègues jugea que le suspect ressemblait à Rudolph ; ils examinèrent donc ses empreintes et comprirent qu'ils avaient trouvé leur homme[44]. La leçon était qu'à mesure que les fugitifs, avec le temps, se sentent rassurés, certains commencent à prendre des risques et, là, leurs poursuivants peuvent avoir un coup de chance. Mais pour Ben Laden, cela ne pouvait être une stratégie.

La chasse à l'homme qui ressemble le plus à celle d'« OBL », comme tout le monde appelait le chef d'Al-Qaïda au sommet de l'État, avait frappé de près la CIA. Elle commença par le meurtre de deux de ses agents pénétrant, sous la pluie, dans l'entrée principale du quartier général virginien de l'Agence, le 25 janvier 1993 au matin. Aimal Kansi, Pakistanais issu d'une famille éminente de Quetta, ville proche de la frontière afghane, abattit calmement Lansing Bennet, soixante-six ans, et Frank Darling, vingt-huit ans, avec un AK-47 alors qu'il marchait le long de la file des voitures qui attendaient, en cette heure de pointe, de franchir le portail principal de la CIA. Personne ne le poursuivit et, le lendemain, il reprenait l'avion pour le Pakistan[45].

Il fallut plus de quatre ans pour retrouver Kansi qui, après ces meurtres, fut adulé dans les régions frontalières entre l'Afghanistan et le Pakistan, où il se cacha avant d'être capturé. L'homme qui le poursuivit était un agent spécial du FBI nommé Brad Garrett, ancien marine souvent vêtu de noir de la tête aux pieds et portant des lunettes, noires elles aussi[46]. Cet homme à la voix douce, travailleur forcené qui rentrait se coucher à son domicile de Washington à 23 heures, pour se retrouver au gymnase le lendemain matin à 6 heures, avait beaucoup de scalps de fugitifs à sa ceinture et un doctorat en criminologie. C'était exactement le genre de type qu'on ne voudrait pas avoir à ses trousses.

Garrett passa quatre ans à pourchasser l'insaisissable Kansi aux abords de la frontière pakistano-afghane avant que l'homme commette une grave erreur[47] : abandonner la relative sécurité de l'Afghanistan contrôlé par les talibans, pour se rendre dans le centre du Pakistan. Quittant un pays où on ne relevait, alors, pratiquement aucune présence américaine, il passa dans un autre où Garrett avait, au fil des années, mis sur pied un bon réseau de sources, dont beaucoup d'informateurs de la Drug Enforcement Administration américaine, très active au Pakistan en raison du grand rôle que ce pays jouait dans le trafic d'héroïne. Il finit par trouver des sources tribales qui traitaient avec Kansi. En partie motivées par une récompense importante (deux millions de dollars) pour quiconque le livrerait, elles remirent à Garrett un verre dans lequel l'homme avait bu ; les techniciens du FBI parvinrent à y récupérer une empreinte digitale correspondant à celles du fugitif. Bingo ! Garrett finit par le retrouver dans la ville de Dera

Ghazi Khan, au centre du Pakistan, où il séjournait dans un hôtel à deux dollars la journée, et l'y arrêta par une nuit étouffante, à la mi-juin 1997.

Pendant les deux ans qui suivirent le 11 Septembre, personne ne prit la peine de parler à Garrett de son rôle dans la chute de Kansi. Finalement, en 2003, il reçut un appel de la CIA, lui demandant de venir à Langley briefer des officiels sur cette histoire. Le conseil principal de Garrett fut sans détour : on ne peut faire confiance aux Pakistanais[48]. « Chaque fois que nous discutions avec eux, l'information fuitait aussitôt, déclara-t-il. Je me souviens d'avoir eu une conversation de ce genre un jour et, le lendemain, j'en avais retrouvé la teneur dans un journal local, *Dawn*. » Garrett ajoute qu'il était facile de travailler avec les Pakistanais pour un coup de main lors d'une arrestation musclée, mais pourchasser les dirigeants d'Al-Qaïda devrait être une opération exclusivement américaine. Il souligna, enfin, que l'importante récompense avait vraiment facilité les choses dans l'affaire Kansi[49].

Pour ceux qui pourchassaient Ben Laden, la conclusion, après qu'ils eurent écrémé tous les renseignements sur lui dont ils disposaient, et passé en revue les leçons d'autres chasses à l'homme, était qu'ils n'avaient pas grand-chose sur quoi s'appuyer. Travailler avec des officiels pakistanais sur une capture de Ben Laden pouvait faire capoter toute l'opération, ce qui éliminait une importante source potentielle d'informations. Il n'y avait aucun signal en provenance des téléphones de Ben Laden, ce qui rendait inutiles les importantes ressources techniques (SIGINT) des capacités d'espionnage américaines[50]. Et il n'y avait pas non plus de ressources humaines (HUMINT) autour, ou à l'intérieur, d'Al-Qaïda. Pour finir, si on avait proposé d'importantes sommes d'argent à qui fournirait des informations menant à Ben Laden, et ce des années avant le 11 Septembre, personne n'en avait voulu, et les membres d'Al-Qaïda, croyant que leur chef était le sauveur du véritable islam, ne le dénonceraient pour aucune récompense en argent, si élevée qu'elle fût.

En 2005, on commençait à comprendre à la CIA qu'aucun renseignement magique ne la conduirait tout droit chez Oussama. Pas plus qu'il n'y aurait de « détenu magique » – un prisonnier membre d'Al-Qaïda qui fournirait l'indice décisif[51]. Pendant ce temps, l'organisation opérait impunément dans les régions tribales pakistanaises, et entraînait un nombre important d'Occidentaux en vue de commettre des attentats de masse dans leurs propres pays. L'organisation développait également en Irak, au Yémen, en Somalie, en Afrique du Nord et au Liban, des « cellules » capables d'agir de manière autonome. L'agence concluait que, bien qu'elle puisse capturer ou tuer n'importe quel « responsable de niveau moyen » d'Al-Qaïda, les pivots de l'opération restaient Ben Laden et, jusqu'à un certain point, son adjoint, Ayman al-Zawahiri[52].

Ben Laden ayant disparu, Al-Qaïda refaisant surface, le moral était bas à la CIA. Un nouveau Centre national de contre-terrorisme mandaté par le Sénat était également « mis sur pied » pour fournir une analyse stratégique de la menace terroriste, privant l'Agence de nombreux analystes talentueux. En 2005, l'unité qu'elle avait consacrée à Ben Laden fut dissoute ; ses membres se virent affectés à d'autres tâches. Cela ne signifiait pas que la CIA avait brusquement décidé que Ben Laden n'avait plus d'importance, mais que se concentrer sur un seul homme ne reflétait pas les changements opérés au sein d'Al-Qaïda depuis la fondation, en décembre 1995, de l'unité qui s'occupait de lui. Philip Mudd, alors responsable chevronné de la lutte antiterroriste à la CIA, se souvient : « C'était un reflet de ce qui se passait dans cette guerre, qui était une mondialisation de l'"al-qaïdaisme". Nous avions le sentiment de faire face non seulement à Ben Laden et au noyau dur d'Al-Qaïda, mais à un problème plus vaste de djihad mondial[53]. » C'est à peu près à cette époque que Mudd rédigea un mémo soulignant qu'Al-Qaïda, l'organisation centralisée, se transformait en mouvement se diffusant dans des pays tels que l'Irak, et pénétrant l'Afrique du Nord[54].

Mudd, diplômé de littérature anglaise, au physique élancé

d'un passionné de course à pied, fut numéro deux du centre antiterroriste de la CIA entre 2003 et 2005. Il se souvient que Ben Laden et Zawahiri ne constituaient pas l'essentiel de ses conversations d'alors : « Autour d'une table, au centre, mais aussi lors des discussions que nous avions avec Tenet, vous n'auriez pas entendu très souvent leurs noms. Vous auriez entendu parler des gars en opération. Et il y avait à cela une raison stratégique. Les gens à l'intérieur d'Al-Qaïda ne parlaient pas de complots ou de Ben Laden. Ils parlaient de KSM ou d'Abou Faraj al-Libi[55]. » Mudd et son équipe s'efforçaient d'empêcher un nouvel attentat aux États-Unis, et pour cela se concentraient particulièrement sur le « numéro trois » d'Al-Qaïda à l'époque, parce que c'était celui qui tentait de monter le prochain carnage en Amérique, et non Ben Laden, qu'on pensait être davantage dans les zones éthérées du long terme.

En 2005, une analyste nommée Rebecca (pseudonyme), qui travaillait sur le chef d'Al-Qaïda depuis des années, rédigea un texte important intitulé « Percées », qui contribuerait à guider la traque pendant les années à venir. Étant donné l'absence de tout indice véritable sur Ben Laden, comment pourrait-on espérer le retrouver ? demandait-elle. Elle décrivait ensuite quatre « piliers » sur lesquels la poursuite devait s'appuyer[56]. Le premier : localiser le chef d'Al-Qaïda par le biais de son réseau de messagers. Le deuxième : le localiser par l'intermédiaire des membres de sa famille, soit ceux qui pourraient être sous son toit, soit quiconque pourrait tenter d'entrer en contact avec lui. Le troisième : découvrir les communications qu'il pourrait avoir avec ce que l'Agence appelait AQSL (*Al-Qaeda Senior Leadership*), les hauts responsables de l'organisation. Le dernier : pister ses déclarations occasionnelles aux médias. Ces quatre piliers devinrent une « grille » à travers laquelle les analystes de la CIA trieraient dorénavant tous les renseignements rassemblés sur Al-Qaïda pouvant concerner la traque de Ben Laden et, aussi, contribuer à la collecte d'éléments nouveaux.

La manière la plus évidente de le retrouver, c'était par le biais de la remise aux médias de ses déclarations, qui souvent parvenaient d'abord à Al Jazeera. Le problème de cette méthode, selon un haut responsable du renseignement, c'est qu'Al-Qaïda « ne recourait pas au gamin de Zawahiri », pour livrer les bandes, mais plutôt à une série de « découpes », dans la chaîne que formaient plusieurs messagers. Chacun d'entre eux ne connaissait que celui qui lui donnait la bande et celui à qui il la remettait[57]. Certaines de celles destinées à Al Jazeera furent d'ailleurs simplement envoyées par la poste au siège de la chaîne à Doha, la capitale du Qatar.

Au fil des années, les responsables du contre-terrorisme se firent une meilleure idée de la manière dont Ben Laden pourrait vivre, parvenant en 2006 à de « solides conclusions » sur ses arrangements domestiques[58]. Ils avaient alors rejeté l'idée très répandue qu'il vivait dans une grotte. Ils conclurent également qu'il ne se déplaçait guère, voire pas du tout, et ne recevait plus personne en face à face depuis le 11 Septembre, parce qu'aucun des détenus d'Al-Qaïda emprisonnés ne semblait l'avoir rencontré, pas plus qu'ils n'en citaient d'autres qui l'auraient fait – bien que, détail essentiel, certains aient bel et bien déclaré avoir reçu de leur chef des communications transmises par des messagers. Si bien que lorsqu'il y avait périodiquement des « on a vu Elvis » de Ben Laden – disons par exemple qu'il avait prononcé un discours devant plusieurs centaines de partisans enthousiastes à la frontière entre le Pakistan et l'Afghanistan –, il devint de plus en plus facile à la CIA de n'en tenir aucun compte[59].

Les responsables conclurent également que, en fuite, Ben Laden « ne se faisait pas de nouveaux amis », et que quiconque le protégeait avait toutes les chances d'appartenir à son cercle d'intimes depuis bien avant le 11 Septembre[60]. Nombre de ses gardes du corps les plus dévoués – un groupe de trente hommes surnommés par leurs interrogateurs américains « les trente salopards » – avaient été capturés au Pakistan juste après la bataille de Tora Bora, si bien que le cercle de fidèles de Ben

Laden s'était réduit depuis. Les analystes conclurent également que, tant qu'il était en cavale, il aurait peu de gardes du corps, pour veiller à ne pas laisser « de trop grosses empreintes[61] ».

Pour parvenir à une image plus complète de l'homme et de ses habitudes, les analystes de la CIA étudièrent des livres qui lui étaient consacrés : *Ben Laden l'insaisissable : Portrait d'Oussama ben Laden par ceux qui l'ont connu*, par l'auteur de ces lignes ; une biographie des membres de sa famille faisant autorité, *The Ben Ladens*, de Steve Coll ; et un récit de sa première épouse, Najwa, et de son fils Omar, *Ben Laden, Portrait de famille : sa femme et son fils racontent*. Les analystes notèrent à quel point le chef terroriste se consacrait à ses femmes et à ses enfants, et conclurent qu'ils vivaient peut-être toujours avec lui, auquel cas il avait des chances de s'être installé dans un logement assez grand, offrant des appartements séparés à chacune de ses épouses et ses enfants, qui reproduiraient ses arrangements domestiques au Soudan et en Afghanistan[62].

Au fil du temps, les responsables du contre-terrorisme finirent par juger de moins en moins plausible que Ben Laden se cachât dans les régions tribales du Pakistan où, depuis l'été 2006, la CIA avait stationné de nouveaux agents. Ils ne recueillirent jamais de renseignements indiquant qu'il y vivait[63].

Dans *Ben Laden, Portrait de famille*, son fils Omar raconte qu'après qu'Al-Qaïda eut fait sauter les ambassades américaines au Kenya et en Tanzanie, son père s'était rendu à Kaboul pour échapper aux représailles américaines, et précise qu'il avait des cachettes sûres dans toutes les grandes villes d'Afghanistan[64]. Cela permit de confirmer l'opinion, assez répandue à la CIA, qu'il devait se dissimuler dans une ville. De surcroît, entre 2002 et 2005, tous les dirigeants et associés importants d'Al-Qaïda qu'on avait capturés avaient tous été débusqués dans des métropoles pakistanaises.

En 2009, ceux qui pourchassaient Ben Laden étaient de plus en plus certains qu'il vivait dans un environnement urbain. En mai 2010, lors d'un vol d'Islamabad à Washington, le chef de station de la CIA bavarda avec un groupe d'officiels chargés de la sécurité d'Obama. L'un d'eux demanda : « Où est Oussama ben Laden ? Tout le monde pense qu'il se cache à Karachi quelque part au milieu d'un quartier pauvre. » L'autre répliqua : « Non, il est sans doute dans les faubourgs d'Islamabad, dans l'une de ses banlieues, à moins d'une centaine de kilomètres de la ville[65]. » Ce fut une intuition judicieuse, car il faudrait encore trois mois avant que la CIA ne repère le messager de Ben Laden en route pour Abbottabad, à une cinquantaine de kilomètres au nord d'Islamabad.

Restait bien sûr le faible espoir que la CIA puisse simplement avoir un coup de chance. Un responsable du contre-terrorisme se souvient : « Nous espérions toujours que quelqu'un dirait : "Je passe près du même mur d'enceinte chaque jour depuis sept ans, et aujourd'hui une porte était ouverte et j'ai vu Ben Laden[66]". » Mais ce coup de chance n'eut pas lieu. La CIA, par ailleurs, ne parvint jamais à implanter un espion au sein d'Al-Qaïda. L'information demeurait extrêmement compartimentée au sommet du groupe terroriste, et ses chefs appliquaient de solides mesures de sécurité opérationnelle, si bien qu'il était impossible de placer un mouchard parmi ses dirigeants[67]. Robert Dannenberg, vétéran de la CIA du temps de la guerre froide qui, après le 11 Septembre, dirigea les opérations de contre-terrorisme à l'Agence, explique que le fanatisme religieux des membres d'Al-Qaïda rendait difficile leur recrutement comme espions : « Il était bien plus facile de convaincre un Soviétique que le mode de vie américain était le meilleur. Aux États-Unis, on pouvait les emmener dans un Kmart ou un Wal-Mart, parce qu'ils partageaient les mêmes priorités que nous : le succès, prendre soin de nos familles. Quand on traite avec quelqu'un qui a des opinions religieuses ou extrémistes, c'est complètement différent[68]. »

Ce fut au contraire la fastidieuse accumulation d'informations tirées d'entretiens avec de nombreux détenus, de milliers de documents d'Al-Qaïda retrouvés après une arrestation ou sur le champ de bataille, et l'examen minutieux des sources publiques évoquant Ben Laden, qui permit d'ébaucher une image de ses associés, des circonstances dans lesquelles il pourrait vivre, et avec qui.

Pour finir, l'Agence en revint aux quatre « piliers » de la poursuite : le réseau de messagers de Ben Laden, sa famille, ses communications avec les autres dirigeants de son organisation et ses déclarations aux médias. Trois d'entre eux ne donnèrent rien. Sa famille n'avait plus de relations avec lui ; ce qu'il pouvait avoir de rapports avec les autres dirigeants était extraordinairement compartimenté, rendant impossible de remonter jusqu'à lui ; et ses déclarations médiatiques faites au fil du temps ne fournissaient aucun indice utile. Il ne restait donc à la CIA que le réseau des messagers.

Les analystes élaborèrent le portrait-robot du courrier parfait : il devrait pouvoir se rendre au Pakistan sans se faire trop remarquer, parler arabe pour communiquer efficacement avec la direction d'Al-Qaïda, et avoir la confiance de Ben Laden depuis bien avant les attentats du 11 Septembre[69]. Abu Ahmed al-Kuwaiti, celui qu'on appelait « le Koweitien », répondait très exactement à toutes ces critères : sa famille venait du nord du Pakistan, il avait grandi au Koweit, et l'Agence pensait qu'il avait rejoint Al-Qaïda en 1999. Mais, s'il était considéré comme un membre important d'Al-Qaïda, un responsable du contre-terrorisme qui passa des années à pourchasser Ben Laden se souvient que, pendant longtemps, on n'eut jamais l'idée de se dire : « C'est lui[70] ».

6.

On se rapproche du messager

Le long cheminement jusqu'au messager de Ben Laden commença par Mohammed al-Qahtani. Dans les mois précédant les attentats du 11 Septembre, il fut celui qu'Al-Qaïda forma pour qu'il soit le vingtième pirate de l'air. C'était un instable assez rustre, originaire de Kharj, un trou perdu rural du centre très conservateur de l'Arabie saoudite, dont l'éducation se bornait pour l'essentiel à des études coraniques, si bien que, même parvenu à l'âge adulte, il croyait que le Soleil tournait autour de la Terre[1]. À la fin des années 1990, il abandonna ses études dans un collège agricole[2] et se rendit aux Émirats arabes unis, où pendant deux ou trois ans il occupa divers petits boulots. De retour chez lui, il devint un moment conducteur d'ambulance, puis ouvrier dans une compagnie d'électricité.

En 2000, le jeune Saoudien, alors âgé de vingt-cinq ans, connut un éveil religieux intense, qui lui donna un nouveau but dans la vie. Il quitta son travail, qui ne le menait nulle part, et se rendit en Afghanistan pour mener la vie plus prestigieuse de combattant avec les talibans contre leurs ennemis de l'Alliance du Nord[3] – la dernière force qui se dressait encore entre eux et leur victoire totale dans le pays.

C'est là-bas que, début 2001, Qahtani s'entraîna au maniement de toutes sortes d'armes dans un camp d'Al-Qaïda[4], et fit bientôt la connaissance de Ben Laden, alors en pleine préparation des attentats de Washington et de New York. Il dit au jeune Saoudien que, s'il voulait servir l'islam, il devrait consulter Khaled Cheikh Mohammed (KCM), chef opérationnel des attentats à venir contre l'Amérique. Fin juin 2001, Qahtani rencontra une nouvelle fois Ben Laden, et lui dit qu'il était « prêt pour une mission aux États-Unis[5] ». KCM lui enjoignit alors de retourner en Arabie saoudite pour obtenir un nouveau passeport « propre », dépourvu de tampons révélateurs de ses séjours en Afghanistan et au Pakistan, et un visa pour les États-Unis – ce que Qahtani, étant saoudien, pouvait faire sans grande difficulté, contrairement aux citoyens d'autres pays arabes pauvres comme le Yémen. Fin juin 2001, KCM lui donna près de cinq mille dollars, et Qahtani prit l'avion pour l'Arabie saoudite, où il récupéra son nouveau passeport et son visa pour les États-Unis, avant de s'envoler pour Orlando, en Floride, où il arriva le 4 août 2001.

Mohammed Atta, le principal pirate du 11 Septembre, l'attendait sur le parking de l'aéroport. Il comptait l'impliquer dans le complot à titre de « gros bras » qui tiendrait en respect les passagers et les équipages. Mais un douanier sagace trouva louche que Qahtani ne parle pas anglais et voyage avec un aller simple. Par l'intermédiaire d'un interprète, il lui demanda des détails sur son séjour aux États-Unis, et la nouvelle recrue d'Al-Qaïda, exaspérée, fit des réponses de plus en plus évasives. Quand on lui annonça qu'on lui refusait l'entrée aux États-Unis, Qahtani répondit d'un air menaçant : « Je reviendrai[6]. »

Il repartit en Afghanistan et, après le 11 Septembre, fut pris, à la fin de l'automne 2001, dans la retraite précipitée d'Al-Qaïda vers Tora Bora. Peu après, Ben Laden disparut, et Qahtani, avec un groupe de gardes du corps, battit en retraite en traversant la frontière avec le Pakistan où, le 15 décembre, tous furent arrêtés par la police et remis aux Américains[7].

Qahtani fut envoyé à Guantánamo, où il déclara d'abord à ses geôliers qu'il s'était rendu en Afghanistan par amour de la fauconnerie, prétexte assez répandu chez les membres d'Al-Qaïda[8]. Mais, en juin 2002, les enquêteurs avaient constaté que ses empreintes digitales correspondaient à celle du jeune Saoudien furibond, expulsé l'année précédente, à Orlando. Ce qui conduisit à des interrogatoires beaucoup plus poussés de Qahtani, devenu de moins en moins coopératif, au point, à une occasion, de donner un « coup de boule » à l'un de ceux qui le questionnaient[9].

Entre le 23 novembre 2002 et le 11 janvier 2003, il fut interrogé quarante-huit jours, à peu près sans relâche, tiré du lit à 4 heures du matin pour des interrogatoires qui se prolongeaient jusqu'à minuit. S'il somnolait, il était aspergé d'eau ou obligé d'écouter à fond une musique particulièrement exaspérante de Christina Aguilera. Il fut contraint d'exécuter des tours de chien, souvent exposé à de basses températures, dut rester debout entièrement nu et, chaque fois qu'il donnait des signes de faiblesse, se voyait administrer des médicaments et des lavements pour que les interrogatoires puissent se poursuivre[10].

Un traitement aussi brutal provoqua chez lui de profonds changements. Un responsable du FBI nota par la suite qu'il se mit à « avoir un comportement témoignant d'un traumatisme psychologique extrême[11] » (s'adressant à des interlocuteurs imaginaires, croyant entendre des voix, restant accroupi pendant des heures, recouvert d'un drap, dans une cellule). Et le traitement qui lui était infligé revenait à de la torture, selon Susan Crawford, ancienne juge fédérale nommée par l'administration Bush pour superviser les commissions militaires de Guantánamo. Elle décida que les effets cumulés sur Qahtani d'un isolement prolongé, de la privation de sommeil, de la nudité forcée et de l'exposition au froid, correspondaient à la définition juridique de la torture[12]. Elle rendit donc son arrêt : jamais il ne pourrait être jugé pour pour quelque motif que ce soit.

D'après les résumés secrets des interrogatoires de Qahtani à Guantánamo, rendus publics par WikiLeaks, il apparaît que ce n'est qu'après des semaines de mauvais traitements qu'il déclara à ceux qui l'interrogeaient que KCM l'avait présenté à un nommé Abu Ahmed al-Kuwaiti, qui lui avait donné des instructions sur le meilleur moyen de communiquer clandestinement avec les membres d'Al-Qaïda une fois arrivé aux États-Unis[13]. En juillet 2001, le Koweitien l'avait conduit dans un cybercafé de Karachi, pour l'initier à la pratique des communications secrètes, lui enseignant sans doute la méthode du « *dead drop* » alors prédominante au sein d'Al-Qaïda : deux membres du groupe ouvraient un compte e-mail commun, protégé par un mot de passe, et ils s'écrivaient l'un à l'autre des messages qu'ils n'envoyaient jamais, mais que chacun d'eux pouvait consulter.

L'aveu par Qahtani que le Koweitien l'avait formé à la sécurité opérationnelle semble correspondre au moment où les responsables américains se rendirent compte que celui-ci était un membre d'Al-Qaïda et un confident de KCM. On ne sait trop si Qahtami révéla cette information parce qu'il avait été interrogé sous la contrainte, ou parce que ceux qui le questionnaient lui avaient dit que KCM, capturé le 1er mars 2003 au Pakistan, était sous bonne garde américaine, et que Qahtani ait pensé qu'il lui était donc permis de divulguer des informations relatives au cercle d'hommes de confiance de KCM. Dans un cas comme dans l'autre, il ne donna son nom qu'après avoir été soumis à de graves abus par ses geôliers.

Les enquêteurs américains savaient désormais que le Koweitien avait aidé à former des pirates de l'air potentiels pour la mission du 11 Septembre, mais ne se doutaient pas encore qu'il pourrait être le principal messager de Ben Laden. Abu Ahmed al-Kuwaiti n'était que l'un des centaines de noms et de pseudonymes de membres et d'associés d'Al-Qaïda appris en 2002 et 2003 par les enquêteurs auprès de détenus de Guantánamo, de captifs dans des prisons secrètes de la CIA en Europe de l'Est, ou dans des documents récupérés en Afghanistan après la chute des talibans.

Quand KCM fut arrêté, on eut à la CIA le sentiment que

sa capture pourrait bientôt mener à Ben Laden en personne. Michael Scheuer, qui dirigeait à l'Agence l'unité chargée de le retrouver depuis sa fondation en décembre 1995, était moins optimiste. Il savait que Ben Laden avait des exigences de sécurité bien supérieures à celles de KCM et des autres dirigeants d'Al-Qaïda capturés au cours des années suivant le 11 Septembre. « Ces gars étaient des fiers-à-bras, c'était la première génération, ils ne s'imaginaient pas qu'ils étaient déjà dans le collimateur[14] », dit Scheuer. En fait, les lettres et les photos trouvées sur KCM ne fournissaient aucun indice réel sur l'endroit où se trouvait Ben Laden.

Au départ, KCM fut détenu par les Pakistanais et leur donna certaines informations utiles[15] que la CIA semble avoir négligées, ou peut-être n'en eut-elle pas connaissance. Le lendemain de sa capture, il apprit à ceux qui l'interrogeaient que Ben Laden pourrait être dans la province afghane de Kunar. Il déclara également que la dernière lettre qu'il avait reçue de lui avait été transmise par un messager, et que Ahmed al-Kuwaiti et un certain Amin ul-Haq l'avaient aidé à sortir de Tora Bora. C'étaient là des informations exactes. On ne sait trop comment elles furent arrachées à KCM, mais les interrogateurs pakistanais sont réputés pour recourir parfois à des méthodes brutales.

KCM fut ensuite transféré sous garde américaine. Bien que soumis 183 fois au supplice du *waterboarding*[16] et, à un moment, maintenu sept jours et demi d'affilée emmailloté de langes et menotté dans une prison secrète de la CIA dans le nord de la Pologne[17], il ne révéla pas le rôle essentiel du Koweitien au sein d'Al-Qaïda, déclarant seulement à ses geôliers, fin 2003, qu'il s'était désormais « retiré »[18]. Mais on nourrit de tels espoirs que KCM puisse être la pierre de Rosette leur permettant de percer les secrets d'Al-Qaïda que Frederica, une analyste chevronnée de la CIA, se rendit en Pologne pour observer KCM pendant qu'on le soumettait à une simulation de noyade[19].

Qu'il affirme que le Koweitien s'était « retiré » paraissait curieux, car il n'y avait guère de membres d'Al-Qaïda pour l'avoir fait. À dire vrai, les informations données par KCM à ses interrogateurs américains quelques mois plus tôt menèrent à l'arrestation en Thaïlande d'un dénommé Hambali, leader d'une virulente affiliée d'Al-Qaïda en Asie du Sud-Est, Jemmah Islamiya. Quand les responsables de la CIA l'interrogèrent[20], il déclara qu'en fuyant l'Afghanistan après la chute des talibans il avait séjourné à Karachi dans une retraite d'Al-Qaïda[21], que gérait... le Koweitien.

Peu après que KCM eut déclaré à ses interrogateurs que ce dernier avait « pris sa retraite », un messager d'Al-Qaïda du nom de Hassan Ghul raconta aux enquêteurs de la CIA une tout autre histoire. Ce Pakistanais avait été arrêté à la mi-janvier 2004 dans le nord de l'Irak, porteur d'une lettre à Ben Laden d'un dirigeant d'Al-Qaïda dans ce pays, réclamant qu'il lui soit permis de se lancer dans une guerre de grande ampleur contre les chiites irakiens[21]. De toute évidence, Ghul avait accès au cercle intérieur d'Al-Qaïda au Pakistan ; il fut donc conduit dans une prison secrète de la CIA en Europe de l'Est, où il fut soumis à diverses techniques d'interrogatoire coercitives – il fut ainsi giflé, projeté contre un mur, contraint de rester dans des positions physiquement pénibles et privé de sommeil. Ceux qui l'interrogeaient réclamèrent aussi la permission de recourir à la mise à nu, aux aspersions d'eau et aux manipulations d'aliments, mais on ne sait trop si ces procédés furent réellement utilisés contre lui[22]. À un moment, Ghul dit à ceux qui l'interrogeaient que le Koweitien était un messager de Ben Laden et qu'il voyageait fréquemment avec lui[23]. Il déclara également que Ghul avait la confiance de KCM[24] et d'Abu Faraj al-Libi, le successeur de KCM au poste de commandant opérationnel d'Al-Qaïda[25].

En décembre 2003, Libi avait supervisé deux tentatives sérieuses, mais en définitive ratées, d'assassiner Pervez Musharraf, le président du Pakistan, et il intéressait donc vivement les services de ce pays[26]. Il était très reconnaissable, défiguré par une maladie de peau qui lui marbrait le visage de taches blanches, en raison d'une carence de mélanine[27]. Il s'ensuivit que Libi ne fut numéro trois d'Al-Qaïda que deux ans, avant d'être arrêté le 2 mai 2005 dans la ville de Mardan[28], à cent cinquante kilomètres d'Abbotabad, où Ben Laden lui-même arriverait bientôt, et où il passerait les six années suivantes.

Un mois après son arrestation, Libi fut livré à la CIA[29]. On recourut contre lui à des techniques d'interrogatoire coercitives (mais pas au supplice du *waterboarding*), et il déclara à ses interrogateurs américains qu'après la capture de KCM Ben Laden l'avait prévenu, par l'intermédiaire d'un messager, de sa promotion au poste qu'occupait KCM, devenant le numéro trois d'Al-Qaïda[30]. À cette époque, Libi vivait à Abbottabad, ce qui indiquait déjà que la ville était une sorte de base arrière de l'organisation. Il faudrait encore sept ans avant que la CIA se concentre sur cet endroit, cachette probable du chef de l'organisation terroriste. Libi déclara également à ceux qui l'interrogeaient que le Koweitien n'était pas quelqu'un d'important et qu'en fait « Maulawi Abd al-Khaliq Jan » était le messager qui l'avait informé de sa promotion par Ben Laden[31]. Les responsables de la lutte antiterroriste en conclurent par la suite que ce nom était inventé[32].

Les interrogatoires coercitifs permirent-ils de conduire à Ben Laden ? On recourut à de telles méthodes avec Qahtani, le vingtième des pirates de l'air, et avec Ghul, le courrier pakistanais d'Al-Qaïda, capturé en Irak. Tous deux donnèrent par la suite à ceux qui les interrogeaient des informations qui conduisirent la CIA à cibler le Koweitien comme un possible moyen d'accès à Ben Laden, ce qui, pour ceux qui défendent ces techniques d'interrogatoire, semblerait prouver qu'elles sont efficaces. Ceux qui les critiquent peuvent toutefois faire remarquer que des méthodes brutales furent également utilisées par la CIA pour faire parler KCM et Libi, qui tous deux donnèrent à leurs interrogateurs des éléments de désinformation sur le Koweitien. On ne peut refaire l'Histoire, et nous

121

ne saurons donc jamais ce que des techniques convention-
nelles auraient donné avec ces quatre prisonniers. Et, comme
nous le verrons, il y eut d'autres progrès sur le chemin de
la découverte de Ben Laden qui avaient peu à voir avec les
informations arrachées aux détenus d'Al-Qaïda.

Robert Richer, vétéran des opérations clandestines qui
dirigea la division Moyen-Orient de la CIA après le 11 Septembre, déclare qu'en dépit des fréquentes affirmations des
responsables de l'administration Bush, les renseignements
livrés par les détenus ne furent guère utiles pour prévenir de
possibles attentats terroristes : « Si vous deviez me demander
quelles opérations ont été réellement empêchées grâce au
informations fournies par les détenus, j'aurais du mal à vous
en citer une. Je dirais que nous avions obtenu certains noms ;
nous pouvions pister certaines personnes[33]. » Là où les interrogatoires furent utiles, dit Richer, c'est qu'ils permettaient de
remplir ce qu'il compare à un plateau de Scrabble à peu près
vide – la structure d'Al-Qaïda telle que connue par la CIA juste
après le 11 Septembre[34]. Combinés avec d'autres informations
contenues dans des documents et des écoutes téléphoniques,
les interrogatoires de détenus « pouvaient apporter la touche
finale à ce qui nous a valu un grand succès ».

Robert Dannenberg, directeur des opérations contre-terro-
ristes de la CIA de 2003 à 2004, est bien d'accord : « Ces gars
nous ont fourni sur Al-Qaïda une mine d'informations d'une
valeur inestimable. Je n'en dirais pas autant de certains
complots spécifiques – vous savez, Abou va prendre une
bombe et faire sauter une gare à New York, non – mais qui
sont les acteurs, quelles sont leurs relations, leur mode d'opération... ? Cela nous a donné une cartographie d'Al-Qaïda
qu'il nous aurait fallu des années pour établir, si nous n'avions
pas eu ce programme en place. Et c'était d'une valeur crois-
sante. Nous passions en permanence des images à ces gars, et
ils disaient : "C'est untel et untel, et celui-là c'est machin[35]." »

Ni KCM ni Libi ne donnèrent jamais aucune information

qui aurait pu contribuer à la traque de Ben Laden. Les responsables du contre-terrorisme comprirent que tous les membres importants d'Al-Qaïda en leur pouvoir, tous les éléments qu'ils possédaient pouvant les mener à lui, étaient les « joyaux de la couronne » que les détenus protégeraient à tout prix.

KCM et Libi ayant tous deux minimisé l'importance du Koweitien pour Al-Qaïda, il commença à vraiment susciter l'intérêt de la CIA[36]. Mais il serait difficile à trouver, d'autant plus qu'il avait une pléthore de pseudonymes, dont « Mohamed Khan » (un patronyme pakistanais, à peu près l'équivalent de « Pierre Dupont »), « Arshad Khan » ou « Cheikh Abu Ahmed », tandis que son véritable nom, Ibrahim Saïd Ahmed[37], n'était connu de personne en dehors de sa famille.

Pour ajouter encore à la confusion, il comptait de nombreux frères[38], dont un au moins était mort en Afghanistan après le 11 Septembre. En 2006, un détenu mauritanien, qui avait rejoint Al-Qaïda dès la première année de son existence, déclara aux enquêteurs que le Koweitien était mort dans les bras d'une autre recrue d'Al-Qaïda pendant la bataille de Tora Bora[39]. Ce qui, pour la CIA, suggérait qu'il pourrait bien être un membre de l'organisation. Mais était-il vraiment mort, désormais ?

À mesure que les années passaient, le président Bush abandonna sa vieille rhétorique sur la nécessité de retrouver Ben Laden « mort ou vif », et ne le mentionna plus que rarement en public – sinon pour dire, comme en mars 2002, qu'il avait été « marginalisé »[40]. Après tout, inutile de grandir la stature déjà mythique du chef d'Al-Qaïda en rappelant au monde qu'il échappait toujours aux griffes de l'Amérique.

En privé, cependant, Bush n'abandonnait jamais le sujet. Michael Hayden, qui fut directeur de la CIA pendant presque tout son second mandat, se souvient : « J'entrais dans le Bureau ovale un mardi matin vers 8 heures, le président leva les yeux et me lança : "Bon, Mike, comment ça se passe ?" Et tout le monde, parmi les personnes présentes dans la pièce, se doutait de ce qu'il voulait dire. Il parlait de la traque d'Oussama ben Laden[41]. » L'un des responsables de la poursuite précise, laconique : « Les questions du président nous étaient transmises[42]. »

Hayden avait le caractère affable et pétillant d'un oncle très aimé, mais son charme facile dissimule le tempérament d'acier de quelqu'un qui, ayant grandi dans une famille ouvrière de Pittsburgh, était devenu général quatre étoiles de l'armée de l'air. Avant de diriger la CIA, il avait passé des années à la tête de la NSA (National Security Agency), agence ultrasecrète qui collecte dans le monde entier des téra-octets de données à partir de coups de téléphone et de courriers électroniques. Du temps de Hayden, elle écouta ainsi – ce qui prêtait à controverse, puisque cela se passait sans commission rogatoire[43] – les conversations téléphoniques aux États-Unis de ceux qu'on soupçonnait d'entretenir des liens avec Al-Qaïda.

Hayden se souvient que, courant 2007, les responsables du contre-terrorisme, à la CIA, commencèrent à le briefer sur une nouvelle méthode : traquer Ben Laden par l'intermédiaire de son réseau de messagers[44]. « Gardez à l'esprit, dit-il, que, si vous faites ça, vous ne poursuivez pas Ben Laden. C'est au mieux un coup à l'aveugle. Vous mettez toute votre énergie à identifier et à déconstruire tout le réseau de messagers dans l'idée que cela vous mènera à lui. » Hayden, à son tour, briefa Bush, lui expliquant que la CIA n'avait pas encore trouvé le principal messager de Ben Laden, mais qu'elle s'était concentrée sur le Koweitien comme candidat possible. Un des officiels chargés de pister Ben Laden se souvient : « Concernant Abu Ahmed al-Kuwaiti, il n'y avait toujours rien de bien palpitant[45]. » Mais qu'aucun détenu d'Al-Qaïda ne l'ait plus revu depuis un moment suffisait à le rendre intéressant.

Le groupe de la CIA dont la tâche, jour après jour, était de retrouver Ben Laden, ne dépassa jamais vingt-quatre personnes ; toutes pouvaient tenir sans problème dans une salle de réunion de taille moyenne. Elles circuleraient beaucoup, au cours de la décennie que dura la traque, mais beaucoup restèrent attachées au « compte » Ben Laden pendant les longues années de vaches maigres où aucun indice prometteur ne se présenta. John (pseudonyme), un analyste grand et maigre, doté du physique du basketteur acharné qu'il avait été au lycée et en fac, était très apprécié des hauts responsables de l'Agence. En 2003, il rejoignit le centre de l'antiterrorisme et y resta – alors qu'il aurait pu bénéficier de promotions pour aller ailleurs – parce que son idée fixe était de retrouver Ben Laden[46]. En 2007, il avait réclamé davantage de frappes de drones dans les régions tribales du Pakistan, en remarquant que de plus en plus d'Occidentaux y faisaient leur apparition pour y suivre une formation terroriste. Chuck (pseudonyme) était un analyste minutieux travaillant sur le « compte » Al-Qaïda depuis 1998, quand le groupe terroriste avait fait sauter deux ambassades américaines en Afrique, tuant plus de deux cents personnes. Avec les années passées à pourchasser Ben Laden, les cheveux de Chuck avaient peu à peu viré au gris[47].

Les plus anciens membres de l'équipe savaient aussi que certains d'entre eux auraient pu faire davantage pour éviter les attentats du 11 Septembre. Nul doute que l'opinion publique pensait qu'il y avait eu à la CIA quelques ratés au niveau de l'information. En fait, la communauté du renseignement avait méthodiquement mis en garde l'administration Bush, au printemps et à l'été 2001, l'avertissant qu'une opération antiaméricaine de grande ampleur paraissait vraisemblable, comme le démontrent les titres et les dates des rapports produits par l'Agence pour les responsables politiques[48] : « Ben Laden prépare des opérations multiples » (20 avril) ; « Le profil public de Ben Laden pourrait présager un attentat » (3 mai) ; « Les plans du réseau de Ben Laden progressent » (26 mai) ; « Les attentats de Ben Laden peut-être imminents » (23 juin) ; « Les menaces de Ben Laden sont réelles » (30 juin) ; « La préparation des attentats de Ben Laden se poursuit, malgré des retards » (2 juillet), « Les projets de Ben Laden sont retardés, mais pas abandonnés » (13 juillet) ; et « La menace d'un attentat imminent d'Al-Qaïda doit être maintenue sans limitation de temps » (3 août). Bien sûr, la CIA ne pouvait prédire le lieu et l'heure de ce que préparait Al-Qaïda, mais ce genre de mise en garde précise est plus fréquent dans les films que dans la vie réelle. S'il y eut faute, ce fut l'incapacité des principaux responsables à la Sécurité nationale de l'administration Bush à prendre suffisamment au sérieux les avertissements de la CIA.

Mais s'il n'y avait pas eu de ratage du renseignement au sein de l'Agence, il y eut bel et bien un échec de grande ampleur au sein de l'administration, qui n'apparut que dans les années postérieures au 11 Septembre. Des membres de l'Agence n'avaient pas su « mettre sur la liste » deux individus suspects d'appartenir aux réseaux terroristes d'Al-Qaïda, Nawaf al-Hazimi et Khalid al-Mihdhar, que la CIA pistait depuis le 5 janvier, quand ils avaient pris part à une réunion terroriste au sommet en Malaisie. L'incapacité à signaler les deux suspects au Département d'État signifie qu'ils purent entrer aisément aux États-Unis sous leur véritable nom. Le 15 janvier 2000, dix jours après le sommet de la terreur, Hazimi et Mihdhar prirent l'avion pour Los Angeles[49]. L'Agence, par ailleurs, n'alerta pas le FBI des identités des terroristes soupçonnés, pour lui permettre de les surveiller dès leur arrivée sur le sol américain. Une enquête de l'inspecteur général de la CIA – déclassifiée et publiée en 2007 – permit de découvrir que ce n'était pas juste la conséquence d'une bévue isolée, et qu'un grand nombre de ses agents et de ses analystes avaient laissé filer l'information. « Entre cinquante et soixante » membres de l'Agence avaient lu les dépêches sur les deux suspects d'Al-Qaïda sans rien décider[50]. Certains d'entre eux savaient que l'un des deux avait un visa pour les États-Unis et que, en mars 2001, l'autre avait pris l'avion pour Los Angeles[51].

En Californie, les futurs pirates de l'air n'auraient pas été très difficiles à retrouver, si leur identité avait été connue des représentants de la loi. C'est sous leurs véritables noms qu'ils louèrent un appartement, se procurèrent des permis de conduire, ouvrirent des comptes en banque, achetèrent une voiture et prirent des leçons de pilotage dans une école locale. Mihdhar fit même inscrire son nom dans l'annuaire[52]. Ce n'est que le 24 août 2011, suite à des questions posées par un membre de la CIA détaché auprès du FBI, que celui-ci repéra les deux suspects d'Al-Qaïda, dont les noms lui furent communiqués. Même après cela, il se contenta d'une note de pure routine réclamant une enquête sur Mihdhar[53]. Un mois plus tard, Hazimi et lui furent deux des preneurs d'otages du vol 77 d'American Airlines qui plongea sur le Pentagone, tuant 189 personnes.

Le rapport de l'inspecteur général de la CIA concluait qu'« informer le FBI, et un bon suivi opérationnel des deux agences, aurait pu permettre la surveillance de Mihdhar et de Hazimi. Cela aurait peut-être pu fournir des informations sur l'entraînement au pilotage, le financement, et les liens avec d'autres complices des attentats du 11 Septembre[54] ». Les noms des agents de la CIA qui ont laissé filer la piste des pirates de l'air d'Al-Qaïda demeurent classifiés, et aucune procédure disciplinaire n'a été intentée à leur encontre ; toutefois, dans leur majorité, ils travaillaient au centre anti-terroriste, et nombre d'entre eux continuèrent à participer à la traque de Ben Laden, après le 11 Septembre. Le fait de savoir qu'ils auraient pu être plus efficaces pour éviter la mort de près de trois mille personnes les poussa à redoubler d'efforts pour retrouver l'homme qui en était le responsable.

Ben Laden lors de sa seule et unique conférence de presse, en 1998, dans laquelle il déclara la guerre aux États-Unis.

n père affectueux. Oussama ben Laden et son fils
amza, le 1er janvier 2001.

Deux policiers new-yorkais près d'une affichette du quotidien *New York Post* réclamant Ben Laden « mort ou vif », dans le quartier financier de Manhattan, le 18 septembre 2001.

Une grotte dans laquelle des militants d'Al-Qaïda se sont réfugiés pendant la bataille de Tora Bora en décembre 2001.

Deux combattants afghans anti-talibans à Tora Bora, le 6 décembre 2001, alors que la bataille contre Al-Qaïda est à son apogée.

Première vidéo de Ben Laden adressée au peuple américain après les attaques du 11 Septembre, en décembre 2001. Sur l'écran, on peut lire : « Et ainsi ils sacrifièrent leurs vies car il n'y a pas d'autre dieu que Allah (foi islamique). »

Sur cette vidéo réalisée six ans plus tard, en 2007, la barbe de Ben Laden a été taillée et teinte. Sur l'écran, on peut lire : « Œil pour œil, dent pour dent et le tueur est tué. »

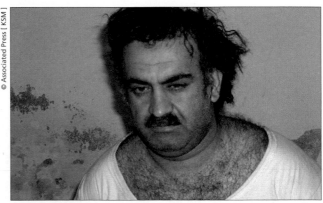

Mohammed al-Qahtani, à gauche, originellement recruté pour être l'un des pirates de l'air du 11 Septembre, et Khalid Sheikh Muhammad, à droite, le « cerveau » des attaques du 11 Septembre. Ils furent respectivement capturés en 2001 et 2003. Des interrogatoires musclés n'ont apporté que des informations contradictoires concernant « le Koweitien », le messager de Ben Laden.

Entre 2003 et 2008, le général Stanley McChrystal a fait du Commandement intégré des opérations spéciales (Joint Special Operations Command, JSOC) une force de commandos d'une rapidité et d'une efficacité sans précédent, ouvrant ainsi la voie à un raid du type Trident de Neptune.

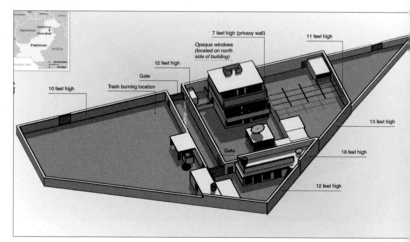

Schéma de la propriété de Ben Laden à Abbottabad, réalisé par la CIA.

Image satellite de la propriété de Ben Laden à Abbottabad.

...rire partagé du général James « Hoss » Cartwright (à droite) avec le directeur de la CIA, Leon Panetta.

...ous-secrétaire à la Défense pour les affaires politiques, Michèle Flournoy, entendue par des membres
...Congrès, au côté de l'amiral Mike Mullen, président du Comité des chefs d'état-major interarmées.

Le président Barack Obama après sa déclaration annonçant la mort de Ben Laden, le 1er mai 2011, salue l'amiral Mike Mullen dans le Salon vert de la Maison-Blanche.

L'architecte du raid contre la propriété de Ben Laden à Abbottabad, le vice-amiral William McRaven.

Michael Vickers, sous-secrétaire à la Défense pour les opérations spéciales et les conflits de basse intensité.

résident Barack Obama au cours d'une réunion dans la Situation Room de la Maison-Blanche concernant
ission contre Ben Laden. Assis à sa gauche, son conseiller à la Sécurité nationale, Tom Donilon.

irecteur du Centre national du contre-terrorisme, Michael Leiter. Quelques jours seulement avant le raid, il avait
é une « équipe rouge » chargée d'étudier les renseignements recueillis sur la propriété d'Abbottabad.

Le directeur de la CIA et son chef de cabinet, Jeremy Bash, suivent avec attention les images de l'attaque des Navy Seals au cours de laquelle Ben Laden sera tué.

Le président Obama et le vice-président Biden à la Maison-Blanche, le 1er mai 2011.
Assis, en partant de la gauche : le brigadier-général B. « Brad » Webb, le vice-conseiller à la Sécurité nationale Denis McDonough, la secrétaire d'État Hillary Clinton, le secrétaire à la Défense Robert Gates. Debout, à partir de la gauche : l'amiral Mike Mullen, le conseiller à la Sécurité nationale Tom Donilon, le chef de cabinet Bill Dal◄ le conseiller à la Sécurité nationale du vice-président Tony Blinken, le directeur du Contre-terrorisme Audrey Tomason, l'assistant du président pour la Sécurité intérieure John Brennan et le directeur du Renseigne► national James Clapper.

© Photo officielle de la Maison-Blanche, par Pete Souza

7.

Obama s'en va-t-en guerre

Le mardi 11 septembre 2001, Barack Obama, alors membre du sénat de l'Illinois, se rendait en voiture à une audition parlementaire dans le centre de Chicago quand il entendit à la radio qu'un avion avait percuté le World Trade Center. Le temps qu'il arrive à sa réunion, un second appareil s'était encastré dans les Twin Towers. « On nous a ordonné d'évacuer les lieux[1] », se souvient-il. Dans les rues, les gens scrutaient anxieusement le ciel, redoutant que la Sears Tower, gratte-ciel emblématique de Chicago, ne soit lui aussi une cible potentielle. De retour à son bureau, Obama vit les images de New York : « Un avion disparaissant dans le verre et l'acier ; des hommes et des femmes s'accrochant à des appuis de fenêtres, puis lâchant prise ; de grandes tours réduites en poussière. »

Six ans plus tard, devenu membre du Sénat américain, Obama lançait un défi apparemment donquichottesque à Hillary Clinton pour la nomination démocrate à la présidence. Elle semblait avoir toutes les cartes en main : un nom célèbre, la machine politique de financement des Clinton, l'appui de nombreux poids lourds du parti, une équipe de consultants de premier ordre et l'espoir de beaucoup de gens qu'elle devienne la première présidente des États-Unis. Mais Obama la jugeait vulnérable, notamment en raison de son soutien à la guerre en Irak, désormais très impopulaire, et à laquelle

129

lui-même s'était fermement opposé cinq ans plus tôt[2]. Et il impressionnait par ses capacités intellectuelles, son charme « cool » et l'enthousiasme qu'il soulevait chez les jeunes, qui se pressaient pour prendre part à sa campagne. Certains espéraient aussi que sa victoire contribuerait à guérir l'Amérique de son « péché originel », l'esclavage, et de la discrimination raciale qui lui avait succédé.

Alors que sa campagne prenait son élan, une version déclassifiée d'une estimation du Renseignement national (ERN) sur la situation d'Al-Qaïda fut publiée dans les médias, provoquant un émoi considérable. Elle concluait que « l'organisation terroriste avait protégé ou régénéré des éléments clefs de sa capacité d'attaque, avec un refuge sûr dans les zones tribales du Pakistan, des lieutenants opérationnels et sa direction[3] ». Il n'y avait là rien de bien nouveau. Durant l'été 2005, Al-Qaïda avait organisé l'attentat terroriste le plus meurtrier de l'histoire de la Grande-Bretagne, tuant 52 usagers des transports londoniens. Et l'été suivant, une tentative eut lieu, à l'aéroport londonien de Heathrow, de faire sauter pas moins de sept avions, américains, canadiens et britanniques, à l'aide d'explosifs liquides introduits clandestinement. La diffusion publique des découvertes essentielles de cette estimation était l'aveu officiel qu'Al-Qaïda, reconstituée, se montrait de nouveau capable de provoquer d'importants attentats en Occident, et que la politique de l'administration Bush – laisser les mains libres au dictateur militaire pakistanais Pervez Musharraf pour s'occuper comme il l'entendait des groupes militants basés dans les zones tribales – appartenait désormais au passé.

Une quinzaine de jours après la publication de ce document, Obama devait prononcer un discours important sur la sécurité nationale au Centre Woodrow Wilson de Washington. Il eut une réunion avec ses conseillers Susan Rice, Denis McDonough, et Ben Rhodes, le rédacteur de ses allocutions, dans le modeste bureau de deux pièces sur Massachusetts Avenue qui, à Washington, lui servait de quartier général de campagne[4]. Ils rédigèrent ensemble un texte résumant les critiques de la campagne d'Obama sur la politique étrangère de l'administration Bush[5] : elle détournait trop de ressources vers l'Irak, avait perdu de vue Al-Qaïda, et n'avait aucune stratégie pour faire sortir les dirigeants de l'organisation de leurs bases des zones tribales pakistanaises. Ses conseillers et lui réfléchirent au langage qu'il tiendrait dans son discours. Il fut décidé d'adopter une ligne assez dure envers Musharraf que, pensaient-ils, l'administration Bush avait trop longtemps cajolé.

Il y avait beaucoup de choses dans l'allocution prononcée au Wilson Center. Il est vrai que, dans leur majorité, les experts de Washington jugeaient le sénateur Obama un peu léger, en particulier sur les questions de sécurité nationale, quand on le comparait, notamment, au sénateur John McCain, candidat républicain, depuis vingt ans au Sénat, où il était un membre influent de la Commission des services armés. Hillary Clinton, elle aussi, était considérée comme crédible sur ces questions de sécurité, ayant appartenu à la même commission et voyagé dans des dizaines de pays avec son mari quand il était président, ce qui faisait d'elle quelqu'un de très connu pour de nombreux dirigeants du monde entier.

Le discours du Wilson Center ne parut pas apaiser les doutes sur l'expérience d'Obama. Une bonne part de l'attention que lui portèrent les médias et les autres candidats à la présidence se concentra sur une allusion aux dirigeants d'Al-Qaïda installés au Pakistan : « Si nous disposons de renseignements fiables sur des cibles terroristes de grande valeur, et si le président Musharraf n'agit pas, nous nous en chargerons... Je n'hésiterai pas à recourir à la force militaire pour éliminer les terroristes qui représentent une menace directe pour l'Amérique[6]. »

Une semaine après ce discours, lors d'un débat tenu à Chicago entre candidats démocrates à la présidentielle, Christopher Dodd, sénateur du Connecticut, s'en prit à Obama, jugeant « irresponsable » sa suggestion d'une frappe américaine unilatérale au Pakistan. Hillary Clinton renchérit : « Je crois que ce genre d'annonce est une très grosse erreur. » Obama leur répliqua sous les applaudissements – tous deux avaient voté en faveur de la guerre en Irak : « Je trouve amusant que ceux qui ont contribué à autoriser et à mettre en œuvre le plus grand désastre de politique étrangère de notre génération soient désormais occupés à me critiquer parce que je veille à ce que, dans la guerre contre le terrorisme, nous ne nous trompions plus de champ de bataille[7]. »

La faiblesse supposée d'Obama sur les questions de sécurité nationale devint le thème du plus célèbre spot publicitaire de la campagne, diffusé fin février 2008[8]. On y voyait des enfants qui dormaient, puis un téléphone sonnait et une voix d'homme déclarait d'un ton solennel : « Il est trois heures du matin et vos enfants sont en sécurité, paisiblement endormis. Mais à la Maison-Blanche un téléphone sonne. Votre vote décidera de qui répondra à cet appel. Est-ce que ce sera quelqu'un qui connaît déjà les dirigeants du monde entier, qui connaît les militaires, quelqu'un d'expérimenté, prêt à nous guider dans un monde dangereux ? Il est trois heures du matin et vos enfants sont paisiblement endormis. Pour vous, qui doit répondre au téléphone ? » Puis l'image se dissolvait et l'on voyait apparaître une Hillary Clinton très calme, portant des lunettes, parlant au téléphone. Obama n'était jamais mentionné, mais de toute évidence c'était lui qui était visé.

Les démocrates n'étaient pas les seuls à reprocher à Obama son prétendu caractère belliqueux. Mitt Romney, autre candidat républicain à la présidence, le tourna en ridicule : « Un docteur Folamour qui veut bombarder nos alliés[9]. » John McCain renchérit : « Risquerons-nous d'élire un candidat sans expérience qui a suggéré de bombarder notre allié, le Pakistan[10] ? » Fin août 2008, à Denver, acceptant la nomination de son parti comme candidat à la présidence, Obama brocarda son adversaire : « John McCain aime à dire qu'il ira chercher Ben Laden jusqu'aux portes de l'Enfer, mais il n'ira même pas jusqu'à la grotte où il se cache[11]. »

Une fois devenu président, il lui fallut faire un choix. Beaucoup d'électeurs avaient voté pour lui parce qu'il était le « candidat antiguerre », s'étant prononcé très tôt contre l'engagement en Irak. Une fois élu, Obama aurait pu transformer la « guerre mondiale contre la terreur » en une campagne de défense à grande échelle du droit contre le terrorisme djihadiste – ce qui, croyaient beaucoup de démocrates de gauche, serait une formule plus précise et plus utile. Obama ne choisit pas cette voie. Au contraire, il déclara publiquement que les États-Unis étaient « en guerre contre Al-Qaïda et ses alliés ». Cette formule présentait plusieurs avantages : elle ouvrait une voie à des groupes comme les talibans, qui pourraient un jour choisir de se distancier d'Al-Qaïda pour nouer des relations pacifiques avec les États-Unis ; et elle nommait explicitement l'adversaire, plutôt que de reprendre l'idée d'un vague conflit sans fin contre un ennemi recourant à une tactique vieille de plusieurs millénaires. Pour Obama, toutefois, cela restait une guerre, et non une sorte d'opération de police à l'échelle planétaire.

Peut-être son âge avait-il un rapport avec ses idées sur la sécurité nationale. Obama était le premier homme politique de premier plan, depuis des décennies, dont les opinions à ce sujet n'étaient pas influencées par ce qu'il avait fait ou non au Vietnam. Il était trop jeune pour y avoir combattu, comme les sénateurs John McCain et John Kerry, mais aussi pour avoir évité d'y servir, comme Dick Cheney, Bill Clinton et George W. Bush. Pour lui, c'était là une question qui ne se posait pas, et cela a pu contribuer à sa volonté de recourir à la puissance des armes, contrairement à ce pensait la génération démocrate plus âgée. Il fallut deux ans à Clinton pour intervenir en Bosnie, alors au bord du génocide, et une semaine seulement à Obama en Libye au printemps 2011, où Kadhafi menaçait son propre peuple de massacres de grande ampleur.

Obama se rallia aux tenants du « *hard power* » américain – autrement dit à la force des armes – dès l'instant où il entra en fonction. Trois jours seulement après son investiture, le 23 janvier 2009, dès sa première réunion du Conseil national de sécurité, Michael J. Sulick, directeur des services clandestins de la CIA, proposa de poursuivre l'agressive campagne de drones dans les régions tribales du Pakistan. Obama l'approuva[12]. Le même jour, dans le nord et le sud du Waziristan, deux frappes de ces engins, dit-on, tuèrent dix militants et une douzaine de passants[13].

Le 9 décembre 2009, Obama se rendit en Norvège pour y recevoir le prix Nobel de la paix « en raison de ses efforts extraordinaires pour renforcer la diplomatie internationale[14] ». Un peu plus d'une semaine auparavant, décevant apparemment les attentes de ceux qui lui avaient décerné cette distinction, il avait fortement renforcé l'engagement américain en Afghanistan, inquiet de la résurgence de l'activisme taliban. Obama autorisa l'envoi d'un renfort de trente mille hommes de troupe dans ce pays, doublant ainsi le nombre de GI qui s'y trouvaient[15]. Depuis son arrivée à la Maison-Blanche, son administration avait également autorisé un nombre record de quarante-cinq frappes de drones, visant les réseaux d'Al-Qaïda et les talibans pakistanais. Elles avaient liquidé près d'une demi-douzaine de dirigeants de groupes militants – dont deux chefs d'organisations terroristes ouzbeks alliées d'Al-Qaïda, et Baitullah Mehsud, chef des talibans pakistanais – en plus de centaines de militants des échelons inférieurs, et d'un nombre plus réduit de civils (environ cinq pour cent du total), si l'on en croit des sources fiables[16].

Cette politique d'exécution ciblée, sans procès, de centaines de personnes fut, pour l'essentiel, accueillie par le silence des groupes de défense des droits de l'homme et de ceux qui, à gauche, avaient bruyamment condamné l'administration Bush pour son recours à des interrogatoires coercitifs et son non-respect des procédures légales à Guantánamo.

Obama saisit l'occasion de son discours de remise du prix

Nobel de la paix à Oslo pour se livrer à une défense nuancée des guerres justes, en particulier de celle qu'il menait – au sol et avec des drones – contre Al-Qaïda et ses alliés en Afghanistan et au Pakistan. Il rendit hommage au prestigieux héritage de l'approche non violente des problèmes sociaux, légué au monde par Gandhi et Martin Luther King Jr., mais fit aussi clairement comprendre que son opposition à la guerre en Irak ne signifiait pas qu'il était devenu pacifiste – loin de là. Il déclara : « Je fais face au monde tel qu'il est, et ne peux rester sans rien faire face aux menaces contre le peuple américain. Ne vous y trompez pas : le mal existe bel et bien dans le monde. Un mouvement non violent n'aurait pas pu arrêter les armées d'Hitler. Des négociations ne pourront convaincre les dirigeants d'Al-Qaïda de déposer les armes. Dire que la force est parfois nécessaire n'est pas un appel au cynisme – c'est reconnaître l'importance de l'Histoire, des imperfections de l'homme et des limites de la raison[17]. »

Obama comprenait que si l'administration Bush avait tenté de transformer le danger d'Al-Qaïda en menace existentielle semblable à celle posée par les nazis ou les Soviétiques, cela ne signifiait pas pour autant que cette menace était simple mirage. L'année précédant son discours du Nobel, il s'était vu rappeler de bien des manières la réalité de cette menace terroriste. Avant même de prêter serment, il avait pris part à l'un de ses premiers briefings sur le renseignement[18], consacré à la sanglante attaque de trois jours à Mumbai, en Inde, fin novembre 2008 : dix hommes armés s'en étaient pris à des hôtels cinq étoiles, à une gare et à un centre communautaire juif américain, tuant près de 170 personnes[19].

Le 20 janvier 2009, par une journée glaciale, Obama prit ses fonctions de président. La communauté du renseignement était alors à un niveau d'alerte élevé, en raison d'une sérieuse menace sur la cérémonie d'investiture de la part de Al-Shabaab, groupe militant allié d'Al-Qaïda et basé en Somalie. On avait fait savoir qu'un groupe venu du Canada arrivait aux

États-Unis pour faire exploser une bombe sur le « Mall » de Washington, où un million de personnes devaient se rassembler pour voir Obama prêter serment. Juan Zarate, le principal responsable antiterroriste de George W. Bush, signala que, quatre jours plus tôt, répondre à cette menace avait accaparé l'attention des plus hauts responsables à la sécurité des équipes de Bush et d'Obama : « La plupart de ces menaces se dissipent assez vite, parce que certains éléments du scénario ne se goupillent pas comme prévu. J'ai reçu un appel de Nick Rasmussen, mon adjoint, qui m'a dit : "Celle-là, elle ne va pas s'évaporer comme ça[20]". » Pour finir, la cérémonie se déroula sans encombre et la menace d'Al-Shabaab se révéla sans fondement : un groupe de militants somaliens avait simplement voulu créer des ennuis à un groupe rival. Mais c'était, pour Obama et son équipe chargée de la Sécurité nationale, un rappel que le terrorisme serait une préoccupation essentielle de leur jeune administration.

Obama était bien résolu, comme il l'avait dit, à « détruire, démanteler et défaire Al-Qaïda ». Et quel meilleur moyen d'accélérer le processus que d'éliminer Ben Laden ? Peu après avoir pris ses fonctions, il rencontra Leon Panetta, le directeur de la CIA, en privé à la Maison-Blanche et lui demanda : « Où en est la piste ? Est-elle devenue tout à fait froide ? » Panetta lui répondit qu'il n'y avait guère d'éléments prometteurs. « Il nous faut redoubler d'efforts pour traquer Ben Laden[21] », lui annonça le président. Lors d'autres réunions, Rahm Emanuel, son secrétaire général à la Maison-Blanche, et d'autres membres importants de l'administration, demandèrent à brûle-pourpoint : « D'après vous, où est Oussama ben Laden[22] ? » On leur répondit qu'on n'en savait rien, sinon qu'il se trouvait au Pakistan.

Fin mai 2009, Obama suivit dans la *Situation Room* l'un des briefings réguliers de son équipe antiterroriste, qui comportait une mise à jour sur la poursuite de Ben Laden et de son adjoint Zawahiri. Après la réunion, il demanda à Panetta et à

Tom Donilon, conseiller à la Sécurité nationale, de l'accompagner dans le Bureau ovale. Il les convia à s'asseoir et leur dit : « Il nous faut vraiment intensifier cet effort. Leon, ce doit être votre objectif numéro un. » Le 2 juin, Obama signa un mémo destiné à Panetta où il déclarait : « Afin de veiller à ce que nous ayons fait tous les efforts possibles, je vous ordonne de me fournir dans les trente jours un plan d'opération détaillé pour retrouver Ben Laden et le remettre à la justice[23]. »

Cinq hauts responsables du renseignement ayant travaillé pour Bush comme pour Obama estiment risible de penser qu'il faudrait pousser la CIA à en faire davantage sur Ben Laden ; elle faisait déjà tout ce qu'elle pouvait. Pour autant, Panetta transmit des notes d'information sur la traque du chef d'Al-Qaïda, complément obligatoire à celles, trihebdomadaires, portant sur les opérations relatives au contre-terrorisme et au Moyen-Orient qu'il recevait déjà. Elles s'accompagneraient d'une autre note, hebdomadaire, sur la traque de Ben Laden. Panetta fit clairement comprendre aux responsables que, même s'ils n'avaient rien de neuf, ils devraient lui dire tout ce qu'ils savaient. Il devint embarrassant pour eux d'arriver à ces réunions sans élément nouveau[24].

Saad ben Laden, l'un des fils aînés du chef d'Al-Qaïda, paraissait un fil conducteur prometteur : il avait passé la plus grosse part des dix années précédentes assigné à résidence en Iran. Âgé de près de trente ans, il avait déjà joué un rôle mineur au sein de l'organisation. À peu près au moment où Obama entrait en fonction, Saad avait été discrètement libéré par les Iraniens, avant de gagner les régions tribales du Pakistan. Les responsables de la CIA qui le pistaient espéraient qu'il pourrait tenter de retrouver son père et ainsi les mener à lui. Mais les chatouilleux de la gâchette de la CIA l'emportèrent et, fin juillet 2009, Saad fut tué lors d'une attaque de drone, ce qui faisait disparaître définitivement cette piste[25].

À peu près au même moment, ce qui semblait être la

première occasion réelle de pénétrer le cercle dirigeant d'Al-Qaïda fut apportée à Panetta : un agent jordanien était prêt à espionner les responsables du groupe terroriste au Pakistan. C'était du plus haut intérêt car, en dépit des centaines de milliards de dollars dépensés par les agences de renseignement depuis le 11 Septembre, les Américains n'avaient jamais réussi à implanter un espion au sein d'Al-Qaïda. Humam al-Balawi était un pédiatre jordanien d'une trentaine d'années ; radicalisé par la guerre en Irak, il était devenu une voix importante sur les sites web djihadistes. Début 2009, il fut arrêté par le GID (General Intelligence Department) jordanien[26], avec lequel la CIA entretenait des relations exceptionnellement étroites. Après lui avoir proposé des sommes substantielles, les responsables crurent l'avoir « retourné » quand il déclara être prêt à se rendre dans les zones tribales du Pakistan pour espionner les talibans et Al-Qaïda. Il y parvint rapidement. Au début de l'automne 2009, il envoya à ses contacts du renseignement jordanien une brève vidéo où il apparaissait en compagnie d'Atiyah Abdul Rahman, un des principaux adjoints de Ben Laden[27]. Les responsables de la CIA virent tout d'un coup dans le médecin jordanien une « source en or »[28]. Il dit à ceux qui le pilotaient que sa profession lui permettait d'être présenté aux dirigeants d'Al-Qaïda, dont Ayman al-Zawahiri, qu'il suivait médicalement[29]. Les espoirs de la CIA furent tels qu'en novembre 2009 Panetta déclara au président qu'al-Balawi pourrait bientôt mener l'Agence à Zawahiri lui-même.

Moins de deux mois plus tôt, un événement avait brutalement rappelé l'importance de démanteler la direction d'Al-Qaïda au Pakistan. Début septembre 2009, Najibullah Zazi se rendit de Denver à New York pour « mener des opérations de martyre » dans le métro de Manhattan[30]. Américain d'origine afghane, formé par l'organisation au Pakistan, il préparait ce qui aurait été l'attentat terroriste le plus dévastateur depuis le 11 Septembre, en faisant exploser des bombes fabriquées avec un décolorant capillaire d'allure inoffensive – une signature des récents complots d'Al-Qaïda. Surveillé de près par le FBI,

Zazi fut repéré dans Manhattan le 11 septembre 2009, huitième anniversaire des attentats contre le World Trade Center. Quand il arriva à New York, Obama avait suivi sur l'affaire de multiples briefings de son équipe chargée de la sécurité nationale. Huit jours plus tard, Zazi fut arrêté. En six ans, il était la première véritable recrue d'Al-Qaïda vivant au États-Unis[31]. Le FBI découvrit sur son portable des pages entières de notes manuscrites sur la fabrication des explosifs, savoir-faire technique qu'il avait acquis en 2008 dans les régions tribales, dans l'un des centres de formation d'Al-Qaïda[32].

En 2009, le jour de Noël, le gouvernement américain dut faire face à une menace encore plus grave quand Farouk Abdul Mutallab, vingt-trois ans, issu d'une éminente famille nigériane, monta à Amsterdam à bord du vol 253 de la Northwest Airlines, qui s'envola vers Detroit en emportant près de trois cents passagers et membres d'équipage. Il portait, dissimulée dans ses sous-vêtements, une bombe au plastic que la sécurité de l'aéroport ne détecta pas. Comme l'avion approchait de Detroit, il tenta de la faire exploser. Son incompétence, un défaut de fabrication de l'engin, et la preste réaction des passagers et de l'équipage qui le maîtrisèrent, empêchèrent une explosion qui aurait détruit l'appareil. Juste après son arrestation, Abdul Mutallab dit aux enquêteurs que la bombe « avait été acquise au Yémen, avec les instructions sur son usage[33] ».

S'il avait réussi à détruire l'avion de la Northwest Airlines, cela aurait non seulement tué trois cents personnes, mais sérieusement endommagé l'économie américaine, qui chancelait déjà sous les effets de la pire récession depuis celle de 1929. Cela aurait porté un coup très dur à la présidence d'Obama. Selon la propre étude de la Maison-Blanche sur le « complot du jour de Noël », le gouvernement américain avait déjà suffisamment d'informations pour établir qu'Abdul Muttalab avait toutes les chances d'œuvrer pour la filiale yéménite d'Al-Qaïda. Comme le reconnut le président lors d'une réunion de son équipe à la Sécurité nationale, alors que le

Nigérian était sous bonne garde : « Nous l'avons échappé belle[34]. »

Le « complot du jour de Noël » fit encore monter les enjeux pour les responsables de la CIA au courant de l'existence du médecin jordanien et de sa promesse de pénétrer, pour la première fois depuis le 11 Septembre, au plus haut niveau d'Al-Qaïda. Toutefois, personne à la CIA n'avait encore rencontré Balawi, et la pression montait pour que l'Agence garde un œil sur lui. Cette tâche revint à Jennifer Matthews, chef de station à Khost, dans l'est de l'Afghanistan, qui travaillait pour l'unité Ben Laden pratiquement depuis sa création. Matthews s'arrangea pour que Balawi franchisse discrètement la frontière depuis les régions tribales pakistanaises afin de la rencontrer, ainsi qu'une importante équipe de la CIA[35]. Tenant à ce que cette première réunion avec « la source en or » soit amicale et chaleureuse, Matthews ne fit pas fouiller Balawi quand, le 30 décembre 2009, il entra dans la section CIA de la base d'opérations avancées Chapman de Khost[36]. Matthews avait même demandé qu'on prépare un gâteau pour Balawi, dont l'anniversaire tombait cinq jours plus tôt[37].

Mais personne n'eut l'occasion de faire la fête. Rencontrant l'équipe de la CIA, le médecin se mit à marmonner en arabe, glissa la main dans sa veste et fit exploser une bombe qui tua Matthews, quarante-cinq ans et mère de trois enfants, ainsi que six membres et contractuels de la CIA venus le rencontrer[38]. Ce fut la pire journée de l'Agence depuis qu'en 1983 le Hezbollah avait fait sauter l'ambassade américaine à Beyrouth, tuant huit employés de la CIA. Le médecin jordanien n'espionnait nullement les dirigeants d'Al-Qaïda ; bien au contraire, il avait été recruté par eux.

John Brennan, qui avait servi à la CIA pendant des décennies, désormais conseiller numéro un d'Obama en matière d'antiterrorisme, dit que l'attentat suicide de Khost ne fit que renforcer la détermination de l'Agence à retrouver ceux qu'on appelait Numéro Un et Numéro Deux, en en faisant « une question personnelle pour beaucoup de ses membres[39] ». Si personnelle, en fait, que trois semaines après l'attentat, la CIA organisa – fait sans précédent – onze frappes de drones visant des cibles talibanes et d'Al-Qaïda dans les régions tribales pakistanaises, tuant plus de soixante militants[40].

En une semaine, la branche yéménite d'Al-Qaïda avait bien failli abattre un avion de ligne américain survolant les États-Unis, et son centre basé au Pakistan avait réussi à tuer sept membres de la CIA. C'était pour l'Agence un rappel brutal de la nécessité d'éliminer le chef de l'organisation.

Sous l'égide de Panetta, la CIA entreprit de faire de plus gros efforts pour placer au Pakistan davantage d'agents de terrain. La guerre tirait à sa fin, ce qui libérait davantage de moyens pour le théâtre d'opérations Afghanistan-Pakistan – dont des espions, des drones et des satellites. Les attentats de novembre 2008 à Mumbai, organisés par le groupe Lashkar-e-Taïba, basé au Pakistan, démontrèrent qu'Al-Qaïda n'était pas la seule organisation terroriste installée dans ce pays cherchant à s'attaquer à des cibles américaines. Vali Nasr, du Département d'État, principal conseiller sur le Pakistan, explique : « La CIA embraye sur un mode complètement différent, un peu comme si le Pakistan devenait le Berlin des années 1960 où il fallait avoir des agents actifs, des yeux et des oreilles. Pas pour un projet spécifique, mais au sens large, parce que toute menace dirigée contre nous va probablement venir de là. Il vous faut avoir vos propres agents, vos propres opérations[41]. » Shamila Chaudhary, directeur pour le Pakistan au Conseil national de sécurité, se souvient qu'au printemps 2010 il y eut une liste de près de quatre cents officiels américains sollicitant un visa pour le Pakistan[42]. Il est clair que tous n'étaient pas de simples diplomates conventionnels.

Au même moment, dans leurs déclarations publiques comme dans leurs rencontres privées avec des responsables américains, les politiciens pakistanais soutenaient avec beaucoup de conviction que Ben Laden n'était pas dans leur pays. En avril 2010, lors d'une interview de CNN, le Premier ministre Youssouf Raza Gilani déclara : « Il n'est certainement pas au Pakistan. » Six mois auparavant, le ministre de l'Intérieur Rehman Malik, rencontrant une délégation de membres du Congrès, avait tenu des propos similaires, déclarant à ses interlocuteurs qu'il pouvait être en Iran, en Arabie saoudite ou au Yémen – ou même mort.

En dépit de ces dénégations, la nécessité pour la CIA d'avoir davantage d'agents au Pakistan se vit dramatiquement confirmée le 1er mai 2010, quand, à New York, par un samedi soir trépidant, Faisal Shahzad, un Américain d'origine pakistanaise formé par les talibans au Waziristan, tenta en vain de faire sauter son véhicule dans Times Square. Fin mai, Panetta se rendit au Pakistan pour délivrer un message très ferme aux dirigeants civils et militaires du pays, avec une menace ouverte : « On ne peut savoir ce qui se passerait » si des terroristes basés au Pakistan commettaient un attentat aux États-Unis[43]. Asif Ali Zaardani, le président pakistanais, le rembarra, disant de Shahzad : « Ce type est citoyen américain. Pourquoi de votre côté les choses ne sont-elles pas davantage sous contrôle[44] ? »

Non seulement Obama ratifia une importante augmentation du nombre d'agents de la CIA sur le terrain et une campagne de drones renforcée, en Afghanistan, mais il finit également par accepter le recours à des unités militaires clandestines dans des pays à qui les États-Unis ne faisaient pas une guerre terrestre traditionnelle, comme la Libye, le Pakistan, la Somalie et le Yémen. En 2011, au grand désarroi d'une part de ceux qui avaient voté pour le président « antiguerre », les États-Unis en menaient une simultanément dans six pays musulmans.

8.

Anatomie d'une piste

Il a fallu attendre 2010 pour que la CIA progresse de façon notoire concernant le Koweïtien, l'insaisissable messager. Auparavant, avec l'aide d'un « pays tiers » que les responsables américains n'identifieront pas, l'Agence avait pu trouver son véritable nom, Ibrahim Saïd Ahmed. Mais elle ne savait toujours pas où il se trouvait.

Puis, en juin 2010, le Koweïtien et son frère modifièrent leur façon de communiquer par téléphone mobile et ces changements permirent de « géolocaliser » leurs appareils. La CIA entreprit alors le travail fastidieux d'éplucher des quantités considérables de conversations « interceptées » entre le Koweïtien, sa famille et ses associés. Elle mena aussi, vers la même époque, une opération conjointe avec le service de renseignement de l'armée du Pakistan sur les numéros de téléphone associés au « réseau de facilitation » des communications d'Al-Qaïda. Les Pakistanais ne savaient pas que certains de ces numéros étaient liés à Abou Ahmed al-Koweiti, mais ils étaient en mesure de dire que l'un des utilisateurs de ce réseau parlait un mélange d'arabe et de pachtoune, la langue du nord-ouest du Pakistan, ce qui est inhabituel. De plus, les téléphones du suspect restaient éteints la majeure partie du temps et n'étaient rallumés que dans la ville de Peshawar et ses environs, dans le nord du pays, non loin de la frontière afghane.

Finalement, durant l'été, le Koweitien reçut un appel d'un vieil ami dans le Golfe, lequel était surveillé par les services américains.

« Tu nous manques. Où étais-tu passé ? demanda cet ami.

— Je suis revenu chez les gens avec lesquels j'étais auparavant », répondit le Koweitien de façon énigmatique.

La conversation s'interrompit dans un silence tendu pendant que l'ami ruminait cette information. « Que Dieu te facilite les choses », dit-il finalement, réalisant probablement que le Koweitien était de retour dans le cercle des proches de Ben Laden[1].

Pour les responsables de la CIA, cet appel suggérait que le Koweitien travaillait toujours pour Al-Qaïda. L'Agence américaine de la sécurité nationale écouta cette conversation et, grâce aux technologies de géolocalisation, elle put situer le portable du Koweitien dans le nord-ouest du Pakistan, mais rien de plus précis. Le messager appliquait scrupuleusement les consignes et veillait toujours à n'insérer les piles de son téléphone et à ne l'allumer que lorsqu'il était au moins à une heure de voiture de la propriété d'Abbottabad où il habitait avec Ben Laden[2]. Et le Pakistan est un pays de 180 millions d'habitants.

En août 2010, un « contact » pakistanais travaillant pour la CIA trouva la trace du Koweitien à Peshawar, où Ben Laden avait fondé Al-Qaïda plus de vingt ans auparavant. Cette ville est la porte d'entrée des zones tribales où les membres de l'organisation s'étaient regroupés après le 11 Septembre. Une fois que ce contact eut identifié la jeep Suzuki du Koweitien, une voiture de couleur blanche et avec une roue de secours à l'arrière, il put suivre le messager jusqu'à Abbottabad, à plus de deux heures de route vers l'est, et le vit entrer dans une vaste propriété entourée de hauts murs[3]. Celle-ci attira immédiatement l'attention de l'Agence car ses habitants ne disposaient d'abonnements ni au téléphone ni à Internet, ce qui laissait penser qu'ils voulaient rester à l'écart de tout réseau électronique[4].

144

À l'Agence, personne ne pensait encore que le messager pouvait habiter avec Ben Laden, mais on espérait qu'en le surveillant il les conduirait un jour à la cachette de celui-ci. Cependant, il y avait dans cette propriété d'Abbottabad quelque chose qui piqua la curiosité des agents. « Mais pour qui donc Al-Qaïda dépense tout ce fric ? » s'exclama l'un d'entre eux quand il vit pour la première fois la propriété. Les deux maisons et le terrain sur lequel elles étaient construites valaient, d'après eux, plusieurs centaines de milliers de dollars, à peu près ce qu'avait coûté à Al-Qaïda l'organisation des attentats du 11 Septembre.

À la fin du mois d'août 2010, les principaux responsables du centre de contre-terrorisme de la CIA informèrent Panetta de cette nouvelle piste. « Nous avons suivi des messagers suspects, lui dirent-ils, des types qui ont des liens historiques avec Ben Laden, jusqu'à un endroit qui ressemble à une forteresse.

— Une forteresse ? Racontez-moi ça[5] », répondit Panetta.

Ses interlocuteurs lui décrivirent une propriété ceinte de murs hauts de plus de quatre mètres, et l'un des bâtiments surmonté d'une terrasse protégée par des murs de deux mètres trente. Les résidents, ajoutèrent-ils, brûlent eux-mêmes leurs ordures.

« Très étrange, dit Panetta. Il faut approfondir les recherches. Je veux qu'on explore toutes les possibilités opérationnelles qui nous permettraient d'entrer là-dedans. »

Dans le Bureau ovale, Panetta informa de ces avancées le président Obama et les principaux membres du Conseil national de sécurité. « Nous avons le nom du messager, leur dit-il, et nous savons qu'il se trouve dans une ville qui s'appelle Abbottabad, et peut-être, je dis bien peut-être, Ben Laden pourrait être là-bas lui aussi. » Panetta leur montra l'image satellite de la propriété et compara sa surface à celle de Leesburg, une petite ville historique de Virginie, à une cinquantaine de kilomètres au nord-ouest de Washington. Obama se souvient : « Panetta était sur la réserve concernant l'éventuelle

présence de Ben Laden dans cette maison. J'ai trouvé ça intéressant, mais je suis resté prudent[6]. »

Tony Blinken, un avocat discret qui avait travaillé dans
l'équipe du Conseil national de sécurité de Bill Clinton et était
maintenant le premier conseiller du vice-président Joe Biden
pour la sécurité nationale, évoque à la fois un réel intérêt et un
léger scepticisme chez les responsables qui écoutaient Panetta.
« Ce renseignement, dit-il, ne serait pas arrivé jusqu'au président s'il n'était pas sérieux, mais plusieurs fois déjà il nous
était arrivé de croire que nous étions vraiment sur la bonne
piste et puis, finalement non, c'était une erreur. Nous pensions tous ce jour-là que c'était une information intéressante,
mais nous n'avons pas voulu la monter en épingle. »

Dans les quelques mois qui suivirent, Panetta fut de plus en
plus agacé par le manque de créativité, selon lui, de ceux qui
traquaient Ben Laden. « Je veux savoir ce qui se passe à l'intérieur de cette propriété, je ne veux pas qu'on se contente de
la surveiller de l'extérieur. Je veux qu'on entre dedans, qu'on
fasse la lumière sur ce qui s'y passe. » Il donna aux dirigeants
du centre du contre-terrorisme l'ordre de lui communiquer
toutes les idées qui leur passaient par la tête, même les plus
déraisonnables. Il les pressa de réfléchir à toutes les formes
possibles d'espionnage, comme passer dans les égouts pour y
implanter des dispositifs de surveillance électronique, installer
un télescope dans les montagnes à deux kilomètres de là, ou
placer une caméra dans un arbre à l'intérieur des murs de
la propriété. Les responsables du centre de contre-terrorisme
répondirent en rejetant toutes ces approches l'une après
l'autre au motif qu'elles étaient trop risquées ou impossibles à
réaliser. Quelques semaines après que Panetta eut suggéré de
mettre une caméra dans un arbre à l'intérieur de la propriété,
le Koweitien abattit l'arbre en question.

Finalement, à la fin de l'automne, Jeremy Bash, le chef de
cabinet de Panetta, réunit les traqueurs de Ben Laden.
« Donnez au patron vingt-cinq opérations que vous pourriez

mettre en œuvre pour entrer dans la propriété ou pour savoir ce qui s'y passe, leur dit-il, et n'ayez pas peur si certaines d'entre elles sont très imaginatives[7]. » Ils revinrent avec une liste de trente-huit idées. Quelques-unes étaient complètement farfelues. L'une, par exemple, consistait à jeter des boules puantes pour faire sortir les occupants. Une autre, à exploiter le supposé fanatisme religieux des résidents en diffusant par des haut-parleurs ce qui était censé être la « voix d'Allah » qui disait : « Je vous ordonne de sortir dans la rue[8]. » D'autres étaient plus plausibles, comme celle d'épier les occupants à l'aide de la petite parabole reliée à l'unique téléviseur de la résidence, ou de capter les sons et les émissions d'énergie produits au cas où Ben Laden voudrait enregistrer une nouvelle vidéo. Quand Panetta eut la certitude que l'équipe avait épuisé toutes les possibilités d'approche, il en retint trois ou quatre. L'une d'elles, originale, mais éthiquement discutable, consistait à embaucher Shakil Afridi, un médecin pakistanais des zones tribales, pour qu'il organise un faux programme de vaccination dans tout le voisinage de Bilal. L'idée était de pouvoir pénétrer dans la propriété et de prélever des échantillons de sang des résidents pour les comparer à ceux de la famille Ben Laden que l'Agence possédait déjà[9]. En mars, le docteur Afridi se rendit à Abbottabad en disant aux gens du coin qu'il avait des fonds pour lancer une campagne gratuite de vaccination contre l'hépatite B. Pour ne pas éveiller les soupçons, il recruta des infirmiers et du personnel de santé pour effectuer les vaccinations en commençant par un quartier pauvre en lisière de la ville plutôt que par celui, plus cossu, de Bilal. Mais l'équipe d'Afridi ne put jamais obtenir d'échantillons de l'ADN des enfants de Ben Laden.

Le raisonnement selon lequel le Koweitien était l'homme clef pour trouver le chef d'Al-Qaïda avait été présenté pour la première fois en août 2010 dans un mémo de la CIA intitulé « L'étau se resserre autour du messager d'Oussama ben Laden[10]. » Un mois plus tard, une évaluation plus détaillée encore fut publiée sous le titre « Anatomie d'une piste[11]. » Les auteurs de ces documents savaient pertinemment que tout ce qu'ils écriraient à propos du lieu où était susceptible de se trouver Ben Laden serait lu avec attention, notamment par le président. « Nous avions un groupe de personnes qui n'avaient pas peur d'affirmer que cette piste allait nous conduire à Ben Laden, se souvient un responsable. Et en disant cela, ils prenaient de sacrés risques[12]. »

Presque tous les agents qui traquaient alors Ben Laden avaient aussi suivi les traces d'Ayman al-Zawahiri, et ils n'avaient pas oublié que sept personnes, membres et contractuels de la CIA, avaient été tuées à Khost, en Afghanistan, en suivant ce qui semblait être la piste la plus prometteuse menant à Zawahiri depuis le 11 Septembre. En fait, c'était un coup monté d'Al-Qaïda. Les morts étaient les amis et collègues des analystes qui croyaient maintenant tenir la meilleure piste sur Ben Laden depuis dix ans[13].

Ce que tous voulaient éviter, c'était un autre coup fourré comme le prétendu programme d'armes de destruction massive (ADM) de Saddam Hussein. L'affirmation que le dictateur irakien reconstituait un arsenal d'ADM avait servi à justifier la guerre d'Irak et elle reposait sur des sources douteuses. L'une d'entre elles était un transfuge irakien au surnom révélateur, « Curveball » (« balle liftée »). Selon lui, Saddam avait des laboratoires mobiles d'armes biologiques. Cette idée devint la pièce à conviction favorite du gouvernement Bush. Ce que ne savaient pas les hauts responsables de la Maison-Blanche et une grande partie des experts du renseignement, c'était que Curveball était un alcoolique et un menteur invétéré[14].

L'hypothèse d'un programme d'ADM irakien avait également suscité des opinions dissidentes au sein des quelque seize agences de renseignement américaines, mais elles étaient enfouies au fin fond de rapports interminables. La CIA avait cru, par exemple, que des tubes d'aluminium envoyés en Irak en 2001 étaient des pièces de centrifugeuses pour le programme d'enrichissement de l'uranium de l'Irak. Les experts du département de l'Énergie en avaient douté, à juste titre, mais ils n'avaient guère été entendus par les politiques[15].

Les responsables du renseignement étaient bien décidés à tirer des leçons de ces erreurs coûteuses. Cette fois, on ne referait plus le coup du fameux « il n'y a pas de lézard* » de George Tenet, alors directeur de la CIA, quand il avait affirmé au président Bush être certain que l'Irak possédait bien des ADM. Le directeur du service d'analyse du terrorisme à la CIA[16], un expert sérieux qui, six jours par semaine pendant quatre ans, avait présenté au président Bush son briefing quotidien sur les affaires de sécurité, voulut passer au crible toutes les informations sur le Koweitien, par le filtre d'un examen structuré, jusqu'à remettre sur le tapis les questions les plus élémentaires : qu'est-ce qui nous fait dire que le Koweitien est vraiment le messager de Ben Laden ? Et s'il ne l'était pas, qui pourrait-il être d'autre ? Et travaille-t-il vraiment pour Al-Qaïda[17] ?

En octobre 2010, les analystes étudièrent des hypothèses alternatives concernant le Koweitien. Peut-être avait-il volé de l'argent à Al-Qaïda et il faisait profil bas ; ou bien travaillait-il pour un autre membre d'Al-Qaïda ; il serait le messager d'un criminel sans lien avec l'organisation terroriste ; ou encore, la famille de Ben Laden, mais pas Ben Laden lui-même, vivrait dans la mystérieuse propriété. Ils en conclurent qu'aucune de ces hypothèses ne pouvait être écartée. « Nous nous sommes énormément investis pour explorer toutes ces théories, afin que le président et ses conseillers puissent juger en toute connaissance de cause de ce qu'ils devaient faire ensuite[18] », déclara l'un des analystes. Gardant en tête les leçons du fiasco des ADM, les responsables encouragèrent activement à la contestation dans l'équipe. « Nous ne cessions de dire à notre

---

* Selon le journaliste Bob Woodward, dans son livre *Plan of Attack*, le président Bush aurait demandé à George Tenet s'il était vraiment sûr que Saddam Hussein développait un arsenal d'ADM. « Ne vous inquiétez, aurait répondu Tenet, il n'y a pas de lézard » (« *Don't worry, it's a slam dunk case* »). *(N.d.T.)*

groupe : si vous voyez quelque chose qui cloche, levez la main, et levez-la maintenant[19]. »

Au cours de l'automne, les agents continuèrent à surveiller la propriété et les déplacements du Koweitien, et se disaient « quasi certains » que celui-ci travaillait toujours pour Al-Qaïda[20]. Mais ils n'étaient pas aussi sûrs que Ben Laden vivait avec lui à Abbottabad. L'Agence écoutait les conversations du messager et le suivait quand il se déplaçait au Pakistan. Les analystes jugèrent révélateur le fait que le Koweitien et sa famille, quand ils rendaient visite à des parents au Pakistan, leur mentent en leur racontant qu'ils vivaient à Peshawar. Ils mentirent aussi à leurs voisins sur leurs identités, sur ce qu'ils faisaient et où ils voyageaient. Et ils ne laissaient jamais entrer personne dans cette résidence qui semblait conçue pour déjouer toute surveillance.

« Nous avons commencé à croire que la famille de Ben Laden était bien là, raconte un analyste, après avoir observé les allées et venues dans la résidence. Et nous nous sommes demandé si Ben Laden était lui aussi dans les parages, étant donné qu'il était très attaché à sa famille. » Certains agents, comme John, le chef adjoint du bureau « Afghanistan-Pakistan » du centre du contre-terrorisme, pensait qu'il y avait quatre-vingt-dix pour cent de chances que Ben Laden soit dans la propriété, mais ce n'était qu'une spéculation parmi d'autres.

La propriété d'Abbottabad continuait à intriguer la CIA. Pourquoi se trouvait-elle à moins de deux kilomètres de l'Académie militaire du Pakistan ? De plus, elle était loin d'être discrète, dominant telle une forteresse les bâtiments alentour. Enfin, beaucoup d'enfants y vivaient, et certains étaient assez grands pour papoter et évoquer un « oncle » mystérieux qui ne sortait jamais de sa maison. Les épouses et les enfants du messager et de son frère rendaient souvent visite à leur famille dans d'autres villes du Pakistan. L'un de ces enfants, le petit

Mohammed, âgé de sept ans, allait même dans une école religieuse à l'extérieur d'Abbottabad[21]. Les gens de la CIA connaissaient bien l'idée de « se cacher au grand jour », mais, là, ce concept semblait prendre une dimension nouvelle.

Robert Cardillo, un homme ayant une longue expérience du renseignement et qui informait le président Obama trois fois par semaine de l'évolution de la sécurité dans le monde, trouvait « dingue », si Ben Laden vivait vraiment dans cette maison, qu'il n'en ait pas bougé pendant six ans. Et s'il y habitait vraiment, comment les Pakistanais ne l'auraient-ils pas su ? Après tout, disait-il, on n'est pas dans un trou perdu et sans loi d'une zone tribale, on est dans une ville, avec des flics aux carrefours. Et tous ces gens, une vingtaine d'adultes et d'enfants qui vivent dans cette propriété ? En terme de sécurité, c'est un gros risque pour Ben Laden. Et alors que le messager et son frère appliquent scrupuleusement les consignes de sécurité avec leurs portables, pourquoi d'autres personnes de la maisonnée ne prennent-elles aucune précaution pour téléphoner ? Cardillo posait tant de questions sans réponse qu'un jour Michael Vickers, un inspecteur des opérations spéciales, lui dit qu'il était « un peu rabat-joie ». « Merci Mike, lui répondit-il, c'est ça mon boulot. »

Au début de l'automne, la CIA installa à Abbottabad une « planque » afin de surveiller la propriété et les « habitudes de vie » de ses habitants[22]. D'après un responsable à la retraite qui fut en charge des opérations de la CIA au Pakistan après le 11 Septembre, ce type de planque ne devait jamais attirer l'attention. « Pas de modifications détectables apportées à la maison servant de cache, pas de nouvelles antennes sur le toit, ni de lumières tard dans la nuit. Une routine sans histoire, sans visiteurs nombreux, sans allées et venues à des heures bizarres. La couverture des résidents – qui ils étaient, d'où ils venaient, ce qu'ils faisaient là – devait être en béton. Rien de mystérieux, rien d'inhabituel. La monotonie, c'est ce qu'il y a de mieux. Et puis, il faut répondre aux questions des gens, plutôt que de laisser des voisins s'imaginer des choses. Au Pakistan, le plus simple est de dire la « bonne histoire » au personnel de maison. « Tous les cuisiniers, femmes de ménage et chauffeurs se parlent entre eux dans les quartiers. C'est comme dans une petite ville. Tout ce que sait, ou croit savoir, votre femme de ménage sur vous sera connu de tous les domestiques du voisinage en un rien de temps[23]. »

Les agents qui surveillaient la propriété ne virent d'abord que les deux familles du messager et de son frère. Puis ils finirent par avoir la certitude qu'il existait bien une troisième famille dans cette maisonnée. Apparemment, ses membres ne sortaient jamais de la propriété, mais l'observation minutieuse de leurs déplacements et du nombre des vêtements d'hommes, de femmes et d'enfants qui séchaient sur les cordes à linge indiquait qu'elle était composée de trois femmes, d'un jeune homme et d'au moins neuf enfants qui vivaient tous ensemble dans le bâtiment principal. Étaient-ce les épouses, les enfants et les petits-enfants de Ben Laden ? En tout cas, la composition de cette famille concordait avec ce que l'on savait de celle du chef d'Al-Qaïda[24].

Malgré ses espions sur le terrain et les satellites de l'Agence nationale de la sécurité en orbite géostationnaire au-dessus de la propriété, la CIA n'a jamais réussi à obtenir une image de Ben Laden. Un individu allait bien se promener tous les jours dans le potager, mais quelqu'un avait astucieusement installé une bâche au-dessus de l'endroit où cette personne se déplaçait, si bien que les satellites ne purent jamais la photographier. Les analystes appelèrent ce mystérieux personnage « le promeneur »[25]. Il ne quittait jamais la propriété, et ses excursions quotidiennes dans le potager ressemblaient à celles d'un homme dans une cour de prison qui essaie de faire un peu d'exercice. Il marchait très vite en petits cercles, puis rentrait à l'intérieur. Sachant que Ben Laden était grand, Panetta demanda à son équipe d'évaluer la taille du promeneur en mesurant son ombre sur le mur le plus proche. Les résultats furent assez flous : entre un mètre soixante-sept et deux mètres.

La CIA réussit à se faire allouer par le Congrès un budget additionnel de plusieurs dizaines de millions de dollars pour couvrir l'augmentation de ses dépenses de renseignement. Malgré tout, il restait des « trous » dans ses bases de données. On ne pouvait pas voir l'intérieur de la propriété, ni la surveiller vingt-quatre heures sur vingt-quatre. Pas question non plus d'être imprudent et d'alerter la cible. Un type aussi rusé que Ben Laden, si c'était bien lui le promeneur, avait sans aucun doute un plan pour prendre la fuite au moindre soupçon. Il avait aussi dû prendre la précaution de « s'acheter » les services d'un policier local qui l'avertirait au premier signe d'une opération d'assaut de la propriété[26].

En novembre, Panetta, accompagné des hommes de la CIA qui traquaient Ben Laden, alla voir Obama. « Nous pensons, dit-il au président, qu'il y a une forte possibilité que Ben Laden soit dans la maison d'Abbottabad. » Les analystes étaient du même avis, mais avec des degrés divers de certitude, la majorité d'entre eux estimant cette probabilité à quatre-vingts pour cent. John, l'analyste principal, en était toujours à ses quatre-vingt-dix pour cent, alors que Michael Morell, le sous-directeur de la CIA, ne l'évaluait qu'à soixante pour cent.

« Pourquoi n'ont-ils pas tous la même probabilité ? » demanda Obama à Panetta, lequel renvoya la question à Morell. « Le renseignement n'est pas une science exacte, expliqua ce dernier. Même si nous avions une source à l'intérieur de la propriété disant que Ben Laden était là, je ne m'en tiendrais qu'à quatre-vingts pour cent car les sources ne sont pas toujours fiables. Les analystes qui sont à quatre-vingts ou quatre-vingt-dix pour cent sont des gens qui ont connu des succès, ils ont traqué Al-Qaïda et ont réussi à déjouer des complots et à affaiblir cette organisation. Ils sont sûrs d'eux. Les gars plus prudents sont ceux qui ont connu des échecs, en particulier sur la question des ADM de l'Irak. Pourtant, ajouta Morell, ne serait-ce qu'en terme du simple nombre des données disponibles, la thèse du programme d'ADM de Saddam était bien plus étayée que celle de Ben Laden à Abbottabad. »

En ce qui le concernait, Morell en restait donc à ses soixante pour cent, car personne n'avait jamais pu obtenir une confirmation directe de la présence de Ben Laden dans la propriété. En revanche, aucune alternative crédible n'existait pour expliquer ce qui se passait dans cette maison, et il était certain que ses habitants cherchaient à cacher *quelque chose*. Dans les premières semaines de 2011, aucun élément nouveau n'apparut. « Nous avions rassemblé au fil du temps des quantités d'informations qui ne réfutaient pas l'éventuelle présence de Ben Laden, sans pour autant la corroborer », nota un responsable. On consulta des agents de la CIA n'appartenant pas au centre du contre-terrorisme pour voir avec eux si quelque chose avait pu échapper aux traqueurs de Ben Laden. Ils ne virent rien d'évident. « Nous avions exploré des milliards de pistes au cours de la décennie, déclara un analyste du dossier Ben Laden et, chaque fois, elles avaient tourné court. Avec cette histoire d'Abbottabad, c'était différent. Aucun élément nouveau n'avait encore démontré qu'elle ne tenait pas debout[27]. »

John Brennan, un vieux de la vieille de la CIA devenu le principal conseiller d'Obama pour les questions du contre-terrorisme, rencontrait souvent les analystes du dossier Ben Laden, et il connaissait et admirait nombre d'entre eux depuis des années. Il les incita à chercher des renseignements qui réfuteraient l'idée que Ben Laden vivait dans cette résidence d'Abbottabad. « J'en ai assez d'entendre que tout confirme ce que vous pensez. Ce qu'il faut chercher maintenant, ce sont les choses qui nous disent ce qui cloche dans notre théorie. »

Les analystes revinrent un jour à la Maison-Blanche et annoncèrent qu'il y avait un chien dans la propriété. « Ha ha ! Ça, c'est bizarre, ai-je pensé. Aucun bon musulman qui se respecte n'a de chien[28] », se souvient Denis McDonough, le vice-conseiller d'Obama au Conseil national de sécurité. Mais Brennan, qui avait passé une grande partie de sa carrière à s'occuper du Moyen-Orient et qui parlait arabe, fit remarquer que Ben Laden avait déjà eu des chiens quand il vivait au Soudan au milieu des années 1990[29]. (De fait, quand le chef d'Al-Qaïda habitait à Khartoum, la capitale du Soudan, il s'était intéressé au dressage des chiens policiers[30].)

Vers la fin février, le directeur de la CIA, Leon Panetta, demanda à une responsable du contre-terrorisme, qui avait passé de longues années à traquer en vain le chef d'Al-Qaïda, à combien elle estimait la probabilité que Ben Laden soit dans la propriété d'Abbottabad. « Soixante-dix pour cent[31] », répondit-elle.

Ces pourcentages suggéraient une précision sans lien avec la réalité. De deux choses l'une : ou bien Ben Laden vivait dans cette maison, ou bien il n'y vivait pas. Et personne n'en savait rien, même après des mois d'observation.

9.

Les dernières années de Ben Laden

La vie de Ben Laden dans la résidence d'Abbottabad ne se limitait pas, bien sûr, à s'occuper de ses femmes et de ses enfants, dire ses prières quotidiennes, s'adonner à ses passe-temps favoris – la lecture de publications antiaméricaines et antisionistes – et regarder de vieilles vidéos de lui-même. Il essayait aussi de diriger Al-Qaïda, chose difficile pour quel-qu'un qui se cache et dont les principaux lieutenants sont en fuite.

Ce n'était que par l'intermédiaire d'Abou Ahmed al-Koweiti que Ben Laden pouvait garder un semblant de contrôle sur son organisation. Le Koweitien et son frère Abrar, tous deux à peine trentenaires, étaient ses seuls gardes du corps et son seul lien avec le monde extérieur[1]. Ils allaient acheter du riz, des lentilles et autres denrées à l'épicerie du coin[2]. Sous leurs pseudonymes locaux d'Arshad Khan et Tariq Khan, les deux frères accompagnaient les enfants de Ben Laden, quand ils avaient un rhume ou des maux de ventre, chez un médecin du quartier[3]. Les Khan allaient et venaient dans le voisinage sans se faire remarquer au volant de leur jeep Suzuki blanche ou de leur camionnette rouge[4]. De temps en temps, ils se ren-daient à la mosquée à l'heure de la prière, mais ne s'attar-daient pas à bavarder. À ceux qui les interrogeaient, ils disaient qu'ils travaillaient dans les transports[5]. Certains n'en étaient pas convaincus. Ils pensaient qu'ils étaient plutôt des

157

trafiquants de drogue et déploraient qu'avec une aussi grande maison ils ne viennent pas en aide aux pauvres[6].

Ils étaient, depuis longtemps, de purs produits d'Al-Qaïda. Leur père avait quitté cinquante ans plus tôt son village pachtoune dans le nord du Pakistan – à quelque trois heures de route d'Abbottabad – pour émigrer au Koweit[7]. Les deux frères, dès lors, étaient indispensables à Ben Laden car ils pouvaient à la fois se fondre dans les zones de langue pachtoune du nord et de l'ouest du Pakistan où se cachaient maintenant les chefs d'Al-Qaïda, et communiquer facilement avec ceux d'entre eux qui étaient arabes[8]. Ils avaient fait un serment religieux d'allégeance à Ben Laden qu'ils vénéraient en tant qu'émir du djihad. Ils exécutaient ses ordres sans discuter.

Le rôle du Koweitien était essentiel car il portait les lettres et les clefs USB contenant les directives de Ben Laden à ses lieutenants d'Al-Qaïda. Il appliquait scrupuleusement les mesures de sécurité qui s'imposaient quand il transportait ces documents à Peshawar d'où ils seraient ensuite livrés dans les zones tribales des alentours ou à la frontière de l'Afghanistan, où étaient basés de nombreux dirigeants de l'organisation. Ainsi, sachant que les Américains et les Pakistanais pouvaient géolocaliser les portables, il n'allumait le sien qu'autour de la petite ville de Hassan Abdal, à une heure de route au sud d'Abbottabad[9].

Par ces messages, Ben Laden restait en contact avec l'organisation qu'il avait fondée et il faisait de son mieux pour diriger ses filiales lointaines en Irak, en Somalie et au Yémen. Il continuait à imaginer aussi l'exécution d'un grand carnage[10], un projet trop sérieux pour en parler à ses femmes.

Le principal relais de Ben Laden auprès d'Al-Qaïda était Atiyah Abd al-Rahman, un militant libyen d'une quarantaine d'années. Pour les experts occidentaux, ce n'était qu'un terroriste de moyenne envergure, mais, en réalité, c'était lui le bras droit de Ben Laden, même si ce dernier se lamentait, en privé, qu'il soit si dur et si peu diplomate avec son entourage[11]. Le chef d'Al-Qaïda était bien plus souvent en contact avec lui qu'avec son principal adjoint, Ayman al-Zawahiri, l'austère chirurgien égyptien. Dans les années qui suivirent le 11 Septembre, les responsables occidentaux de l'antiterrorisme crurent que Zawahiri gérait au jour le jour Al-Qaïda, mais, de fait, c'était bien Ben Laden qui prenait toutes les décisions et fomentait les actions du groupe[12].

Par l'intermédiaire de Rahman, le chef d'Al-Qaïda donnait des instructions à ses affiliés régionaux[13] : l'organisation terroriste nord-africaine Al-Qaïda au Maghreb islamique, le groupe militant somalien Al-Shabaab, Al-Qaïda en Irak et Al-Qaïda dans la péninsule Arabe. Après le 11 Septembre, Rahman se rendit aussi en Iran pour renouer les liens entre Ben Laden et certains chefs historiques de l'organisation[14], comme Saïf al-Adel qui vivait sous surveillance dans ce pays, sans pouvoir en sortir, quasiment assigné à résidence, comme l'étaient un certain nombre d'enfants de Ben Laden.

L'Irak intéressait particulièrement le reclus d'Abbottabad. Au début de l'invasion américaine, il s'était enthousiasmé par les opportunités qu'elle offrait d'établir une filiale d'Al-Qaïda au cœur du monde arabe. Deux ans plus tard, il était de plus en plus préoccupé par la brutalité des militants irakiens qui faisaient sauter de grandes mosquées chiites et tuaient ceux de leurs coreligionnaires sunnites qui ne suivaient pas à la lettre les diktats du groupe. Ben Laden rappela à ses affiliés irakiens les erreurs des islamistes d'Algérie dans les années 1990[15] : ils avaient déclenché une guerre civile si brutale qu'ils avaient totalement perdu le soutien populaire qui était le leur auparavant.

En novembre 2005, pendant que Ben Laden s'installait dans sa nouvelle vie à Abbottabad, Rahman écrivit une lettre de sept pages au chef d'Al-Qaïda en Irak[16], Abou Moussab al-Zarqaoui, un homme d'une cruauté stupéfiante qui décapitait lui-même ses otages. Il enregistrait les vidéos de ses barbaries qu'il diffusait ensuite sur Internet. La lettre de Rahman, qui reflétait à l'évidence les idées de Ben Laden, était une critique polie mais cinglante adressée à Zarqaoui. Celui-ci avait, peu de temps auparavant, commandité des attentats suicides contre des hôtels américains à Amman, en Jordanie, qui avaient fait soixante victimes, presque toutes des civils jordaniens qui assistaient à un mariage. Ce drame et les assassinats commis par Zarqaoui de tout musulman ne partageant pas ses vues avaient entaché l'image d'Al-Qaïda dans le monde arabe[17]. Tel un patron mécontent des piètres performances d'une filiale de son entreprise, Rahman dit à Zarqaoui qu'il devait dorénavant suivre les instructions de Ben Laden et cesser ses opérations contre-productives.

Quand Zarqaoui fut tué, six mois plus tard, par une frappe aérienne américaine, les déclarations publiques de Ben Laden dirent son admiration à l'égard de son affilié, qui avait eu à cœur de combattre les Américains en Irak comme lui-même en avait rêvé. Mais il déplorait secrètement le discrédit que ce dernier avait jeté sur Al-Qaïda, au point qu'en octobre 2007 il diffusa même des excuses publiques, événement sans précédent, déplorant la conduite « fanatique » de ses partisans d'Irak[18].

Au fil des ans, la grande idée de Ben Laden était toujours d'attaquer les États-Unis. À mesure qu'approchait le dixième anniversaire de la grande victoire qu'étaient pour lui les attentats du 11 septembre 2001, Ben Laden adressa des messages à ses affiliés en Algérie, en Irak et au Yémen, leur rappelant que l'Amérique restait leur principal ennemi et les enjoignant de ne pas se laisser distraire par des luttes intestines[19]. Il montait des plans pour assassiner le président Barak Obama et le général David Petraeus, qui avaient infligé de si lourdes pertes aux militants d'Al-Qaïda en Irak, mais le vice-président Joe Biden lui semblait être une cible trop dérisoire[20]. Pour son équipe, l'essentiel était toujours de viser les principales villes américaines comme Chicago, Washington, New York et Los Angeles. Rahman était souvent obligé de lui rappeler qu'Al-Qaïda n'avait tout simplement plus les moyens de mettre en œuvre des projets aussi ambitieux[21]. Certains de ses lieutenants lui firent remarquer qu'il serait plus réaliste de se focaliser sur les soldats américains en Afghanistan au lieu d'essayer d'attaquer les États-Unis eux-mêmes[22], mais il ignora leurs conseils.

Dans le journal qu'il tenait méticuleusement, Ben Laden évaluait le nombre de milliers d'Américains qu'il faudrait tuer pour que les États-Unis finissent par se retirer du monde arabe[23]. Il songea à faire dérailler des trains en mettant des arbres ou des blocs de ciment en travers de voies ferrées aux États-Unis[24]. Il suggéra également qu'Al-Qaïda recrute des citoyens américains non musulmans, notamment des Noirs américains et des Latinos[25]. Cette tactique n'eut qu'un modeste succès : Al-Qaïda enrôla Bryant Neal Vinas, un chômeur latino-américain de Long Island ; celui-ci participa à l'attaque d'une base américaine en Afghanistan en 2008, puis fut arrêté par les Pakistanais qui le remirent aux autorités américaines[26].

Ben Laden exhorta ses partisans à préparer contre les États-Unis une action qui coïnciderait avec le dixième anniversaire du 11 Septembre[27] ou avec un jour de fête comme Noël[28]. Dans le cadre d'une stratégie de plus grande envergure, il recommandait aussi de s'en prendre à des supertankers pétroliers[29] pour saigner à blanc l'économie américaine. Il donna aussi à Rahman l'ordre de chercher à recruter des djihadistes pour effectuer des attaques en Europe. La dernière qu'Al-Qaïda avait réussie sur le vieux continent remontait aux quatre attentats suicides dans le métro et un bus de Londres, le 7 juillet 2005, qui avaient tué cinquante-deux voyageurs. Rahman était en contact avec un groupe de militants marocains vivant à Düsseldorf[30] et, à l'automne 2010, les chefs d'Al-Qaïda, sur le qui-vive, étaient prêts à déclencher une action en Allemagne, avec de nombreux tireurs embusqués, mais ce projet n'aboutit pas[31].

Ben Laden envisagea aussi de changer le nom d'Al-Qaïda, qui n'avait plus une bonne image. Que l'appellation complète du groupe, Al-Qaïda al-Djihad – « la base de la guerre sainte » – ne soit pas utilisée en Occident, où l'on se contentait de dire « Al-Qaïda », lui déplaisait suprêmement. Selon lui, en supprimant le mot *djihad*, les Occidentaux affirmaient, à tort, qu'« ils n'étaient pas en guerre avec l'islam ». Il réfléchit à d'autres noms qui avaient peu de chance de les séduire : le Groupe du monothéisme et du djihad, par exemple, ou le Groupe de la restauration du califat[32].

Ben Laden prêta une grande attention à sa filiale au Yémen, Al-Qaïda dans la péninsule Arabe, relativement récente mais fort prometteuse. C'est elle qui avait réussi à introduire une bombe dans un avion de ligne américain. Elle était cachée dans le caleçon d'Omar Farouk Abdoul Moutallab, une recrue nigériane qui essaya en vain de déclencher son explosif quand l'avion survolait Detroit, le jour de Noël 2009. Ben Laden donna des conseils tactiques à ce groupe, qui publiait *Inspire*, un magazine web en anglais visant à recruter des militants dans les pays occidentaux. Dans l'une de ses éditions, un auteur proposait d'attacher à un tracteur des lames gigantesques, et de lancer l'engin dans une foule. Ben Laden condamna ce projet de massacre indiscriminé qui ne reflétait pas, selon lui, les « valeurs » d'Al-Qaïda[33]. Quand le chef de la filiale yéménite proposa de nommer l'imam américain Anwar al-Awlaki à la tête de l'organisation parce que son nom était bien connu des Occidentaux et que sa notoriété aiderait à récolter des fonds, Ben Laden refusa. Il déclara qu'il ne connaissait pas cette personne et que la direction en place lui convenait parfaitement[34]. Il donna aussi des conseils stratégiques à ses partisans yéménites, leur disant que le soutien à Al-Qaïda dans la région n'était pas encore assez solide pour qu'on essaie d'y imposer un régime de style taliban[35].

Les principaux lieutenants de Ben Laden lui écrivaient pour lui faire part de leurs problèmes. Le plus sérieux était les frappes des drones américains sur les zones tribales du Pakistan. Celles-ci avaient commencé en 2004 sous le président Bush, et avec le président Obama, nous l'avons vu, leur nombre avait encore augmenté. Avec Bush, on avait compté une frappe tous les quarante jours ; avec Obama, c'était une tous les quatre jours. Ces frappes avaient transformé le job de « numéro trois » d'Al-Qaïda en l'un des « emplois » les plus dangereux du monde. En mai 2010, sur une route de terre qui venait de Miran Shah, la plus grande ville de la zone tribale du Nord-Waziristan, un missile tua Mustafa Abou al-Yazid ainsi que sa femme et plusieurs de leurs enfants. Yazid était un membre fondateur d'Al-Qaïda ; en tant que numéro trois du groupe, il en supervisait les projets, le recrutement, les levées de fonds et la sécurité interne. Au cours des deux années précédentes, Ben Laden avait aussi perdu, victimes de drones, son spécialiste en armes chimiques, son chef des opérations au Pakistan, son responsable de la propagande et une demi-douzaine de ses principaux lieutenants[36].

Rahman écrivit à Ben Laden qu'Al-Qaïda était pilonnée par les drones et lui demanda de délocaliser l'organisation[37]. Il lui fut répondu qu'il devrait plutôt monter une unité de contre-espionnage pour éliminer des zones tribales ceux qui renseignaient les Américains sur les lieux où se trouvaient ses lieutenants[38]. En 2010, Rahman continuait à se plaindre : le service de contre-espionnage pouvait à peine fonctionner sur son misérable budget de quelques milliers de dollars. Ben Laden était aussi préoccupé que Rahman de l'état des finances de l'organisation. Ils cherchèrent comment renflouer les coffres vides et pensèrent kidnapper des diplomates au Pakistan.

Conscient des pressions que subissait son groupe – sa situation financière désastreuse, ses dirigeants décimés et son incapacité à mener à bien une action en Occident –, Ben Laden chercha à redonner un élan à l'organisation. Au printemps 2011, il étudia l'idée de refonder une grande alliance entre les différents groupes de militants d'Afghanistan et du Pakistan[39]. Il dit à son entourage qu'il envisageait de négocier un accord avec le gouvernement pakistanais : Al-Qaïda ne mènerait plus d'attaques au Pakistan en échange d'une protection officielle du gouvernement[40]. Aucune preuve n'existe d'un tel accord, dont la notion même semblait assez ingénue. Le gouvernement pakistanais n'avait aucune intention de conclure le moindre accord avec une organisation qui n'avait cessé, pendant des années, d'inciter ses partisans à attaquer les responsables pakistanais et, comme nous l'avons vu, ils avaient tenté par deux fois, en 2003, d'assassiner le président du pays, le général Pervez Musharraf[41].

Ben Laden essayait, bien sûr, de présenter au monde une image de lui-même plus avenante que celle d'un vieux chef d'un groupe terroriste en déclin, ce qu'il était devenu. Il dit un jour au mollah Omar, le leader des talibans, que quatre-vingt-dix pour cent de son combat se livrait dans les médias[42]. Effectivement, il travaillait sérieusement à sa campagne de propagande, et sur les vidéos qu'il enregistra dans un studio bricolé chez lui, on voit qu'il avait teint de noir sa barbe qui avait blanchi. Il arborait aussi ses plus belles robes, de couleur beige et tissées d'un fil d'or. Il n'avait plus à portée de main son sempiternel fusil.

En 2007, il diffusa une vidéo de trente minutes qui attira l'attention car c'était la première depuis trois ans. Il s'adressa directement au peuple américain, assis derrière un bureau, dans un décor de parodie djihadiste des discours des présidents des États-Unis depuis le Bureau ovale. Il ne fut pas menaçant, mais enjoignit les Américains à se convertir à l'islam. Il condamna les États-Unis en évoquant les bombes atomiques sur Hiroshima et Nagasaki, l'extermination des Amérindiens, l'influence néfaste des grandes entreprises américaines et les piètres réalisations du pays en matière de changement climatique. Il souligna le refus des États-Unis de signer les accords de Kyoto sur le réchauffement de la planète[43]. Ces digressions semblaient émaner plutôt d'un vieux ronchon, lecteur de *The Nation**, que du chef du djihad mondial.

Dans son repaire d'Abbottabad, Ben Laden enregistrait une

---

* *The Nation*, le plus vieil hebdomadaire des États-Unis, se définit lui-même comme « l'étendard de la gauche » américaine. *(N.d.T.)*

moyenne de cinq cassettes audio par an[44], que son messager faisait passer à As Sahab, son chef de la propagande. Celui-ci en faisait un montage avec des photos de Ben Laden, des graphiques et parfois des traductions sous-titrées, puis il téléchargeait le tout sur des sites web djihadistes ou les envoyait à Al Jazeera. Ben Laden, toujours passionné par les informations, y commentait les événements du monde musulman, des plus importants aux plus insignifiants. En mars 2008, il fustigea « la catastrophe » qu'avait été, cinq ans plus tôt, la publication de caricatures de Mahomet dans un quotidien danois[45]. Trois mois plus tard, un attentat suicide cibla l'ambassade du Danemark à Islamabad, tuant six personnes[46]. Après un silence de neuf mois, il diffusa en mars 2009 une nouvelle vidéo condamnant l'invasion de Gaza par les troupes israéliennes, qui venait de se produire[47]. À la fin de 2010, il dénonça la décision de la France d'interdire le port de la burqa en public, et la menaça de représailles[48]. Et, à la même époque, il critiqua la lenteur du gouvernement pakistanais à réagir aux inondations massives qui avaient laissé sans logis vingt millions d'habitants au cours de l'été 2010.

Vu son éloquence sur tous les événements touchant le monde musulman, le silence de Ben Laden sur le Printemps arabe de 2011 laisse perplexe. Après tout, c'était ce dont il avait rêvé depuis si longtemps : le renversement des régimes tyranniques du Moyen-Orient. Ce silence s'explique probablement par le fait que ces révolutions se déroulèrent en l'absence des fantassins d'Al-Qaïda et sans références à ses idées. Pas un seul manifestant n'a brandi l'image de Ben Laden, personne n'a repris ses discours virulents fustigeant les Américains, très peu ont appelé de leurs vœux la victoire de théocraties de style taliban. Les manifestations ont négligé aussi les deux axiomes les plus fondamentaux de sa doctrine : seule la violence apporterait le changement au Moyen-Orient, et seule une attaque des États-Unis provoquerait le renversement des régimes arabes. En Tunisie et en Égypte, ceux qui

renversèrent leurs dictateurs étaient des manifestants pacifiques. Ils n'étaient pas mus par les idées de Ben Laden, mais
par l'incompétence et la cruauté de leurs dirigeants.

Comment réagir à cela ? Cette question dut particulièrement le troubler, lui qui adorait être sous les projecteurs.
Aux yeux du monde, il apparaissait totalement déconnecté de
l'évolution la plus importante du Moyen-Orient depuis l'effon-
drement de l'Empire ottoman. À la fin de 2011, il enregistra
un message audio qui ne fut diffusé qu'après sa mort, et dans
lequel il saluait les révolutions tunisienne et égyptienne en ces
termes : « Nous suivons attentivement ce grand moment historique et nous partageons votre joie, votre bonheur et votre
satisfaction[49]. » Ben Laden y disait que la loi de la charia
devrait gouverner l'Égypte et la Tunisie nouvelles, mais, bizarrement, il ne parlait pas des soulèvements qui se propageaient
aussi à Bahreïn, en Libye, en Syrie et au Yémen.

Ben Laden était toujours vénéré de sa famille et de ses partisans, mais au printemps 2011, alors qu'il entamait la sixième
année de son séjour à Abbottabad, il s'était retrouvé de plus
en plus marginalisé dans le monde musulman. L'image d'un
Robin des Bois religieux qu'il avait projetée dans les premières
années qui suivirent le 11 Septembre s'était brouillée. La
majorité des musulmans rejetait désormais Al-Qaïda pour
avoir causé tant de morts de civils musulmans et pour n'avoir
jamais répondu aux problèmes économiques et politiques qui
continuaient de l'accabler.

10.

Les soldats de l'ombre

Dans une chaleur étouffante, à plusieurs centaines de kilomètres au large de la Somalie, le soir du 13 avril 2009, trois coups de feu retentissent. Trois pirates somaliens sont tués à bord d'un canot de sauvetage qui ballote sur les vagues alors que le crépuscule se pose sur l'océan Indien[1].

Depuis cinq jours, ces pirates tenaient en otage Richard Phillips, le capitaine américain du porte-conteneur *Maersk Alabama*. Le président Obama avait donné l'autorisation de tirer pour tuer si la vie de Phillips était en danger[2]. Le destroyer USS *Bainbridge* suivait de près les pirates, et à l'insu de ces derniers, une équipe de Seals avait été parachuté de nuit en mer, quelques jours plus tôt, à proximité du navire de guerre américain. Les Seals prirent position sur le pont arrière du *Bainbridge* et surveillèrent attentivement le canot sur lequel se trouvaient Phillips et ses ravisseurs. L'un d'eux pointa soudain sa kalachnikov sur l'otage, comme s'il allait le tuer. Le commandant des Seals donna aussitôt à ses hommes l'ordre d'abattre les pirates. Trois tireurs d'élite firent feu simultanément et tuèrent les trois Somaliens, à une distance de trente mètres, dans une mer houleuse, à la tombée de la nuit.

Après cette action qui sauva Phillips, Obama appela le vice-amiral William McRaven, chef du Joint Special Operations Command (JSOC) en charge de la coordination des forces spéciales des différentes armées de l'armée américaine. « Bon boulot[3] ! », lui dit-il. Ce sauvetage impeccable offrit au président, trois mois à peine après sa prise de fonction, l'occasion de découvrir les talents des « professionnels discrets » de l'Amérique, membres des unités secrètes antiterroristes des « opérations spéciales ». Au fil de sa présidence, il sera conduit à compter de plus en plus sur eux.

Le JSOC (qui se prononce « Djaysoc ») est né des cendres d'une défaite américaine dans les déserts d'Iran trente ans avant l'accès d'Obama à la présidence. Cinquante-deux Américains avaient été pris en otage à l'ambassade des États-Unis à Téhéran en 1979 par de fervents partisans de l'ayatollah Rouhollah Khomeini, et le président Jimmy Carter décida d'envoyer un commando pour les libérer. Cette mission allait vite se heurter à de nombreuses difficultés : il fallait survoler une région désertique de plus de mille cinq cents kilomètres, atteindre Téhéran sans être détecté et, enfin, libérer des otages retenus par des Gardiens de la révolution fanatisés.

L'opération *Eagle Claw*, parfois désignée sous le nom de *Desert One*, démarra de façon calamiteuse quand trois des huit hélicoptères durent se poser dans le désert iranien en raison de problèmes techniques causés par une tempête de sable. La mission fut annulée. Quelques instants après, l'un des cinq hélicoptères encore en vol entra en collision avec un avion ravitailleur américain, tuant huit militaires[4]. Depuis la Maison-Blanche, un jeune agent de la CIA, Robert Gates, consterné, avait suivi en direct toutes les étapes de ce désastre.

Une enquête du Pentagone révélera l'existence d'un grand nombre de dysfonctionnements[5] : des rivalités interarmées avaient poussé tous les responsables à vouloir intervenir dans cette opération et, même s'ils n'avaient jamais travaillé ensemble dans ce genre de mission, chacun avait exigé d'y jouer un rôle. L'importance excessive donnée aux questions de sécurité avait eu pour résultat d'empêcher le partage d'informations essentielles entre les différents acteurs et il avait été interdit de mettre par écrit le plan de l'opération, si bien que personne ne put l'étudier dans son ensemble. La Navy avait négligé la révision des hélicoptères, les pilotes de l'Air Force n'avaient aucune expérience des opérations de commando et il n'y eut aucune répétition générale de toutes les phases du projet.

Le JSOC, basé à Fort Bragg, en Caroline du Nord, est né de cette déroute iranienne. Il fut créé, en 1980, afin que les unités des différentes armes puissent commencer à travailler ensemble de façon coordonnée[6]. Les éléments clés du JSOC sont les unités secrètes, dites « noires » : les Seals de la Navy, la force Delta et le 75e régiment de Rangers de l'armée, les pilotes d'hélicoptère du 160e régiment des opérations spéciales et l'escadrille des tactiques spéciales de l'Air Force. (Les unités dites « blanches », qui opèrent à découvert et sont connues sous le nom de « Bérets verts », ont pour mission première de former les forces militaires locales.)

Les officiers supérieurs de l'armée conventionnelle ont commencé par se méfier de ces « bouffeurs de serpents », les hommes des unités spéciales qu'ils traitaient souvent de cow-boys[7]. Puis vint la débâcle de Mogadiscio, en Somalie, au début d'octobre 1993[8]. L'objectif était d'arrêter les chefs de clan qui attaquaient les troupes américaines stationnées dans ce pays. Une attaque d'hélicoptères en plein jour, menée par les pilotes de l'Air Force et de la force Delta, l'équipe 6 du SEAL et le 75e Rangers, se termina en fiasco, avec dix-huit militaires américains tués et deux hélicoptères Black Hawk abattus par des tirs de roquettes.

À l'époque, Al-Qaïda, qui avait alors une base au Soudan, avait envoyé en Somalie quelques-uns de ses meilleurs éléments pour former les membres des clans somaliens à abattre des hélicoptères avec un lance-roquettes[9]. Or atteindre un engin volant est rendu difficile par le fort recul de cette arme, conçue pour le combat antichar.

Échaudé par cette déroute de Mogadiscio, le Pentagone hésitait à utiliser le JSOC pour affronter Al-Qaïda en Afghanistan, où le groupe terroriste avait réimplanté sa base en

1996. Le président Bill Clinton ne voyait pas pourquoi. « Vous savez, dit-il un jour au général Hugh Shelton, son principal conseiller militaire, ça foutrait une sacrée trouille aux types d'Al-Qaïda si tout à coup une bande de ninjas héliportée déboulait en rappel dans leur camp[10]. » Michael Scheuer, à l'époque le chef de la section Ben Laden à la CIA, se souvient : « Je ne veux pas prendre la défense du président, mais il a demandé je ne sais combien de fois aux militaires d'envoyer en opération secrète des commandos ou des forces spéciales en Afghanistan pour essayer de tuer Ben Laden, et Shelton, qui était alors le chef d'état-major interarmées, lui ramenait toujours des projets d'opération du type débarquement de Normandie[11] ! »

Après les attaques du 11 Septembre, le secrétaire de la Défense Donald Rumsfeld, fut profondément vexé que les premières forces à fouler le sol afghan aient été celles de la CIA et pas celles des unités antiterroristes du JSOC[12]. Le 17 octobre 2001, dix jours après le début de la campagne américaine contre les talibans, il exprima sa colère dans un mémo secret au président du comité du chef d'état-major interarmées, le général Richard Myers : « Si le département de la Défense ne peut rien faire en Afghanistan avant que les gens de la CIA ne lui préparent le terrain, est-ce à dire qu'il n'a pas les capacités requises pour le faire lui-même ? Plus précisément, est-il concevable que notre département, dans pareille situation, puisse un jour ne pas dépendre totalement de la CIA ? »

Les collaborateurs de Rumsfeld chargèrent Richard Shultz, historien des forces spéciales, de trouver pourquoi on n'avait pas fait appel aux unités du JSOC pour frapper Al-Qaïda avant les attaques du 11 Septembre[13]. Parce que le Pentagone était encore « somalisé », répondit Shultz, ses officiers supérieurs toujours traumatisés par le désastre de Mogadiscio[14]. Ils préféraient recourir à des opérations massives, avec des déploiements spectaculaires de forces, estimant les raids audacieux politiquement impossibles, l'opinion publique ne tolérant plus la mort de soldats américains. De surcroît, avant de lancer une opération, le Pentagone exigeait des renseignements de haute qualité, fiables et pertinents, lesquels n'existaient tout simplement pas dans l'Afghanistan des talibans[15]. « Ne pas être chargé d'une telle mission, déclara plus tard le patron du JSOC, le général Peter Schoomaker, était aussi frustrant que d'avoir dans le garage une Ferrari neuve que personne ne conduit de peur de rayer le pare-chocs[16]. »

Les attaques du 11 Septembre permirent à Rumsfeld d'imposer le JSOC au centre de la « guerre planétaire contre le terrorisme ». Durant l'été 2003, dans une démarche révélatrice de ses intentions, il prit l'initiative sans précédent de demander au général Shoomaker de sortir de sa retraite pour présider le comité du chef d'état-major interarmées[17]. Et le 6 septembre de la même année, il signait un ordre de quatre-vingts pages habilitant le JSOC à traquer Al-Qaïda dans quinze pays[18]. Ce dernier n'avait pas totalement carte blanche, cependant, car dans certains de ces pays, le président ou le Département d'État devrait encore l'entériner, mais cela lui donnait tout de même une grande latitude pour agir indépendamment.

Le point essentiel était que le JSOC, contrairement à la CIA, n'aurait pas à tenir le Congrès au courant de ses actions dans ces quinze pays. En effet, il opérait en vertu du titre 10 du Code des États-Unis, qui définit les règles d'engagement des opérations de l'armée américaine, alors que la CIA, régie par le titre 50, doit, en vertu de celui-ci, informer le Congrès chaque fois qu'elle mène une opération secrète à l'étranger. De surcroît, les opérations du JSOC étaient toutes classées secrètes et échappaient donc également, la plupart du temps, à la curiosité des médias et du public. Pendant des années, le Pentagone ne reconnut même pas l'existence de ce commandement[19].

Au cours de la décennie qui suivit le 11 Septembre, l'effectif du JSOC passa de huit cents personnes à quatre mille, devenant ainsi une véritable petite armée dans l'armée[20]. Il possédait ses propres drones, sa propre armée de l'air (la Confederate Air Force[21]) et ses propres opérations de renseignement. Ce développement était étroitement lié aux idées de son brillant patron, le général de division Stanley McChrystal, un bourreau de travail vénéré de ses hommes et qui, lors de la guerre d'Irak, partait avec eux en mission pour capturer ou tuer des insurgés. Panache ou imprudence ? Sans doute les deux. Tuer un général américain aurait été un coup de propagande magistral pour les militants irakiens.

Ce fut McChrystal qui sortit la Ferrari du garage et la conduisit en en faisant une machine à tuer sans précédent. La guerre d'Irak fut le théâtre de cette transformation car pour l'emporter sur l'insurrection, les forces spéciales avaient besoin non pas de missions ponctuelles, mais d'un véritable plan de campagne militaire. Le JSOC devait cesser d'être un « simple libraire, disait McChrystal, pour devenir Amazon. com. »

McChrystal prit conscience que les groupes d'insurgés irakiens qui faisaient le plus de victimes, notamment Al-Qaïda en Irak, ne se battaient pas comme une armée à structure hiérarchique, comme celle, par exemple, de Saddam Hussein. Ils étaient plutôt organisés en réseaux informels de combattants qui opéraient de manière indépendante.

À la différence des images satellite des formations de chars de Saddam, les renseignements sur les insurgés étaient à la fois très brefs et vite périmés. Pour combattre Al-Qaïda, il fallait que le JSOC lui ressemble, « devienne un réseau, selon la formule de McChrystal, face à un autre réseau[22] ». L'essentiel de sa stratégie consista à pourchasser non seulement les chefs de l'insurrection, mais aussi les insurgés de niveau intermédiaire qui faisaient tourner la machine. (L'une des petites ironies de l'histoire est que le principal formateur d'Al-Qaïda, dans les années qui précédèrent le 11 Septembre, était un sergent égypto-américain, Ali Mohamed, qui avait servi à Fort Bragg, le QG du JSOC. Dans les années 1980, il donnait des cours sur le Moyen-Orient et l'islam au Special Warfare Center de la base américaine[23]. Pendant ses permissions, il formait les agents d'Al-Qaïda en Afghanistan[24] en utilisant les manuels qu'il avait subtilisés à Fort Bragg[25]. On ne découvrit sa vie d'agent double qu'en 1998.)

Pour que le JSOC ressemble à Al-Qaïda, il devait devenir « mince et rapide »[26], deux caractéristiques rarement associées dans la même phrase quand on évoque l'« armée américaine ». Pour que le JSOC agisse aussi vite et discrètement que les insurgés, McChrystal prit un certain nombre de décisions. Durant l'été 2004, il installa sa base d'opérations dans des hangars d'avions de la base aérienne de Balad, au centre de l'Irak[27]. Loin de l'emprise de Washington et du Pentagone, loin de Bagdad, aussi. Le JSOC pourrait ainsi échapper à toutes les contraintes bureaucratiques qui rendent impossibles une décision rapide. Puis, pour supprimer les cloisonnements entre le JSOC et les services du renseignement, le général embaucha des analystes de la CIA et de l'Agence nationale de la sécurité (NSA). Il envoya aussi le colonel Michael T. Flynn, son plus haut responsable du renseignement, à l'antenne de la CIA à Bagdad pendant huit mois en 2004[28]. Petit à petit, l'entreprise de McChrystal recruta par cooptation d'autres concurrents potentiels, de façon à pouvoir s'annexer vite et sans difficulté les ressources de grandes agences de renseignement comme la CIA et la NSA.

McChrystal mit aussi la technologie au service du JSOC. Avec l'usage systématique de la vidéoconférence, il établit vite un lien étroit entre ses équipes, éparpillées entre Balad, Fort Bragg, Tampa (en Floride, siège du commandement des opérations spéciales), et d'autres bases comme, notamment, celle de Bagram, en Afghanistan, qui gérait les missions dans ce pays et au Pakistan. Progressivement, ces vidéoconférences quotidiennes, durant environ quatre-vingt-dix minutes, devinrent le rendez-vous le plus prisé de ceux qui voulaient connnaître les détails de la lutte contre Al-Qaïda et ses alliés dans le monde. Des responsables de la CIA et du Département d'État et des officiers supérieurs du Pentagone, comme par exemple l'amiral Michael Mullen, chef des opérations navales, y assistaient et y participaient[29]. Les discussions roulaient de l'Afrique au Moyen-Orient et au Sud asiatique, et McChrystal voulait y entendre tous les experts, quel que soit leur rang hiérarchique.

Au début, le JSOC n'avait qu'un drone Predator en Irak et, pour étoffer sa flotte, il loua deux petits avions auxquels furent fixées des caméras[30]. Quand son commandement prit de l'importance, il acquit ses propres drones afin de garder un « œil grand ouvert » sur ses cibles, vingt-quatre heures sur vingt-quatre.

Les services du renseignement ont naturellement tendance à pratiquer la rétention d'information. McChrystal incita ses équipes à partager les données qu'elles collectaient en créant pour elles un intranet. Il fit également équipe avec une obscure unité de renseignement de l'armée à Washington, le Centre national d'exploitation des médias, pour transformer l'énorme volume de papiers, les CD, clefs USB, ordinateurs et autres « fonds de tiroirs » électroniques que ses opérateurs glanaient sur le champ de bataille, en « renseignements potentiellement utiles[31] ». Le JSOC monta un réseau d'ordinateurs pour que ses unités sur le terrain transmettent à Balad tout ce qu'elles trouvaient d'intéressant. De là, ce matériel était rapidement envoyé aux États-Unis où l'équipe du Centre national d'exploitation des médias travaillait vingt-quatre heures sur vingt-quatre pour en tirer des renseignements utiles. « Nous en sommes arrivés à un point où ils pouvaient traiter de grandes quantités de données en une seule journée, alors qu'auparavant tout cela se perdait dans la nature », dit un des adjoints de McChrystal. Pour augmenter ses moyens de transmission de données, le JSOC utilisa les services d'un satellite commercial et, au fil des ans, les paraboles se multiplièrent sur les toits du QG de Balad.

Pour le JSOC, chaque mission devint ce que McChrystal appelait une « bataille pour le renseignement[32] ». Les informations recueillies lors d'un raid pouvaient parfois servir à en lancer d'autres. Il arriva quelquefois que des renseignements recueillis dans une cache d'insurgés entraînent une attaque contre une autre cache dans la même nuit.

Les bidouilleurs du JSOC étaient très imaginatifs. Ils conçurent une « baguette magique électronique » qui ne tintait qu'à proximité d'un mobile lié à un insurgé spécifique[33]. La base de Balad regorgeait de mobiles ayant appartenu à des militants, mais elle était protégée des écoutes électroniques. Ces appareils ne recevaient donc plus d'appels qui, pourtant, auraient pu révéler de précieux indices sur des cibles. Pour contourner cette difficulté, des techniciens installèrent une sorte de « fenêtre électronique » dans le QG de Balad afin que ces téléphones mobiles puissent de nouveau recevoir des appels. Au moment où fut ouverte cette fenêtre, des dizaines de ces mobiles se sont mis à sonner et à vrombir, captant un grand nombre d'indices pour le JSOC[34].

Avec cet ensemble de mesures, un processus fut mis en place intitulé « F3EA » (*Find, fix, finish, exploit and analyze*) pour trouver, repérer, finir, exploiter et analyser les cibles. Derrière des noms de code modifiés en permanence, comme « Task Force 121 », correspondant à la capture de Saddam Hussein, le JSOC engrangeait de bons résultats. En 2006, il tua Abou Moussab al-Zarqaoui, le chef psychopathe d'Al-Qaïda en Irak. Le président Bush en fut si ému qu'il fit alors une chose extraordinaire : il désigna par son nom le général McChrystal, jusque-là resté dans l'ombre, et dit que le JSOC était « formidable[35] ».

Les activités du JSOC ont donné lieu à des dérapages. La première année de la guerre d'Irak, au camp de Nama, près de Bagdad, un détachement des forces spéciales ouvrit une prison dont les détenus furent parfois battus. Trente-quatre soldats seront sanctionnés et le centre de détention fermé en 2004[36]. La même année, McChrystal fut l'un des nombreux officiers à ne pas révéler que Pat Tillman, une star du football américain qui avait rejoint les Rangers, avait été tué accidentellement en Afghanistan par un tir ami, et non par les talibans, comme cela avait été officiellement annoncé[37]. L'armée décida finalement de fermer les yeux sur ce manquement de McChrystal parce qu'il avait tout de même essayé de prévenir plusieurs officiers supérieurs qu'il était possible que Tillman ait été tué par ses propres camarades.

Le JSOC passa d'une demi-douzaine à trois cents opérations par mois en Irak entre le printemps 2004 et l'été 2006[38]. La routine quotidienne était assez brutale : la règle était la journée « 17 + 5 + 2 », dix-sept heures de travail, cinq heures de sommeil et deux heures pour tout le reste[39]. « Je ne vais pas vous parler de ce qui est facile, ni de ce que l'on considère être les règles standard de l'armée, écrivit McChrystal à ses hommes, en 2006. Je ne vous parlerai pas non plus de ce qui est efficace. Je vais vous parler de ce qui est LE PLUS efficace quand nous sommes en opération. Si quelqu'un trouve ça gênant ou pénible, il n'a pas sa place ici. Il s'agit de gagner, et de le faire sans passer trop souvent par la case du cimetière d'Arlington[40]. » McChrystal, qui a commandé le JSOC jusqu'en 2008, n'a vu sa femme qu'un mois par an pendant les cinq années de son mandat. Le rythme de la bataille était si rude qu'il valait mieux en rire, raconte un officier : « Après Bagdad, vivement les vacances à Kaboul ! »

La liste des causes qui ont sauvé l'Irak du gouffre d'une guerre civile, en 2007, commence généralement par un hommage au général David Petraeus. Viennent ensuite une stratégie contre-insurrectionnelle efficace qui a sorti les troupes américaines de leurs bases pour les amener sur les rues et les places d'Irak et l'erreur spectaculaire d'Al-Qaïda d'imposer des règles talibanes aux tribus sunnites qui n'en voulaient pas et créèrent le mouvement « L'Éveil » pour s'y opposer. Enfin, les nettoyages sectaires antérieurs qui avaient forcé quatre millions d'Irakiens à quitter leurs maisons ont compliqué la tâche de ceux qui cherchaient toujours à les tuer.

À cette liste, il faut ajouter le travail du JSOC qui a tué les chefs de toutes ces milices meurtrières, qu'elles soient chiites ou sunnites, à une cadence industrielle.

Pendant pratiquement toute la durée de la guerre d'Irak, l'essentiel des efforts du JSOC restèrent concentrés sur ce pays. L'Afghanistan et le Pakistan furent placés en arrière-plan. Ainsi, quand McChrystal prit son commandement en octobre 2003, seuls vingt de ses hommes se trouvaient en Afghanistan, contre deux cent cinquante en Irak[41]. Six ans plus tard, au printemps 2009, le JSOC ne faisait toujours qu'à peine vingt opérations par mois en Afghanistan[42]. La force Delta de l'armée de terre était à l'avant-scène en Irak et les Seals de la marine s'occupaient de l'Afghanistan, un curieux paradoxe pour un pays totalement enclavé.

C'est bien connu, il est très difficile d'intégrer le SEAL. D'abord, il faut survivre à l'entraînement considéré comme le plus dur du monde[43]. Il culmine par la « semaine de l'enfer », une appellation bien choisie. Elle se passe à courir plus ou moins tout le temps, à faire des pompes, déplacer des troncs d'arbres, nager des longueurs considérables dans une mer glaciale et ne dormir que quelques heures. Parmi les épreuves, notons la nage sous l'eau sur cinquante mètres, les mains liées dans le dos et les pieds attachés[44]. Le taux d'abandon est de quatre-vingt-dix pour cent. Eric Greitens, un Rhodes scholar* qui a un doctorat d'Oxford et qui est devenu ensuite lieutenant de vaisseau dans le SEAL, se souvient bien de son entraînement : « On voyait arriver des gens incroyables, des athlètes de haut niveau, des joueurs de waterpolo qui participaient à des matchs universitaires, des nageurs de qualité internationale. Et, pourtant, beaucoup d'entre eux finissaient par échouer. Dans le même temps, on avait des gars qui

---

* Les Rhodes scholars sont choisis parmi les jeunes étudiants les plus brillants du Commonwealth, des États-Unis et d'Allemagne pour bénéficier d'une bourse aussi prestigieuse que substantielle, créée par sir Cecil Rhodes, afin de poursuivre leurs études supérieures à Oxford et à Stanford. *(N.d.T.)*

avaient du mal à courir, qui peinaient à faire des pompes, des types qui claquaient des dents rien qu'à regarder la mer, et ils réussissaient, grâce à leur persévérance et à leur acharnement[45]. »

Après la semaine de l'enfer vient l'entraînement aux aptitudes en piscine : les aspirants nagent sous l'eau avec un équipement de plongée et sont attaqués par des instructeurs qui leur arrachent leur masque et l'embout de leur tuba et ferment la manette de leur bouteille d'oxygène. Ceux qui restent calmes réussissent ce test, ils trouvent comment rétablir l'arrivée d'oxygène alors qu'ils sont en train d'étouffer. « L'intérêt, c'est pousser les gens aussi loin que possible, jusqu'à atteindre leurs limites mentales, physiques et émotionnelles. Quand arrive l'heure du combat, ils sont prêts[46]. »

C'est un grand défi que d'entrer dans le SEAL, et plus encore d'être sélectionné dans sa force antiterroriste, dont l'intitulé semble plutôt inoffensif : Groupe de développement de la guerre navale spéciale. Il est basé à Dam Neck, en Virginie, près de la station balnéaire de Virginia Beach. On le désigne dans l'armée sous le nom de DevGru, et plus généralement sous celui de SEAL Team 6, l'élite de l'élite. Les hommes du DevGru, deux cent cinquante en tout, sont préparés au combat et âgés, en moyenne, de trente-cinq ans. Ils sont répartis en escadrons qui portent le nom d'une couleur : le rouge, le bleu et le doré sont les escadrons d'assaut, le gris est l'escadron d'appui-mobilité avec ses véhicules et ses bateaux, et le noir regroupe les équipes de tireurs d'élite[47]. Ces escadrons recrutent dans les autres équipes du SEAL, dont l'effectif est de deux mille hommes environ, ceux qui ont les compétences spécifiques dont ils ont besoin.

La base du DevGru à Dam Neck ne se fait pas remarquer[48]. Derrière la haute clôture de fil de fer qui sépare les Seals du reste du monde se trouve une grande fourrière où vivent des chiens entraînés à accompagner les hommes dans leur mission. Un mur géant permet aux soldats d'affiner leurs talents d'escalade. Un hangar abrite des bateaux d'une rapidité exceptionnelle, d'autres, des buggies expérimentaux adaptés aux déserts et aux montagnes d'Afghanistan et, enfin, des arsenaux bourrés d'armes à feu peu communes.

Quand le JSOC est devenu une composante des forces armées plus souple et meurtrière après le 11 Septembre, quand il s'est agi d'envoyer les Seals ou les Delta tuer les chefs d'Al-Qaïda, la politique a continué malgré tout à peser sur les décisions opérationnelles. Tous ces chefs terroristes étaient basés soit au Pakistan, un allié ombrageux, soit en Iran, un ennemi juré, et envoyer des troupes américaines dans l'un ou l'autre de ces deux pays pouvait avoir des conséquences considérables.

Comme nous l'avons vu, Saad ben Laden et un certain nombre d'autres chefs d'Al-Qaïda étaient partis en Iran après la chute du régime taliban en Afghanistan. On savait qu'ils habitaient dans le nord de l'Iran, dans la ville de Chalus, sur la mer Caspienne. En 2002, il avait été programmé une action du SEAL dans Chalus, et une répétition avait eu lieu quelque part sur la côte du golfe du Mexique. Finalement, le président du comité du chef d'état-major interarmées, le général Myers, avait annulé l'opération qui risquait d'être un nouvel *Eagle Claw* car les renseignements sur le lieu où se trouvaient les chefs d'Al-Qaïda étaient trop imprécis[49].

Trois ans plus tard, la CIA et le JSOC traquaient le numéro trois d'Al-Qaïda, Abou Faraj al-Libi, qui sillonnait les zones tribales du Pakistan sur une moto rouge fort peu discrète[50]. Les services de renseignement apprirent qu'il allait assister à une réunion dans une petite propriété dans le nord du pays, près de la frontière de l'Afghanistan, et il était possible qu'Ayman al-Zawahiri soit présent. Un projet fut élaboré qui consistait à parachuter trente commandos du SEAL près de la résidence et à l'attaquer[51]. McChrystal et le directeur de la CIA, Porter Goss, approuvaient ce plan, mais le haut commandement du Pentagone s'est inquiété du mode d'exfiltration des Seals de la zone après l'opération et a exigé que leur armement soit renforcé. On évoqua l'adjonction de quelque cent cinquante Rangers. Quand Rumsfeld examina le projet de plus près, il ressemblait à une invasion du Pakistan, ce qui aurait fragilisé le président du pays, le général Pervez Mus-harraf, étant donné les très forts sentiments antiaméricains de nombreux Pakistanais. Rumsfeld annula le raid[52].

Les hommes sous le commandement de McChrystal étaient de plus en plus frustrés par ces obstacles politiques qui les empêchaient de passer la frontière avec le Pakistan où se cachaient les chefs d'Al-Qaïda. En 2007, Frances Townsend, premier conseiller de Bush pour l'antiterrorisme, répondit positivement à l'invitation de McChrystal de venir rencontrer ses officiers à Fort Bragg. Ils s'assirent autour d'une table en fer à cheval. « Vous ne me vexerez pas, leur lança Townsend, je suis de New York, je n'ai donc aucun état d'âme. Si vous me racontez ce qui vous préoccupe, ça va rentabiliser mon voyage. » Les soldats lui dirent tout ce qu'ils avaient sur le cœur : l'impossibilité de passer la frontière ; le manque de renseignements tactiquement exploitables sur les chefs d'Al-Qaïda ; et, plus fondamentalement, cette question : « Qui a la responsabilité de trouver Ben Laden ? » Était-ce la CIA qui n'avait guère la capacité d'opérer dans la zone de guerre le long de la frontière afghano-pakistanaise ? ou le JSOC à qui on ne donnait pas de renseignements utiles sur les chefs d'Al-Qaïda ? Townsend leur dit qu'à l'extérieur de la zone de guerre, c'était la CIA, mais qu'à l'intérieur de cette zone, il faudrait que le JSOC prenne la direction des opérations. « C'est ça la différence, en jargon militaire, entre le commandement de soutien et le commandement soutenu. » Townsend vit que son explication n'avait pas convaincu. « La vérité, c'est que j'ai du mal à l'expliquer moi-même, alors comment voulez-vous que le gars sur le terrain le comprenne ? C'est pour ça que nous n'avons pas été efficaces. » Townsend, de retour à la Maison-Blanche, plaida en faveur du déploiement d'un plus grand nombre de responsables de la CIA avec l'armée à l'étranger, et pour que soient assouplies les règles d'utilisation des drones dans les zones tribales du Pakistan.

Le 11 août 2006, les commandants des talibans et d'Al-Qaïda se rencontrèrent en vue d'intensifier les opérations dans l'est de l'Afghanistan, notamment des missions conjointes dans la province de Nangarhar[53]. En juillet 2007, le JSOC reçut le renseignement que Ben Laden pourrait entrer en Afghanistan pour se rendre à une réunion dans cette province[54], où se trouvait son vieux terrain de manœuvre de Tora Bora[55]. La CIA remarqua qu'il y avait là un renforcement des forces d'Al-Qaïda et des talibans. Le Pentagone mit au point une attaque aérienne, mais, alors que les bombardiers furtifs B2 étaient en vol, les commandants de l'opération leur donnèrent l'ordre de rentrer : ils étaient préoccupés tant par la qualité du renseignement sur Ben Laden que par la possibilité de faire de nombreuses victimes civiles dans un bombardement à grande échelle. Au lieu de cela, le JSOC monta une action plus modeste, étalée sur trois ou quatre jours, au cours de laquelle furent tués plusieurs dizaines de militants à Tora Bora[56].

Et, comme il le fit déjà durant l'hiver de 2001, Ben Laden leur donna de nouveau l'impression d'avoir disparu comme par enchantement.

11.

Les plans d'action

En décembre 2010, le directeur de la CIA, Leon Panetta, rendit compte de nouveau au président Obama de la « récolte » des informations sur Abbottabad, en lui montrant des vidéos de la résidence et ce qu'avaient décrit les observateurs sur place. Bien que l'on ignorât toujours qui y vivait – « Après tout, remarqua Obama, ce pourrait être un cheikh qui se cache de l'une de ses épouses » –, le président était maintenant très intéressé. « Je veux que vous m'en disiez plus quand je reviendrai de vacances[1], dit-il à Panetta. Il faut tout faire pour pouvoir agir au plus vite[2]. » Et il partit comme chaque année passer Noël à Hawaii.

Obama voulait des informations plus précises sur ce qui se passait dans la résidence d'Abbottabad et sur ses occupants : « Si l'on veut l'attaquer sous une forme ou sous une autre [...] il faut vraiment savoir de quoi nous parlons[3]. »

À la fin de janvier 2010, les agents de la CIA s'étonnèrent de découvrir qu'un militant indonésien, Umar Patek, qui avait participé aux attentats de Bali en 2002, était venu peu auparavant à Abbottabad où les services de sécurité du Pakistan l'avaient arrêté. Il voulait y rencontrer quelqu'un lié à Al-Qaïda qui travaillait au bureau de poste de la ville[4]. Que faire de cette information ? Après tout, les chefs d'Al-Qaïda avaient donné des dizaines de milliers de dollars aux conspirateurs de Bali. Les analystes se demandèrent ce qui pouvait vraiment l'avoir attiré du Sud asiatique à Abbottabad, une ville du Pakistan peu connue. Ils finirent par se dire que ce n'était qu'une étrange coïncidence.

Le même mois, John, l'analyste de la CIA qui avait été sûr à quatre-vingt-dix pour cent que Ben Laden était dans la résidence, conclut que les services du renseignement n'en sauraient jamais davantage. Il alla voir Panetta et lui dit : « Il faut agir maintenant. Abou Ahmed al-Koweiti pourrait ne pas être là le mois prochain et l'on n'en saura pas beaucoup plus si nous attendons[5]. » À son tour, Panetta alla voir le président ; un de ses meilleurs agents qui surveillaient Ben Laden lui avait dit : « Ou nous agissons maintenant, ou tout peut nous échapper bientôt. — Il me faudrait plusieurs options pour attaquer cette résidence[6] », lui avait répondu Obama.

Vers la même époque, l'Agence nationale du renseignement géospatial effectua une représentation de la résidence en CAO (conception assistée par ordinateur)[7]. Ces plans permirent de construire une maquette très précise d'un mètre vingt sur un mètre vingt. Y figuraient même en miniature les jouets des deux véhicules du Koweitien et de son frère, la jeep et la camionnette[8]. Cette modélisation fut très précieuse pour la CIA et la Maison-Blanche, d'abord dans les discussions sur les habitants de la résidence et leurs maisons respectives et, plus tard, pour étudier les différentes options d'intervention militaire. « C'était un bon outil pour étudier les hypothèses d'action, raconte le général James Cartwright, qui était alors adjoint du chef d'état-major interarmées. On pouvait dire devant cette maquette [...] : "Voilà, on va arriver par là ; voilà ce qui se va passer dans la cour de cette maison [...]. Voilà comment nous aurons plus d'une possibilité d'approche sur ce qui, à notre avis, était les logements de nos cibles[9]." »

Obama demanda à la CIA d'imaginer plusieurs scénarios pour l'attaque de la résidence. Le principe d'une intervention militaire ayant été retenu, Panetta et Michael Vickers, haut fonctionnaire du Pentagone, décidèrent de faire entrer quelqu'un d'autre dans le secret[10]. À la fin de janvier, Vickers appela le vice-amiral William McRaven, qui dirigeait le JSOC en Afghanistan depuis trois ans. Ils se connaissaient depuis trois décennies plus tôt et collaboraient étroitement depuis quatre ans, car Vickers était l'inspecteur civil du JSOC[11].

En Irak, McRaven avait dirigé la discrète Task Force 121 qui avait débusqué Saddam Hussein en décembre 2003. Sa capture avait été attribuée aux unités de l'armée conventionnelle, mais c'était en réalité le JSOC qui avait fait l'essentiel du travail sous son commandement[12].

Quand la guerre d'Irak tira à sa fin en 2009, David Petraeus, commandant en chef des opérations dans la zone Afghanistan-Pakistan, demanda à McRaven de reporter ses efforts sur l'Afghanistan. Durant l'été 2009, celui-ci y déplaça son quartier général, tripla ses effectifs et accrut considérablement le niveau des opérations aériennes et de renseignement. Les missions du JSOC en Afghanistan passèrent de deux cents en 2008 à plus de deux mille par an en 2010[13].

Sous le mandat de McRaven au JSOC, le « taux de jackpot » – la proportion des missions réussies par la capture ou la mort de leurs cibles en Irak ou en Afghanistan – passa de trente-cinq à plus de quatre-vingts pour cent[14]. L'ampleur des pertes infligées aux talibans peut se mesurer au fait que, durant cette période, l'âge moyen de leurs chefs passa de trente-cinq à vingt-cinq ans[15].

McRaven est un Texan costaud, aux cheveux bruns et aux yeux bleus, d'une cinquantaine d'années. En soufflant sur son *Rip It*, le café très corsé bien connu des soldats américains en Afghanistan, il s'exprime de façon réfléchie, en paragraphes bien pesés, qu'il pimente à l'occasion de « sacrebleu ! » ou de jurons beaucoup moins châtiés. L'un de ses collègues dit qu'il lui fait penser à Captain America, un superhéros de bande dessinée, tandis que pour un autre, « il a la réputation d'être le meilleur Seal qui ait jamais existé. Baraqué et plein d'empathie, il peut tout de même vous transpercer les côtes avec son couteau en une nanoseconde. » Même en tant qu'amiral à trois étoiles, il sortait environ une fois par mois avec ses équipes dans des missions de *capture-extraction* en Afghanistan[16].

En janvier 2011, McRaven se rendit au QG de la CIA[17] où il fut informé de la situation par Michael Morell, chef de la division des activités spéciales – un petit groupe d'élite paramilitaire au sein de l'Agence – et par les responsables du centre du contre-terrorisme. McRaven vit aussitôt que pour raser une résidence de la taille de celle d'Abbottabad, il faudrait y larguer environ deux douzaines de bombes d'une tonne[18]. Et rien ne garantissait qu'elles tomberaient pile sur leur cible au sein d'une ville pakistanaise de bonne taille. Il valait mieux, pensa-t-il, recourir à un raid du JSOC. Mais il dit à des collègues qu'il ne voulait imposer cette idée à personne – mieux valait leur laisser le temps d'y arriver d'eux-mêmes.

« Tout d'abord, dit-il, félicitations pour avoir trouvé une si bonne piste. Deuxièmement, pour le JSOC, c'est un raid relativement simple. Nous faisons ça dix fois, douze fois, quatorze fois par nuit. Ce qui complique les choses, c'est que la cible se trouve à deux cent cinquante kilomètres à l'intérieur du Pakistan. Mais la vraie difficulté n'est pas logistique, elle est politique, car il faudra expliquer le raid a posteriori. Je dois y réfléchir un peu, mais, à mon avis, il faut faire travailler directement avec vous un gars du JSOC qui viendrait à la CIA tous les jours pour commencer à définir un projet avec vous et à élaborer les opérations[19]. »

McRaven proposa quelques noms pour le responsable de l'opération sur le terrain. Il dit à propos d'un chef d'équipe qu'il appréciait particulièrement : « Il a de l'expérience. Ils vont débarquer dans la résidence et tomber sur un os. Il faudra qu'ils improvisent, qu'ils changent de plan ou qu'ils se débrouillent pour se sortir de là[20]. »

McRaven confia à un capitaine de la Navy la tâche d'élaborer les scénarios d'une attaque de ce qui fut surnommé *AC1* pour *Abbottabad Compound One*[21]. Le planning de l'opération fut établi à la CIA car ce serait une opération secrète, qu'on pourrait éventuellement nier[22], et dont la chaîne de commandement allait du président à Panetta puis à McRaven, au lieu de passer par la hiérarchie traditionnelle de l'armée. Dans leurs échanges par courriel, les hauts responsables de la CIA prirent l'habitude de parler de l'*AC1* par le nom de code « Atlantic City* », clin d'œil au fait que toute l'opération tenait du coup de poker.

Dans un bureau anonyme au premier étage de l'imprimerie de la CIA, le capitaine de la marine couvrit les murs d'images satellitaires et de cartes topographiques d'Abbottabad[23]. Il entreprit de programmer l'attaque *AC1* avec le commandant de l'Escadron rouge de l'équipe 6 du SEAL. McRaven leur adjoignit plus tard six autres organisateurs pour réfléchir à des options d'attaque aérienne et au sol. L'une d'elles consistait à lâcher quelque part à l'extérieur d'Abbottabad une équipe du SEAL qui gagnerait la résidence à pied. Mais elle ne fut pas retenue en raison de l'étendue de la ville, du risque que les hommes soient découverts, et parce qu'ils seraient épuisés par leur longue course[24].

McRaven avait au sens propre écrit le livre des opérations spéciales. Il avait aidé à instituer un cursus opérations spéciales à l'École navale supérieure de Monterey[25], en Californie, et, après avoir été embauché à la Maison-Blanche juste une semaine avant le 11 Septembre, il était devenu l'un des principaux concepteurs de la stratégie du contre-terrorisme du gouvernement Bush[26]. Dans son livre de 1996, *Spec Ops*, il analyse avec lucidité huit actions décisives historiques, notamment l'utilisation par les Britanniques de sous-marins miniatures pour saboter le *Tirpitz* – un bâtiment de guerre nazi d'importance primordiale –, la libération par les nazis du dictateur italien Benito Mussolini entre les mains des antifascistes, et le raid d'Entebbe, en 1976, qui délivra des otages

---

* Station balnéaire de la côte Est des États-Unis, célèbre pour ses casinos. (*N.d.T.*)

israéliens retenus en Ouganda par des terroristes palesti-
niens[27].

Pour ce livre, McRaven avait interviewé un grand nombre
d'acteurs essentiels de ces événements et examiné sur place
les sites de tous ces raids. Il en avait conclu que la clef de leur
réussite se ramenait à six principes : la préparation, la surprise,
la sécurité, la rapidité, la simplicité et la motivation. La préparation suppose que l'action doit être « jouée » à de nombreuses reprises, avec réalisme, de façon à réduire les
« malentendus » du combat réel. La surprise signifie qu'il faut
prendre l'ennemi quand il est le moins sur ses gardes : Mussolini étant retenu dans un hôtel, un commando de parachu-
tistes nazis avait été lâché en catastrophe sur une montagne à
proximité et ils l'avaient libéré sans que soit tiré un seul coup
de feu. La sécurité signifie que seul un petit groupe doit être
au courant de l'opération. La rapidité, c'était la « supériorité
relative » sur l'ennemi ; elle doit être assurée dans les toutes
premières minutes de l'attaque, et la mission tout entière doit
s'achever en une demi-heure. Pour la simplicité, on veille à ce
que l'objectif soit bien compris de chacun des acteurs
(« libérer les otages » à Entebbe). Enfin, la motivation signifie
que les soldats doivent s'investir complètement.

Il y a beaucoup de héros dans le livre de McRaven, mais
la palme va à Jonathan Netanyahu[28] (frère aîné de Benjamin
Netanyahu), qui a dirigé le raid d'Entebbe. Officier qui lisait
Machiavel pour se détendre et patriote israélien convaincu,
Netanyahu était pénétré de la responsabilité de ses hommes
et de sa mission, et il s'impliquait dans les plus petits détails
de la moindre opération[29]. À l'époque du raid d'Entebbe, il
était virtuellement impensable qu'une équipe fasse plus de
sept heures d'avion d'Israël en Ouganda en vue d'un sauvetage. Pour ajouter à la surprise, les commandos israéliens
étaient en uniforme de l'armée ougandaise, et les chefs de
l'attaque se déplaçaient dans des Mercedes du même modèle
que celles des généraux du pays. Après l'atterrissage du
premier avion israélien à Entebbe, il avait suffi de trente

minutes pour reprendre les otages, mais Jonathan Netanyahu fut mortellement blessé.

En concevant l'attaque de la résidence d'Abbottabad, McRaven appliquait les principes qu'il avait exposés dans *Spec Ops*. Le plan était simple, il était secret, il serait beaucoup répété et exécuté avec rapidité, surprise et motivation[30].

L'option de McRaven n'était pas le seul plan « cinétique »[31] (le Pentagone dirait « létal ») qui retint l'attention de l'équipe de la sécurité nationale d'Obama. Et si un B2 anéantissait la résidence ? Ne vaudrait-il pas mieux une frappe de drone ? Et faudrait-il impliquer les Pakistanais sous une forme ou sous une autre ? Vers la fin de février, alors que toutes ces options étaient évaluées avec la plus grande attention, Vickers se dit qu'il était temps de consulter le meilleur conseiller spécial du Pentagone, Michele Flournoy, car chaque option militaire était porteuse d'implications politiques souvent complexes.

Sous-secrétaire d'État à la défense, Michele Flournoy est la femme de plus haut rang qui ait jamais servi au Pentagone, et on dit souvent qu'elle est la première femme promise au poste de secrétaire à la Défense. Mère de trois enfants, licenciée en relations internationales du Balliol College d'Oxford, et ayant longtemps travaillé sur les grands problèmes de la sécurité nationale, elle en impose et force le respect, avec son pantalon bien coupé et son éternel collier de perles. Elle parle avec assurance et très simplement. Elle correspond parfaitement au genre de responsables compétents et sans façons dont Obama aime s'entourer[32].

Le problème le plus complexe qu'elle avait à démêler était de savoir comment s'y prendre avec les Pakistanais. Après tout, que ce soit un raid du SEAL, un bombardement ou une frappe de drone, toutes ces actions étaient de graves violations de la souveraineté nationale d'un pays qui était, du moins en théorie, un allié proche des États-Unis. Il y avait toute une gamme d'options à étudier avec les Pakistanais[33] : soit les mettre au courant sur la résidence d'Abbottabad et ils s'associeraient aux étapes suivantes ; soit les avertir à l'avance du projet d'attaque, mais suffisamment tard pour qu'ils ne puissent rien faire ; soit les avertir au moment même de passer à l'attaque ; soit, encore, ne les en informer qu'après l'action. L'inconvénient d'impliquer le Pakistan était, par expérience, le risque de fuites d'informations sensibles.

« Nous avons eu, dit-elle, une discussion très sérieuse sur les avantages et les inconvénients de leur en dire plus ou moins sur ce projet, et nous nous sommes demandé comment il fallait agir avec eux. Ce n'était vraiment pas facile. Cela dit, l'expérience de nos relations avec les Pakistanais nous laissait penser qu'ils avaient d'importants problèmes de sécurité intérieure[34]. »

Cette question était d'autant plus délicate que les relations pakistano-américaines – jamais au beau fixe – étaient alors au plus bas. L'alliance avait toujours été difficile et était ponctuée de reproches des deux côtés. Les Pakistanais considéraient que les États-Unis étaient un ami opportuniste qui les instrumentalisait[35] – que ce soit en 1980 pour combattre les Soviétiques en Afghanistan, ou plus récemment pour lutter contre Al-Qaïda – puis les laissait tomber quand il n'avait plus besoin d'eux. De leur côté, les Américains savaient très bien que le Pakistan servait de sanctuaire aux groupes militants qui tuaient leurs soldats en Afghanistan et que ces groupes jouissaient du soutien de certains éléments de l'armée pakistanaise[36].

Au moment même où se précisaient les informations sur la résidence d'Abbottabad, la vieille défiance entre les États-Unis et le Pakistan s'aggrava considérablement : le 25 janvier 2011, un citoyen américain, Raymond Davis, tua deux Pakistanais dans les rues animées de Lahore. Le gouvernement américain donna aussitôt un grand nombre de versions, différentes et toujours fausses, sur l'emploi de Davis, mais, au bout de sept semaines, il s'avéra qu'il était en fait un prestataire de la CIA[37]. Pour tous les Pakistanais, cela semblait confirmer leur idée que le pays regorgeait d'espions et beaucoup, y compris quelques politiciens, réclamèrent qu'il soit exécuté[38]. La lourde tension provoquée entre les deux pays par cet incident réduisit encore

190

les chances déjà minces que le gouvernement américain informe qui que ce soit au sein du gouvernement ou de l'armée du Pakistan, de ce qu'il savait depuis peu sur le lieu où pourrait se trouver le chef d'Al-Qaïda.

De plus il fallait prendre en considération la position enclavée de l'Afghanistan : l'effort de guerre américain y était tributaire des approvisionnements acheminés par le Pakistan. Au début de 2011, cela recouvrait environ les trois quarts des besoins de l'OTAN et des États-Unis, notamment en nourriture, carburant et matériel[39]. L'espace aérien pakistanais était aussi utilisé par trois à quatre cents vols quotidiens des Américains vers l'Afghanistan pour desservir leurs cent mille soldats qui y étaient basés.

Consciente que les Pakistanais pouvaient fermer ces voies vitales, Michele Flournoy travailla à mettre au point ce que le Pentagone appelait le réseau de distribution du Nord, des bases logistiques reliant des ports de la Baltique à l'Afghanistan, en passant par la Russie et l'Asie centrale. « On s'est donc beaucoup activé, dit-elle, lettres pressantes du président, nombreuses allées et venues, signature de nouveaux accords pour mettre les choses en place, il fallait pouvoir disposer au plus vite de ce nouveau réseau[40]. Le 21 mars, dans un discours à Saint-Pétersbourg, le secrétaire de la Défense Robert Gates déclara que les États-Unis et la Russie allaient collaborer pour étendre ce réseau à l'Afghanistan[41]. Seul un petit nombre de gens du Pentagone savaient que ces nouveaux arrangements servaient en partie à se prémunir des retombées éventuelles de l'opération d'Abbottabad.

La Secrétaire d'État Hillary Clinton, qui avait souvent arrondi les angles à chaque crise des relations pakistano-américaines, dit clairement que le maintien de ces relations passait au second plan après la capture de Ben Laden. « Je ne voulais pas rater cette occasion, a-t-elle dit. Je ne voulais pas d'un nouveau Tora Bora, où faute d'avoir assez réfléchi nous n'avions pas été à la hauteur. Et je me souviens qu'à un moment l'un des participants a dit : "Cela portera gravement atteinte à la fierté nationale du Pakistan." Là, j'ai explosé : "Et notre fierté nationale à nous, alors ? Et la capture d'un homme qui a tué trois mille innocents[42] ?" »

Désormais, Obama réclamait de véritables plans d'action contre la résidence, il ne voulait plus se limiter à recueillir des informations supplémentaires. Le responsable du Conseil national de sécurité, Nicholas Rasmussen, se souvient qu'Obama avait « décidé que le risque de fuites était tel qu'il fallait accélérer les choses. S'ajoutait à cela l'impression de Panetta que le monde du renseignement n'apporterait rien de nouveau avant trois à quatre mois. Au mieux, à ce moment-là, nous pourrions éventuellement trouver plus crédibles encore les conclusions de la CIA. Mais rien ne nous indiquait que nos efforts nous permettraient d'avoir un jour Ben Laden en photo Polaroid[43]. » (Même si la CIA n'a jamais pu avoir la photo du chef d'Al-Qaïda à Abbottabad avant l'assaut, des agents avaient réussi à en prendre une du frère du Koweïtien.)

Un vendredi soir de la fin de février, bon moment pour une réunion discrète, plusieurs voitures noires déposèrent au QG de la CIA l'amiral McRaven, Mike Vickers et le général Cartwright[44]. Cartwright, un aviateur des marines, un type renfermé, passionné de technologie, s'était fait apprécier dans le petit cercle d'Obama lors de la discussion sur l'augmentation rapide des troupes américaines en Afghanistan à l'automne de 2009. Il s'était alors insurgé contre le consensus entre Gates, Mullen et Petraeus, qui étaient en faveur d'un déploiement subit et à grande échelle de troupes connu sous le terme de « *the surge* », mot qui évoque une montée massive et rapide des forces, comme on parlerait d'un déferlement des eaux d'une rivière sortant de son lit. Il s'agissait d'envoyer pour une mission anti-insurrectionnelle quarante mille soldats supplémentaires en Afghanistan[45]. Cartwright avait élaboré avec Joe Biden et Tony Blinken un plan qui se limiterait à une mission de « contre-terrorisme plus », avec un contingent supplémentaire de vingt mille soldats seulement en Afghanistan. Obama avait fini par transiger en autorisant l'envoi de trente mille hommes, mais l'indépendance de Cartwright à l'égard des gros bonnets du Pentagone lui avait conféré une certaine autorité dans les conseils de guerre d'Obama.

McRaven, Vickers et Cartwright étaient donc au QG pour passer en revue les différents plans d'action qu'on pourrait adopter pour attaquer la résidence d'Abbottabad. Devant des sandwichs et des sodas, assis autour de l'énorme table de bois de la salle de réunion du directeur sur laquelle trônait la maquette de la résidence, ils discutèrent des données disponibles avec un petit groupe de responsables du centre du contre-terrorisme. Ils étudièrent quatre plans d'action possibles : un bombardement par un B2, un raid du JSOC à l'insu des Pakistanais, une frappe de drone, et une opération conjointe avec les Pakistanais. McRaven expliqua qu'un raid du JSOC sur la résidence de Ben Laden serait relativement facile. La difficulté, ce serait de gérer ensuite la réaction des Pakistanais à cette action de commando, qu'elle ait lieu à terre ou en l'air[46].

Après cette réunion – une répétition de la discussion qu'ils auraient avec le président une quinzaine de jours plus tard – Panetta, Michael Morell et Jeremy Bash se retirèrent dans le bureau de Panetta. Ce dernier était enthousiaste. « À mon avis, nos gars ont mis sur pied quatre vraiment bonnes options, leur dit-il, en leur versant à chacun un verre de whisky. Aucune n'est parfaite, elles sont toutes difficiles, mais il faut nous y tenir. Il faut avoir plus d'informations et peaufiner ces options, mais je ne peux pas imaginer que nous n'agissions pas[47]. »

Le 14 mars 2011, le conseil de guerre d'Obama se réunit à la Maison-Blanche pour tenir le président au courant de l'avancée du projet[48]. Les plans d'action présentés oralement et sous forme de mémos et d'illustrations comprenaient le bombardement par un B2, une frappe de drone, le raid du JSOC et une sorte d'opération bilatérale avec les Pakistanais.

Le bombardement par B2 présentait certains avantages. Quiconque se trouverait dans la résidence ou éventuellement dans des tunnels au-dessous serait tué, et pas un Américain ne risquerait quoi que ce soit. Mais cette option n'était pas sans inconvénient. Pour détruire la résidence, qui s'étendait sur un demi-hectare, il faudrait larguer plusieurs bombes. Cartwright souligna que cela ferait l'effet d'un tremblement de terre dans le voisinage. Il y aurait sûrement des victimes civiles, non seulement chez les femmes et les enfants de la résidence, mais aussi dans les maisons voisines[49]. Et, bien sûr, il n'y aurait aucune preuve de la mort de Ben Laden puisque tout l'ADN disparaîtrait sous l'effet de la frappe aérienne. Rien ne prouverait qu'il ait habité là.

L'option du bombardement par B2 souleva un débat. D'après Tony Blinken, « Certains disaient : "La preuve par l'ADN n'est pas le plus important. Si Ben Laden était là, si l'on en était sûrs, ce qui compterait, c'est qu'on l'élimine définitivement du champ de bataille." Mais beaucoup d'autres jugeaient que l'essentiel de la réussite de la mission tiendrait à l'annonce de la mort de Ben Laden, et ça, il fallait le prouver pour dissiper une grande partie des doutes et des soupçons de manipulation[50]. »

Pour limiter le nombre des victimes civiles, lancer une petite bombe directement sur la résidence semblait une solution, mais si elle était de faible puissance, elle pourrait ne pas tuer Ben Laden. Et comme la CIA n'avait aucun moyen de voir à l'intérieur du domaine, il y avait encore la possibilité qu'il s'abrite dans une chambre forte à l'intérieur du bâtiment, ou même qu'il s'échappe par un tunnel[51]. Se fondant sur l'imagerie thermique, l'Agence nationale du renseignement géospatial établit que la nappe d'eau autour de la résidence était relativement proche de la surface[52]. De fait, de gros ruisseaux traversent les alentours de la résidence[53]. Étant donné la faible profondeur où se trouve cette nappe d'eau, les analystes réfutèrent l'idée que Ben Laden puisse s'échapper par un tunnel, mais ils s'inquiétaient de la présence éventuelle d'une chambre forte.

Ceux qui étaient pour le raid, dont Panetta[54], firent remarquer que, si risqué que ce soit d'envoyer les Seals, ceux-ci, s'ils s'emparaient de la résidence et ne trouvaient pas Ben Laden, pouvaient encore, avec un peu de chance, quitter les lieux sans que personne ne soit jamais au courant de l'opération[55]. Et même si une poignée de gens de la résidence ou des alentours la découvraient, on pourrait toujours la démentir purement et simplement. De toute façon, celui qui vivait là, quel qu'il soit, n'avait pas intérêt à faire d'esclandre, car il essayait à l'évidence de garder profil bas. Une attaque héliportée du JSOC qui ne mettrait pas la main sur Ben Laden ne violerait pas la souveraineté du Pakistan car elle ne serait jamais rendue publique, alors qu'un bombardement serait un événement impossible à nier.

Une autre option était de faire survoler la résidence par un drone Predator ou Reaper qui lancerait un petit missile sur le domaine. Le général Cartwright, le préféré d'Obama, penchait pour cette solution[56]. L'idée serait d'utiliser une très petite munition pour frapper le mystérieux « promeneur » qu'entrevoyaient les satellites américains quand il faisait son petit tour quotidien[57]. Cette frappe nécessiterait une très grande précision, et le tir risquait de rater sa cible[58], ce qui était arrivé souvent dans le passé, mais le risque de victimes civiles et la réaction des Pakistanais seraient de bien moindre ampleur qu'avec une frappe aérienne traditionnelle. Restait toujours à prouver la mort de Ben Laden, mais il y aurait très vraisemblablement entre les chefs d'Al-Qaïda des discussions sur le « martyre » de Ben Laden, et les satellites américains pourraient les intercepter[59]. Enfin, Al-Qaïda finissait presque toujours par confirmer la mort de ses chefs dans des communiqués car ils étaient heureux d'annoncer la mort d'un « martyr ».

L'amiral Mike Mullen, principal conseiller militaire d'Obama, exprima aussitôt sa réticence à utiliser un petit projectile. « À mon avis, dit-il, ce système n'a pas fait ses preuves. Il nous est arrivé parfois de mettre trop d'espoirs dans de nouvelles technologies qui ne marchent pas[60]. » Il préférait la solution du raid.

Michele Flournoy était aussi en faveur du raid. « On avait acquis l'intime conviction de la présence de Ben Laden, sinon comment expliquer cette résidence et la présence de certains individus ? C'était complètement illogique. De plus, je sentais que du point de vue symbolique et stratégique, la capture ou la mort de Ben Laden affecterait grandement Al-Qaïda en s'ajoutant aux pertes qu'ils avaient déjà subies. Enfin, nous comptions trouver une mine d'informations qui nous aideraient à mieux comprendre le réseau et nous donneraient d'autres occasions d'agir contre ses principaux dirigeants[61]. »

À cette réunion du 14 mars, l'amiral McRaven exposa l'option du raid en disant franchement à Obama : « Monsieur le Président, nous ne l'avons pas encore complètement testée et nous ne savons pas si nous pouvons la mettre en œuvre, mais quand nous aurons vu ça, je reviendrai vous voir et je vous dirai ce qu'il en est[62].

— Combien de temps vous faut-il ? » demanda Obama.

McRaven lui répondit qu'il lui faudrait trois semaines pour répéter à fond cette mission.

« Alors, allez-y, et dépêchez-vous[63] », lui dit Obama.

Les responsables présents convinrent qu'une équipe d'attaque héliportée courait des risques[64]. Est-ce que les hélicoptères seraient détectés dans l'espace aérien pakistanais ? Et que feraient les Pakistanais s'ils les détectaient ? Il y avait aussi des problèmes de ravitaillement en carburant car les appareils ne pouvaient pas aller jusqu'à leur cible, la survoler, se poser et repartir jusqu'en Afghanistan. Le site de ravitaillement pouvait-il être détecté ? Une fois les Black Hawk au-dessus de la résidence, quels risques couraient-ils ?

Cartwright parla d'un hélicoptère furtif, encore expérimental, échappant aux radars, mais, sur le moment, on ne prêta guère attention à cette idée[65]. À la fin de la réunion, de nombreux participants pensaient qu'Obama penchait pour le bombardement de la résidence par B2[66]. « Nous sortions tous de ces réunions complètement épuisés, dit Hillary Clinton, à cause des conséquences et des enjeux sur lesquels nous discutions[67]. »

Le 16 mars, Raymond Davis, le prestataire de la CIA qui avait tué deux Pakistanais deux mois plus tôt, fut relâché à la suite d'un compromis dans lequel le gouvernement avait payé deux millions de dollars, le « prix du sang » fixé par l'islam, aux familles des victimes. Pour le petit groupe de la Maison-Blanche qui préparait l'opération sur Abbottabad, c'était une avancée importante car on s'inquiétait que Davis, honni au Pakistan, finisse par être tué dans sa cellule à la suite de l'attaque américaine. Sa remise en liberté levait un obstacle à cette opération[68].

Le 29 mars, lors de la réunion suivante avec Obama à la Maison-Blanche, l'option du bombardement fut écartée. Le Pentagone avait évalué qu'il faudrait lâcher trente-deux bombes d'une tonne pour détruire la propriété d'un demi-hectare[69]. Non seulement cela ferait disparaître toutes les traces d'ADN, mais cela serait aussi une catastrophe dans une ville fortement peuplée, pulvérisant une résidence avec ses vingt habitants au moins et détruisant un autre bâtiment voisin. Des bombes pourraient aussi rater leur cible, et tuer encore d'autres civils[70]. Le président était préoccupé par le nombre des victimes civiles potentielles sans même avoir la certitude de tuer Ben Laden. Il fallait aussi prendre en compte la fureur de la réaction pakistanaise qu'une telle attaque ne manquerait pas de provoquer. Enfin, selon la formule de la CIA, on ne pourrait pas « exploiter utilement le site », à savoir procéder à l'examen des ordinateurs, portables et autres documents trouvés sur place, selon la procédure classique après un raid destiné à capturer ou tuer une cible de grande valeur.

Les seules solutions qui restaient, dès lors, étaient la frappe chirurgicale par une arme à distance comme un drone, le raid héliporté, ou bien attendre encore en espérant recueillir des informations plus complètes. Obama bombarda McRaven de questions. « Et s'il y avait une chambre forte dans la résidence ? Et si Ben Laden n'était pas là ? Comment faites-vous pour faire sortir Ben Laden, mort ou vif, de la résidence ? Et si les hélicoptères tombaient en panne ? Que se passerait-il en cas de résistance dans la résidence[71] ? »

Tout au long de ces préparatifs, le secrétaire à la Défense Robert Gates était toujours parmi les plus sceptiques des conseillers du président[72]. Son avis faisait autorité car il avait travaillé pour six présidents américains : il était déjà au Conseil national de sécurité sous Nixon quand Obama n'avait que treize ans. Et il avait suffisamment d'expérience, en tant qu'ancien directeur de la CIA, pour savoir qu'on peut se tromper, même avec une très forte présomption. Avec l'attaque au sol de la résidence, il s'inquiétait des risques pour les forces américaines et pour les relations américaines avec le Pakistan.

Par-dessus tout, Gates redoutait une répétition de l'opération *Eagle Claw*, la tentative avortée de 1979 pour libérer les cinquante-deux otages de l'ambassade américaine à Téhéran lors de la révolution iranienne. Cet échec avait contribué à ce que Jimmy Carter ne soit pas réélu. Gates avait suivi de près les détails cuisants de cette affaire en tant qu'adjoint opérationnel du directeur de la CIA, à l'époque Stansfield Turner. Lors du déroulement de la catastrophe, le 4 novembre 1979, il avait passé avec Turner toute la nuit à faire la navette entre la CIA et la Maison-Blanche. « Nous avons fini par quitter la Maison-Blanche vers une heure et demie du matin. [...] Un trajet plein de tristesse pour rentrer chez moi, et qui n'en finissait pas[73]. »

Maintenant, plus de trente ans plus tard, un autre président démocrate envisageait de mettre en jeu sa présidence sur une attaque héliportée à l'autre bout du monde dans un pays que beaucoup au sein de l'administration considéraient, au mieux, comme un allié peu fiable. Dans les réunions à la Maison-Blanche, Gates ne cessait d'intervenir : « Et si vous aviez un accident d'hélicoptère ? » « Et si les Pakistanais réagissaient plus vite que vous ne le pensiez ? » « Et si des gars se faisaient coincer dans la résidence ? » D'après Michele Flournoy, il « ne fallait pas lui raconter d'histoires. Il n'arrêtait pas de poser les questions problématiques[74]. »

À mesure que se précisait l'attaque héliportée des Seals, l'on envisageait de moins en moins de prévenir les Pakistanais : « Même si nous partagions avec eux le même intérêt à attraper Ben Laden, nous sentions que leur inquiétude de nous voir passer la frontière créerait chez eux une telle ambivalence qu'il n'était pas sûr que nous puissions compter sur leur soutien, déclare Flournoy. Au bout du compte, l'objectif était crucial, un intérêt vital était en jeu, et l'on risquait, soit que les Pakistanais perdent le contrôle de l'information, soit qu'ils s'opposent au raid pour des questions de souveraineté. C'était beaucoup trop de risques. Et l'on opta pour une action unilatérale, mais en les mettant au courant dès que possible[75]. »

Maintenant qu'avait été prise la décision de ne faire intervenir les Pakistanais à aucune étape de l'opération, Obama et son équipe devaient réfléchir, si le président donnait le feu vert, à la meilleure façon de gérer leurs réactions quelles qu'elles puissent être, en particulier sur le terrain à Abbottabad. « Dans une des réunions précédentes, se souvient un haut responsable, McRaven tenait beaucoup à éviter de se colleter avec les Pakistanais. Et donc, si nous pouvons faire en sorte qu'il n'y ait pas de morts de leur côté, civils ou forces de sécurité, c'est ce qu'il y aurait de mieux[76]. »

MacRaven commença par proposer un plan d'attaque dans lequel les Seals éviteraient tout échange de coups de feu avec les Pakistanais, sauf en cas de nécessité absolue[77]. Si les Pakistanais ne débarquaient pas en force dans la résidence, il proposait que les Seals montent un périmètre de défense pour les tenir à distance. Pendant ce temps, des responsables américains expliqueraient à leurs homologues pakistanais ce qu'ils savaient sur Ben Laden et la raison du raid, en espérant que les Seals pourraient à la fin se retirer sans entraves[78].

Dans l'hypothèse d'un encerclement des Seals dans la résidence par des soldats pakistanais agressifs, l'équipe de sécurité nationale d'Obama chercha à trouver qui serait le mieux placé pour expliquer la situation par téléphone à l'homme le plus puissant du Pakistan, le général Ashfaq Parvez Kayani, chef d'état-major interarmées. La discussion se prolongea sans solution, et il était clair qu'Obama n'était pas enchanté par ce projet. « L'essentiel, c'est de protéger nos hommes, pas de ménager les Pakistanais, dit-il à McRaven. Je veux que vous montiez un scénario dans lequel vous seriez obligés de vous battre pour vous en sortir. Il faut que vous soyez capables de faire face à une opposition active des Pakistanais et que vous vous en sortiez avec vos hommes sains et saufs[79]. » Cette option fut par la suite désignée par la formule « se battre pour s'en sortir ».

L'incident de Raymond Davis fit beaucoup pour mieux définir l'option du raid. Et si, au lieu d'un prestataire de la CIA en prison, on se retrouvait avec deux douzaines de Seals en état d'arrestation parce qu'ils ne pourraient pas tirer de coups de feu pour s'en sortir[80] ? Obama n'entra pas dans les détails tactiques pour savoir où les hélicoptères Chinook transportant les renforts devraient se trouver, ni combien d'hommes du SEAL il faudrait ajouter aux attaquants. Il dit seulement à McRaven qu'il fallait que le commando soit en mesure de se battre pour s'en sortir. « C'était un changement d'approche magistral, dit un haut responsable du gouvernement, car Bill McRaven put constater qu'Obama avait amené ses interlocuteurs là où il voulait en venir, à savoir : "On ne va pas se laisser emmerder par les Pakis[81]." » McRaven retourna donc à sa planche à dessin et revint avec différents moyens de protéger l'équipe d'assaut, en particulier avec une force d'intervention rapide déployée en plein Pakistan plutôt que des hélicoptères garés à la frontière afghano-pakistanaise comme c'était prévu au départ[82]. « C'est Obama qui a eu l'idée des Chinook 47, dit Mullen. C'est lui qui a dit : "Il n'y a pas assez de renforts." »

Mullen, qui s'était rendu vingt-sept fois au Pakistan quand il était chef d'état-major interarmées, avait dit à de nombreuses reprises à son homologue, le général Kayani : « Si nous pouvons trouver un jour le Numéro Un ou le Numéro Deux, nous irons les chercher, point barre. Et nous irons les chercher tout seuls, point barre[83]. »

Le 11 avril, Panetta rencontra au QG de la CIA le lieutenant général Ahmed Shuja Pasha, chef de l'ISI, la puissante agence de renseignement militaire du Pakistan. Pasha, qui s'était lié personnellement à Panetta[84] – l'appelant par son prénom, Leon, et l'invitant à dîner chez lui avec sa femme quand il s'était rendu au Pakistan –, protesta vigoureusement contre l'intense activité de la CIA au Pakistan, mise au grand jour par l'affaire Davis. « Vous avez trop d'agents au Pakistan, lui dit-il, et je ne veux pas savoir si ce sont des agents de sécurité, des officiers ou des analystes. Il y en a trop[85]. » Pasha qualifia cette rencontre de « concours à qui gueulerait le plus fort[86] ». Panetta la décrivit en termes moins violents, mais elle renforça sa détermination de ne pas mettre les Pakistanais au courant du raid contre Ben Laden. Elle incita aussi les Américains à agir vite, car il était évident que l'ISI allait dorénavant essayer de bloquer les activités de la CIA dans le pays.

Au début d'avril, tandis que la Maison-Blanche continuait à débattre pendant cinq jours des différents plans d'action, l'équipe de l'Escadron rouge du DevGru, crème de la crème du SEAL, commença à répéter son raid sur des maquettes de la résidence dans un endroit secret au fin fond des forêts de Caroline du Nord[87]. Sur une réplique à taille réelle de la résidence d'Abbottabad, ils s'entraînaient à descendre de Black Hawk à la corde lisse dans la cour de la résidence et sur le toit du bâtiment principal[88]. Ils avaient pour observateurs le commandant en chef du JSOC, l'amiral Eric Olson, ancien Seal lui même, Mike Vickers du Pentagone, l'amiral McRaven et Jeremy Bash de la CIA. Les répétitions avaient lieu de jour et ne comportaient pas d'entraînement au pas de course de l'hélicoptère jusqu'à Abbottabad, se limitant à ce que l'équipe du SEAL ferait sur place.

Le raid utiliserait les hélicoptères « furtifs » que Cartwright avait recommandés, ce qui les rendrait plus ou moins invisibles pour les radars pakistanais. L'une des préoccupations était le temps qu'il faudrait aux habitants de la résidence pour être alertés par le bruit des appareils. Même avec les dispositions prises pour réduire le bruit des Black Hawk furtifs, ils en faisaient toujours beaucoup quand ils passaient dans le voisinage immédiat. Les observateurs calculèrent qu'ils seraient entendus quand ils se trouveraient à environ une minute de la cible. Selon McRaven, ce pouvait être aussi bien deux minutes, en fonction de la direction du vent[89].

Pendant les répétitions, les deux hélicoptères se dirigeaient sur la réplique de la résidence, lâchaient les équipes du SEAL en quatre-vingt-dix secondes, et disparaissaient aussitôt. Méthodiquement, les Seals ratissaient la résidence, ce qui leur prenait dix minutes, et à ce moment précis les hélicoptères revenaient les chercher[90].

Dans la décennie qui avait suivi le 11 Septembre, les Seals avaient effectué des centaines d'assauts de bâtiments dans des environnements hostiles et ils avaient eu droit à toutes sortes de surprises : des femmes armées, des gens avec un gilet d'explosifs sous leur pyjama, des insurgés cachés dans des « trous de souris » et même des bâtiments entièrement bourrés d'explosifs. Il fallait qu'ils s'attendent à toutes ces éventualités dans la résidence[91]. Et donc, ce qu'ils appelèrent l'« option McRaven » était toujours « signalée en rouge » : ce processus formel du SEAL servait à identifier les failles potentielles du plan. « McRaven, dit Michele Flournoy, avait une solution de rechange pour chaque échec possible, et une solution de rechange en cas d'échec de la solution de rechange, et une solution de rechange pour l'échec de la solution de rechange de la solution de rechange[92]. »

Quand les Seals de l'équipe d'intervention furent finalement mis au courant de l'identité de leur cible, ce fut de grandes ovations ; il n'y avait plus aucune ambiguïté sur l'objectif de la mission, ni sur la motivation de ceux qui l'entreprenaient[93].

Les équipes répétèrent de nouveau pendant une semaine en avril, cette fois dans les déserts montagneux du Nevada qui reproduisaient les conditions probables de chaleur d'Abbottabad et son altitude, qui est de treize cents mètres[94]. Cette fois, ils rejouèrent l'intégralité de la mission depuis le décollage de nuit jusqu'au retour à la base plus de trois heures plus tard. Là encore, Olson, McRaven, Vickers et Bash observèrent la répétition, et cette fois l'amiral Mullen se joignit à eux[95]. Ils furent conduits dans un hangar où les Seals leur firent voir un exercice de « répétition du concept » à l'aide d'une maquette en carton de la résidence. Les équipes partirent en hélicoptère pendant environ une heure. À leur retour, les observateurs, équipés maintenant de lunettes de vision nocturne, les regardèrent attaquer la résidence. Pendant cette répétition, la direction du vent força les hélicoptères à arriver sur la cible d'une provenance inattendue. Cela rappela à tout le monde que, quel que soit le nombre de répétitions de l'attaque, il y aurait toujours à prendre des décisions imprévues[96]. Ces répétitions montrèrent aussi que toute l'opération au sol pouvait s'effectuer en moins de trente minutes[97] ; c'était, calculé par le Pentagone, l'espace de temps dont les Seals disposeraient avant l'arrivée des forces de sécurité pakistanaises.

Mullen avait une grande confiance en McRaven, qu'il connaissait depuis dix ans, quand son cadet était capitaine de la Navy. À l'époque, McRaven s'était attiré des commentaires enthousiastes pour son travail à la Maison-Blanche de Bush. En tant que chef d'état-major interarmées, Mullen s'était fait un devoir, lors de ses fréquents voyages en Afghanistan, de débarquer au centre d'opérations du JSOC à la base aérienne de Bagram, près de Kaboul[98]. Il arrivait généralement autour de minuit, quand les missions du SEAL étaient en pleine action. Mullen avait une grande confiance aussi dans les compétences des Seals. Elle se confirma quand il observa leur répétition du raid d'Abbottabad. « Si je dois envoyer quelqu'un au casse-pipe, explique-t-il, je veux en savoir le plus possible. J'ai aussi eu l'occasion de regarder ces hommes droit dans les yeux. Chacun d'eux. Personnellement. Je me suis aussi senti le devoir de comprendre le plus de choses possible. Et quand je serai assis autour d'une table avec le président, je pourrai lui dire : "J'ai confiance, et voilà pourquoi. Voilà ce que j'ai vu. Voilà les détails[99]." »

Après les répétitions, McRaven se rendit à la Maison-Blanche pour présenter à Obama et à ses principaux conseillers son évaluation de la faisabilité de la mission. « Avant tout, il inspire confiance, dit de lui Tony Blinken, vous avez aussi la très forte impression qu'il n'est pas du genre à fanfaronner. C'est un gars qui va nous dire honnêtement ce qu'il en pense, on peut donc le croire et c'est rassurant. En gros, ce qu'il nous a dit après qu'ils eurent modélisé, joué et répété le raid, c'était : "On peut faire ça[100]." »

Lorsque McRaven décrivit à Obama et à son conseil de guerre le raid héliporté sur Abbottabad, il ajouta : « En termes de difficulté, comparée à ce que nous faisons couramment de nuit en Afghanistan et à nos interventions en Irak, cette mission n'est pas parmi les plus difficiles, techniquement parlant. Ce qui est difficile, c'est la question de la souveraineté du Pakistan et le fait de voler pendant longtemps dans son espace aérien[101]. »

Quand l'organisation du raid commença à prendre tournure, les responsables de la Maison-Blanche durent réfléchir à ce qui se passerait au cas où Ben Laden serait capturé. Comme il avait souvent répété qu'il préférerait mourir en « martyr » plutôt que de finir en captivité chez les Américains, ce scénario fut considéré comme très peu vraisemblable. En 2004, son ancien garde du corps Abou Jandal avait dit au journal *Al-Quds Al-Arabi*, « Le Cheikh Oussama m'a donné un revolver [...]. Il n'avait que deux balles, pour que je puisse le tuer si nous étions encerclés ou s'il était sur le point de tomber aux mains de l'ennemi, de façon qu'il ne soit pas capturé vivant [...]. Il deviendrait un martyr et pas un captif, et son sang stimulerait le zèle et la détermination de ses partisans [102]. » Dans une cassette postée deux ans plus tard sur des sites web islamistes, Ben Laden confirma qu'il était prêt au martyre : « J'ai juré de ne vivre que libre. Même si la mort a pour moi un goût amer, je ne veux pas vivre humilié ou déçu [103]. » Mais s'il était clair qu'il veuille se rendre, les règles d'engagement des Seals voulaient qu'il soit mis en état d'arrestation [104].

Dans cette éventualité, on s'organisa pour avoir un groupe de personnes spécialisées dans les interrogatoires de détenus importants ; constitué d'avocats, d'interprètes et d'interrogateurs chevronnés, il serait en attente à la base aérienne de Bagram en Afghanistan [105]. Escortant Ben Laden, ce groupe rejoindrait par avion le porte-avions USS *Carl Vinson* qui croiserait au large du Pakistan dans la mer d'Arabie ; et là, le chef d'Al-Qaïda serait interrogé pendant une durée indéterminée [106].

Les responsables rencontrèrent de nouveau le président le 12 et le 19 avril. Panetta dit à Obama que les services du renseignement avaient atteint un point de rendement décroissant sur ce qu'ils pouvaient encore apprendre sur la résidence [107]. Ils voyaient le « promeneur » pratiquement tous les jours mais sans pouvoir savoir pour autant si c'était Ben Laden. S'ils essayaient d'en être certains en recourant à un espion près de la résidence, ils risqueraient d'être découverts. « Nous étions toujours tiraillés, dit Tony Blinken, entre le désir de plus de certitudes et le risque de tout compromettre [108]. » À la réunion du 19 avril, le président Obama donna un feu vert provisoire au raid du SEAL [109]. Il demanda à McRaven combien de temps il lui faudrait pour lancer l'opération. « Quatre heures, répondit McRaven. — Je vous donnerai vingt-quatre heures, dit Obama. » Quelques hauts responsables du gouvernement virent là le signe qu'Obama penchait maintenant pour la solution du raid.

À la Maison-Blanche, un grand secret continuait d'envelopper le projet. Pas plus d'une douzaine de responsables étaient au courant. Ben Rhodes, conseiller d'Obama sur la communication stratégique, avait remarqué que, dans les mois précédents, il y avait eu dans la *Situation Room* une série de réunions dont les thèmes n'étaient pas indiqués sur l'annonce, et que les caméras qui étaient d'habitude en action dans la pièce avaient été débranchées. « Je n'étais pas le seul à avoir remarqué ces réunions, dit-il, mais personne ne voulait en parler, évidemment[110]. » Sur plusieurs mois, il y eut vingt-quatre réunions des différentes agences pour discuter de la résidence d'Abbottabad. Sur les calendriers des participants, ces discussions figuraient sous la mention « non-réunion ». Aucun « bras droit » ne pouvait y assister et aucun mémo préparatoire n'était rédigé, contrairement à l'habitude concernant les réunions du Comité national de sécurité du président.

À la mi-avril, pour mettre au point et répéter les différents plans d'action, le groupe des personnes dans le secret de l'opération Ben Laden augmenta, même si le renseignement restait fortement compartimenté et que beaucoup de ceux qui travaillaient à l'opération connaissaient peu de ses détails. John Brennan, premier conseiller d'Obama pour le contreterrorisme et ancien chef de la CIA en Arabie saoudite, commença à travailler à l'éventualité de fuites des renseignements sur Ben Laden, ce qui impliquait de mettre Rhodes au courant. Si c'était nécessaire, il serait en mesure de gérer les relations avec la presse. « Dans le passé, dit Rhodes, j'ai eu à convoquer des rédacteurs en chef de journaux pour leur dire : "Ne parlez pas de ça, je vous en prie, et voilà pourquoi." Brennan voulait quelqu'un qui saurait s'y prendre en cas de fuites[111]. »

Le 11 septembre 2001, Rhodes avait alors une vingtaine d'années et travaillait à Brooklyn. Il avait pu voir de sa fenêtre les tours du World Trade Center s'effondrer. Il se souvient du moment où Brennan l'avait informé sur l'affaire Ben Laden. « J'ai senti l'énorme poids de l'information qu'il venait de me livrer. Dans ce métier, on apprend un tas de secrets, mais celui-là n'était pas comme les autres. Après tout, c'est de Ben Laden qu'il s'agit, et ça vous angoisse, ça vous excite, ça vous rend nerveux. On a tendance à vouloir en parler, mais on doit vraiment être supervigilant pour ne rien dire[112]. »

Brennan, Rassmussen du NSC, et McDonough, conseiller adjoint de la Sécurité nationale, avaient préparé un montage des différents scénarios qui pourraient se dérouler pendant et après le raid. Ils avaient commencé à le compiler plusieurs semaines avant que le président ne prenne une décision finale car il les avait guidés tout du long en leur disant : « Continuez à préparer ça, je n'ai pas pris de décision, mais gardez toutes les options ouvertes afin qu'elles soient complètement développées[113]. » Ils savaient bien que, une fois l'opération lancée, ils devraient être prêts à zapper immédiatement vers l'option pertinente, prêts pour toutes les manœuvres diplomatiques et les déclarations publiques correspondant à n'importe lequel des multiples scénarios qui pourrait se dérouler sur place[114]. Ils demandèrent à Rhodes de les aider à préparer les messages stratégiques à diffuser après chacun de ces scénarios.

Le premier était que les Seals étaient entrés dans la résidence, que l'opération était relativement propre et qu'ils avaient pris Ben Laden. Le message n'était pas trop compliqué.

Le deuxième scénario était que les Seals étaient entrés, que Ben Laden n'était pas là, et qu'ils étaient repartis sans problème. Dans ce cas, il n'y aurait aucun message, car la position du gouvernement Obama serait de ne rien dire, en espérant que le gouvernement pakistanais ne dirait rien non plus.

Le troisième scénario était que les Seals avaient trouvé Ben Laden, mais qu'il y avait eu des échanges de coups de feu avec l'armée pakistanaise, ou que beaucoup de civils avaient été tués. Pis encore, qu'il y avait eu des échanges de coups de feu et des civils tués, mais que Ben Laden n'était pas là. Cela soulèverait l'indignation dans le monde arabe et aurait de graves répercussions politiques aux États-Unis. « Ainsi, dit Rhodes, pour toutes les options dans lesquelles Ben Laden ne serait pas là, ce que l'on ne pourrait pas nier, nous avons cherché comment expliquer que cette opération valait tout de même la peine d'être tentée. Il fallait donc préparer une version officielle de nos informations pour nous justifier d'avoir pris ce risque incroyable[115]. »

Rhodes se mit au travail avec le porte-parole de la CIA, George Little, le seul autre « communicateur » dans le secret, pour préparer une version officielle de l'affaire Ben Laden qui soit accessible aux médias et au public au cas où l'on ne pourrait plus cacher l'opération. Little, un intellectuel à lunettes, officier du renseignement doté d'un doctorat en relations internationales, rédigea un document de soixante-six pages illustré de schémas de la résidence[116].

À la mi-avril, John Brennan appela Mike Leiter, directeur du Centre national du contre-terrorisme (CNTC) sur une ligne de vidéoconférence sécurisée de la Maison-Blanche. « Mike, lui dit-il, il faut que quelqu'un vienne vous donner des informations sur la résidence dans laquelle nous pensons que se trouve Ben Laden.

— À qui d'autre puis-je en parler ? demanda Leiter en cachant son irritation de ne pas avoir été prévenu plus tôt.

— À personne.

— Et que voulez-vous que je fasse ? demanda Leiter.

— Je tiens beaucoup à ce que vous réfléchissiez aux menaces qui pèseraient sur les États-Unis au cas où un raid réussirait[117]. »

Mike Leiter est un homme brusque au débit rapide, ancien procureur fédéral et ancien marin de l'aéronavale. Quand il était à la faculté de droit de Harvard, il était président de la *Harvard Law Review*[118], un poste qu'avait occupé Barack Obama quelques années auparavant[119]. Avant de diriger le CNTC, il avait travaillé pour la commission du Congrès qui étudiait la débâcle du renseignement sur les prétendues armes de destruction massive en Irak, et il avait rédigé une grande partie de son rapport final[120]. Sa première réaction aux informations sur Ben Laden était marquée par cette expérience.

« J'avais vu trop d'échecs dans ce milieu pour m'enthousiasmer[121] », dit-il. Il se rappelait encore l'euphorie des responsables de la CIA quand ils avaient dit à Obama qu'ils tenaient une vraie piste vers Ayman al-Zawahiri, alors qu'il s'agissait en réalité d'un agent double qui avait tué dans un attentat suicide sept employés de la CIA.

Une fois mieux informé, Leiter fut convaincu qu'il y avait de bonnes chances que Ben Laden habite dans la résidence, mais certains points le tracassaient toujours[122]. Il était étonnant qu'il n'y ait pas de gardes sur place. De plus, des femmes et des enfants qui vivaient là partaient de temps en temps pour de très longs voyages dans tout le Pakistan pour aller visiter des parents. En quittant Abbottabad, ils prenaient leurs portables, ce qui semblait être une grave entorse aux mesures de sécurité draconiennes habituellement en vigueur au sein d'Al-Qaïda.

Pour lui, on était loin de pouvoir dire, comme Tenet l'avait fait pour les ADM de Saddam Hussein, « il n'y a pas de lézard ». Il n'était pas non plus convaincu de la prétendue régularité avec laquelle les choses se passaient ou ne se passaient pas dans la résidence. D'après certains agents, il n'y avait pas de communications téléphoniques entrantes ou sortantes, mais quand on regardait les choses de plus près, la NSA découvrait de nouveaux portables dans la résidence. Enfin Leiter se préoccupait des trous dans la surveillance. Elle ne s'exerçait pas vingt-quatre heures sur vingt-quatre, soit par des agents sur le terrain, soit par les satellites espions[123].

Le samedi 23 avril, Leiter alla rencontrer Brennan à la Maison-Blanche, il énuméra les trous qu'il avait relevés et lui conseilla de rassembler une « équipe rouge » d'analystes afin qu'ils proposent d'autres explications aux renseignements recueillis. Brennan fit remarquer qu'une équipe rouge de la CIA s'était déjà penchée sur ces données. Ce à quoi Leiter répondit que ces personnes étaient trop investies dans l'affaire pour être objectives.

« Si c'est un échec, John, vous voudrez la preuve que ça a

été vraiment bien fait, dit-il à Brennan. Et même si c'est un succès, vous voudrez quand même pouvoir dire : "Nous avons préparé ça très scrupuleusement." Vous ne voudriez pas qu'une commission du genre de celle sur les ADM vienne vous dire : "Vous n'avez pas mis une équipe rouge là-dessus[124]." »

Brennan reconnut finalement que l'équipe rouge était sans doute une bonne idée. « Parlez-en à Michael [Morell] et, si vous êtes d'accord, super, dit-il à Leiter. Sinon, revenez me voir[125]. » Leiter alla d'abord voir Tom Donilon, conseiller pour la Sécurité nationale, un avocat discipliné et exigeant. En fermant la porte de son bureau, Donilon demanda à Leiter ce qu'il pensait du projet de raid. « Ce que vous ne pouvez pas prédire, répondit celui-ci, c'est que vous pouvez toujours avoir un accident d'avion ou d'hélicoptère. J'ai été aviateur. Voler de nuit dans un endroit nouveau, c'est là que vous pouvez avoir un problème. » Puis il exposa à Donilon ses inquiétudes concernant la question du renseignement. Son interlocuteur était lui aussi intrigué par le fait que des femmes et des enfants quittent la résidence, et il avait plus de doutes que Brennan sur cette affaire, alors que ce dernier était désormais convaincu de la présence de Ben Laden dans la propriété d'Abbottabad. Il se dit que si cette opération tournait mal, ça finirait par retomber sur lui ; l'idée de l'équipe rouge l'enchanta[126].

Leiter s'arrêta aussi au bureau de son ami McDonough. Conseiller adjoint de la Sécurité nationale, il avait travaillé comme conseiller d'Obama pour la politique étrangère du temps où celui-ci était un sénateur adjoint de l'Illinois. McDonough dit à Leiter que si Obama donnait le feu vert pour l'opération, elle serait programmée pour tomber le week-end suivant, le samedi 30 avril au soir. Il se trouvait que c'était précisément le jour où Leiter devait se marier avec Alice Brown, devant deux cent cinquante invités au Meridian House, à quelques encablures au nord de la Maison-Blanche. « Denis, tu te fous de moi ? s'exclama Leiter. Ce week-end ?

Ce week-end[127] ! » McDonough, un taciturne du Minnesota, lui assura qu'il ne plaisantait pas.

Le moment idéal pour une attaque héliportée était une nuit sans lune[128]. Ainsi, les hommes du 160e régiment d'aviation du JSOC, qui piloteraient les hélicoptères au-dessus de la frontière afghano-pakistanaise avec des lunettes de vision nocturnes, auraient des chances de ne pas être vus par les Pakistanais. Cette nuit sans lune avantagerait aussi considérablement les Seals équipés des mêmes lunettes quand ils feraient irruption dans la résidence. La nuit du samedi 30 avril, le Pakistan tout entier serait plongé dans le noir. Le samedi soir semblait aussi un jour idéal car c'était le moment de la semaine où, d'après la CIA, l'activité militaire du Pakistan était la plus réduite. La prochaine nuit sans lune ne serait pas avant le 1er juin et, à ce moment-là, il ferait beaucoup plus chaud, ce qui pourrait affecter la qualité de vol des hélicoptères. Plus urgent encore, plus on attendait, plus grand était le risque de fuites[129].

Le lundi 25 avril à 7 heures du matin, Leiter alla parler à Michael Morell à la CIA. Avant même qu'il puisse lui dire pourquoi il leur fallait une équipe rouge, Morell s'écria : « Absolument. C'est une idée géniale. Il faut faire ça[130]. »

Leiter choisit deux analystes du Centre national du contre-terrorisme qui connaissaient bien Al-Qaïda : Richard (pseudonyme) qui avait déjà à son actif vingt ans de travail contre le terrorisme et qui jouissait de la considération générale des services de renseignement, et Rose (pseudonyme) une analyste réputée, âgée d'environ trente-cinq ans. On leur adjoignit deux analystes de la CIA qui n'avaient joué aucun rôle dans le recueil des informations sur Ben Laden. Leiter leur dit qu'ils avaient quarante-huit heures pour proposer d'autres hypothèses sur celui qui pouvait se trouver dans la résidence, en se fondant sur les meilleurs arguments qu'ils pourraient trouver[131].

L'équipe de Leiter étudia trois alternatives sur la résidence : premièrement, elle était associée à Ben Laden, mais il n'était pas là en ce moment ; deuxièmement, la résidence abritait un chef d'Al-Qaïda, mais pas Ben Laden ; troisièmement, le Koweitien avait quitté Al-Qaïda depuis longtemps et il travaillait maintenant pour un criminel non identifié[132].

Pour les analystes, la première hypothèse était la plus vraisemblable[133]. Les chances que la résidence abrite une cible de grande valeur chez Al-Qaïda autre que Ben Laden étaient nettement plus faibles car le bras droit de ce dernier, Ayman al-Zawahiri, n'était pas censé vivre dans cette partie du Pakistan, le Koweitien n'avait jamais eu aucun contact avec lui, et le nombre de femmes et d'enfants dans la résidence ne correspondait pas à ce que l'on savait de la famille de Zawahiri. Pourrait-ce être une autre huile d'Al-Qaïda, inconnue des services de renseignement ? D'après Leiter, cela paraissait peu vraisemblable : « Nous pensions bien connaître tous les chefs. C'est ce que l'on faisait tous depuis dix ans[134]. » La possibilité d'un criminel sans lien avec Al-Qaïda fut aussi rejetée étant donnés les liens historiques qui existaient entre le Koweitien et le chef d'Al-Qaïda.

À la fin de cet exercice, dans les estimations de l'équipe rouge sur la probabilité de la présence de Ben Laden, Richard était au plus bas avec quarante pour cent, alors qu'un des analystes de la CIA était au plus haut, avec soixante pour cent. Mais tous conclurent qu'aucune de ces hypothèses n'était aussi vraisemblable que celle de la présence de Ben Laden[135].

Le mercredi 27 avril, tandis que l'équipe rouge finalisait son travail, la Maison-Blanche publia sur Internet le certificat de naissance du président délivré par l'État de Hawaii. Les soi-disant *birthers*, parmi lesquels le milliardaire Donald Trump toujours avide de publicité, avaient fait de la question de la citoyenneté américaine d'Obama un thème de campagne politique, affirmant qu'il n'était pas né aux États-Unis et donc qu'il n'aurait pas dû être élu. Obama dit qu'il avait publié ce document pour faire cesser cette « idiotie » qui détournait l'attention du pays de questions plus sérieuses[136]. La veille, les équipes du SEAL avaient déjà quitté leur base sur la côte de Virginie pour rejoindre celle de Bagram, en Afghanistan[137].

Michele Flournoy et Mike Vickers décidèrent de faire une dernière tentative auprès de Robert Gates pour qu'il soutienne l'opération. Dans le bureau du secrétaire à la Défense, au Pentagone, ils exposèrent à leur patron le raid et ses risques, ainsi que les mesures prises pour les réduire. Gates eut l'air convaincu, mais, en quarante-cinq ans de gouvernement, il avait appris à cacher son jeu.

À l'autre bout du monde, les espions de la CIA sur le terrain à Abbottabad contactèrent leur patron en Virginie pour lui dire que Mariam, la femme du Koweitien, et leurs quatre enfants venaient de rentrer d'un de leurs fréquents voyages au Pakistan et qu'ils étaient tous maintenant dans la résidence. Certains responsables du renseignement continuaient à se gratter la tête : si Ben Laden était vraiment là, pourquoi prendrait-il le risque de laisser ces gens aller voir leurs parents ?

12.

La décision

Le jeudi 29 avril, le lendemain de la publication de l'acte de naissance officiel d'Obama, Leiter présenta les éléments d'informations de l'équipe rouge au président et à son cabinet de guerre. « En résumé, leur dit-il, la *red team* n'a rien trouvé ou n'est arrivée à aucune conclusion bouleversante ou inédite par rapport à l'équipe précédente. [1] »

Pour ceux qui étaient en faveur du raid, comme Michele Fournoy et Mike Vickers, les découvertes de la *red team* n'avaient pas modifié leur point de vue. « Avant ce rapport, explique Vickers, les différents protagonistes estimaient entre soixante et quatre-vingts pour cent les chances que Ben Laden soit présent dans la résidence. Et voilà deux membres de la *red team* qui sont positifs à soixante pour cent, et un autre qui estime ces chances à quarante pour cent, tout en déclarant que ce pourcentage exprime une probabilité tout de même meilleure que celles des scénarios alternatifs étudiés [2]. »

« Même si vous vous placez dans la fourchette basse de ces quarante pour cent, Monsieur le Président, cela vous fait encore trente-huit pour cent de chances de mieux que ce que nous avons eu au cours de ces dix dernières années [3] », dit Leiter à Obama.

Et pourtant, ces quarante pour cent étaient une déconvenue. « On s'est dit : "Mince ! On avait pensé qu'il y avait plus d'espoir qu'il se trouve bien là-bas", se rappelle John

Brennan. Et le président a bien compris que certains risquaient de se montrer plus tièdes[4]. »

Pour Ben Rhodes, « dans la pièce, ce fut l'abattement. Quand vous vous rapprochez de l'échéance, vous espérez que vos certitudes augmentent, et là, elles diminuaient. En somme, ce chiffre alimenta les craintes des uns et des autres sur ce qui pourrait mal tourner. Cela valait-il la peine de courir un tel risque[5] ? »

Tony Blinken est dans le même état d'esprit. « À mon sens, la *red team* est venue entamer nos certitudes ; avant son intervention, le pourcentage d'identification positive était plus élevé. Après, nous sommes tombés de soixante-dix-trente à, peut-être, cinquante-cinquante[6]. »

Le directeur du Renseignement national, James Clapper, qui avait derrière lui plus de quarante années de métier, admet que ce débat autour des pourcentages donnait une impression de précision, mais « en fin de compte, c'était assez subjectif. Peu importait que le degré de confiance soit à quarante ou quatre-vingts pour cent. Plus on travaillait la question de près, plus les analystes situés en première ligne, ceux qui se chargeaient du travail concret, sur le terrain, se montraient confiants. Et plus on s'en éloignait, plus cette confiance diminuait ». À titre personnel, il estime qu'« il s'agissait du dossier le plus captivant que nous ayons eu à traiter depuis ces dix dernières années. Bien sûr, l'idéal aurait été d'avoir quelqu'un à l'intérieur de la résidence – une femme de chambre ou une cuisinière que nous aurions pu recruter –, quelqu'un qui aurait pu nous dire : "Oui, c'est lui, il est bien là." Eh bien, cet atout-là, nous ne l'avions pas, voilà tout. »

Pour ceux qui étaient plutôt opposés à ce raid, l'analyse de la *red team* confirmait leurs doutes. « Le travail de cette équipe m'avait semblé formidable, admet Robert Gates, le secrétaire à la Défense, je l'avais trouvé convaincant[7]. » Convaincant : en d'autres termes, Ben Laden ne vivait peut-être pas dans cette résidence d'Abbottabad.

Leon Panetta, le directeur de la CIA, prit fermement position.

« Tout bien considéré, nous tenons là notre meilleur faisceau de preuves depuis Tora Bora, ce qui nous met clairement dans l'obligation d'agir. Si j'estimais qu'un report de l'action nous permettrait de recueillir encore de meilleurs renseignements, très bien, mais, vu le dispositif de sécurité qui protège la résidence, je pense que nous détenons les meilleurs renseignements possible. Il est temps, maintenant, de prendre une décision, non pas pour savoir si nous devons ou non intervenir, mais sur la nature de cette intervention. Nous en sommes là. C'est le point de non-retour. Nous possédons assez d'informations pour que le peuple américain attende de nous que nous passions à l'acte[8]. »

Concluant cette longue discussion, Obama résuma le problème : « Très bien, les gars. En somme, il y a cinquante pour cent de chances qu'il se trouve là-bas[9]. »

Leiter avait eu aussi pour mission de mesurer le type de réaction qu'un assaut à Abbottabad provoquerait aux États-Unis et à l'étranger. Au plan international, expliqua-t-il à ses interlocuteurs, le pire était une attaque de l'ambassade des États-Unis au Pakistan par des manifestants. Ce serait une réédition de ce qui s'était produit en 1979, quand l'immeuble de l'ambassade à Islamabad, l'une des plus importantes du monde, avait été investie par une foule en colère et réduite en cendres. Leiter et son équipe s'étaient penchés aussi sur les menaces potentielles émanant de terroristes locaux qui, apprenant la nouvelle de la mort de Ben Laden, risquaient de s'attaquer à des installations militaires américaines ou à des bâtiments gouvernementaux.

Obama laissa à chacun l'occasion de s'exprimer. Vers la fin de la réunion, toujours méthodique, il procéda à un tour de table et questionna tous les participants : « Quel est votre position ? Qu'en pensez-vous ? »

Ses interlocuteurs, de hauts responsables, firent presque tous précéder leur réponse de cette formule : « Monsieur le

Président, c'est une décision très difficile[10] », ce qui eut le don de provoquer les rires dans la *Situation Room*, seul moment de détente d'une réunion de deux heures extrêmement intenses[11].

Le vice-président Joe Biden, élu pour la première fois au Sénat alors qu'Obama n'avait que onze ans et qui en avait présidé la Commission des Affaires Étrangères, redoutait les retombées du raid au plan local : de possibles échanges de tirs avec les Pakistanais ou un incident à l'ambassade des États-Unis à Islamabad. « Il nous faudrait plus de certitudes que Ben Laden soit là-bas, recommanda-t-il. Les risques d'altérer nos relations avec le Pakistan sont d'une telle importance qu'il faut qu'on en sache davantage avant d'agir. Vous savez, ajouta le vice-président en se référant à la discussion précédente où il n'avait été question que de pourcentages de réussite et de calcul de risque, je n'avais pas saisi que nous avions tant d'économistes autour de cette table. Nous sommes tenus d'apporter au président une réponse directe. Alors, monsieur le Président, mon conseil, le voici : n'y allez pas[12]. »

Quant à Robert Gates, il restait toujours aussi frileux. « L'option du raid comporte un niveau de risque qui me gêne. Je serais plus à l'aise avec une option de type frappe chirurgicale[13]. » Comme à plusieurs reprises déjà lors de réunions précédentes avec Obama, il invoqua de nouveau les incidents liés aux opérations *Eagle Claw* et *Black Hawk Down*. Le secrétaire à la Défense rappela au cabinet de guerre du président qu'il était à la Maison-Blanche la nuit où la mission *Eagle Claw* avait capoté.

Gates et Biden soulignèrent qu'un raid à Abbottabad entraînerait sans doute une rupture permanente des relations de l'Amérique avec le Pakistan et signifierait la fin des deux corridors terrestre et aérien à travers le territoire pakistanais, essentiels à l'approvisionnement des cent mille soldats américains en opération dans le pays voisin, l'Afghanistan. Cela voudrait dire, aussi, la fin de la permission accordée par les Pakistanais, certes à contrecœur, d'utiliser leur territoire pour le lancement d'attaques de drones – des attaques qui s'étaient révélées dévastatrices pour les chefs d'Al-Qaïda dans les régions tribales du Pakistan. Avec Gates et Biden qui se méfiaient toujours[14] de renseignements largement fondés sur des présomptions et qui redoutaient les séquelles d'un tel raid sur les relations, jugées essentielles, entre Islamabad et Washington, c'étaient deux des trois plus hauts responsables de l'administration d'Obama qui se prononçaient contre l'assaut héliporté du SEAL[15].

Jamais le principal conseiller militaire du président, l'amiral Mike Mullen, chef d'état-major interarmées, n'avait préparé de présentation pour le chef de l'exécutif avec autant de minutie[16]. Utilisant une dizaine de diapos accompagnées de notes, il exposa au président le tout dernier schéma de déroulement du raid. Il lui indiqua qu'il avait assisté à une répétition grandeur nature et lui certifia que c'était « dans les cordes de l'équipe de Bill McRaven[17] ». Ce vigoureux plaidoyer de l'amiral en faveur du raid ne lui ressemblait guère, car sur les questions de sécurité nationale les plus essentielles, Gates et lui étaient généralement en phase comme, par exemple, sur l'organisation d'une campagne de contre-insurrection à grande échelle en Afghanistan. Mais, cette fois, le secrétaire à la Défense et son chef d'état-major interarmées défendaient deux lignes de conduite différentes.

Pour sa part, le général Cartwright préférait, pour supprimer Ben Laden, le déploiement de minimunitions tirées par un drone, une option qui demeurait ouverte depuis la réunion du 28 avril. La plus petite des bombes couramment employées par l'US Air Force pesait 250 kilos. Par comparaison, le général défendait un type d'engin au calibre limité, ce que l'on appelait de petites munitions tactiques, ou STM[18] (*small tactical munitions*). Ces trois dernières années, Raytheon avait une bombe de ce type, de 6,5 kilos, longue de 60 centimètres, guidée par un système GPS. Cette minibombe, cependant, n'allait pas sans poser quantité de problèmes. On n'avait encore jamais tiré une telle arme en situation de combat et, comme l'engin était guidé par GPS, il opérait en mode « *fire and forget* » (« tire et oublie »), signifiant que l'on ne pouvait plus ajuster la trajectoire en vol, comme avec une bombe à guidage laser. Et si cette arme expérimentale n'explosait pas ? Et si elle manquait sa cible ? Et si elle n'atteignait pas la bonne cible et tuait quelqu'un d'autre ? Et si elle explosait sur la cible, mais sans la tuer ? Chacun de ces scénarios déboucherait sur la réédition des attaques de missiles de croisière ordonnées par Bill Clinton, en août 1998, pour supprimer Ben Laden après les attentats contre deux ambassades américaines en Afrique. Ces missiles avaient manqué leur cible, contribuant ainsi à transformer le chef d'Al-Qaïda en célébrité mondiale.

Hillary Clinton se livra ensuite à une longue présentation dans laquelle elle passait en revue les avantages et les inconvénients, politiques et juridiques, de l'option du raid. Elle demeura dans un certain flou jusqu'à ce qu'elle précise son opinion : « Le résultat est très imprévisible, mais je dirais : Allez-y. Ce raid, lancez-le[19]. » Aujourd'hui, elle évoque cette réunion en ces termes : « Si je me suis astreinte à un long exposé, c'est parce que le président est un homme qui prend ses décisions de manière très réfléchie, très analytique, et il écoutera davantage une argumentation exempte de passion ou d'émotion. Je voulais donc lui exposer de façon méthodique les aspects positifs et négatifs des différentes options, tels que je les concevais. Et, en conclusion, au vu de l'enjeu, lui dire que c'était, selon moi, le moment de prendre une décision, quels qu'en soient les risques ».

Quand ce fut son tour de s'adresser à Barack Obama, Leiter lui tint ce langage :

« Monsieur le Président, en premier lieu, je choisirais d'attendre et de recueillir plus [de renseignements], mais les agents sur le terrain me disent qu'on ne peut rien récolter de plus sans prendre de risques excessifs. Et, sur ce point, je ne peux pas mettre leur parole en doute[20]. » Il se prononça aussi en faveur de l'emploi de munitions tirées par des drones, car il jugeait les risques politiques d'une telle attaque bien plus modérés que ceux d'un raid.

Leon Panetta, qui avait été le chef de cabinet de Bill Clinton après avoir siégé neuf ans comme parlementaire, n'était pas un novice en politique. Au terme d'une argumentation convaincante, il se prononça en faveur du raid, et pour passer à l'action dès que possible.

« Monsieur le Président, ayant moi-même exercé un mandat électif, j'ai toujours eu recours à un test très simple : si l'Américain moyen était informé de notre conversation, comment réagirait-il ? Eh bien, à mon avis, si vous lui annonciez que nous disposons des meilleurs renseignements depuis Tora Bora, que nous avons une chance d'atteindre le terroriste le plus dangereux du monde, l'homme qui nous a attaqué le 11 Septembre, il nous dirait : Il faut y aller[21] ! » Hillary Clinton ajouta une remarque en lien direct avec le propos de Panetta : au vu du nombre de gens déjà informés de ces renseignements sur Ben Laden, il y avait à prendre en compte un risque de fuites[22].

John Brennan, le principal conseiller du président en matière de contre-terrorisme, se prononça avec insistance en faveur du raid. Il avait déjà affirmé au président, en tête à tête, que les responsables de la CIA qui avaient exploité les renseignements d'Abbottabad « avaient suivi Ben Laden depuis quinze ans. C'était l'œuvre de leur vie, et ils sentaient, au fond de leurs tripes, que Ben Laden était là-bas, dans cette propriété. Je suis assez convaincu, et même certain, qu'il se trouve dans cette résidence[23]. »

Denis McDonough, conseiller adjoint à la Sécurité nationale, et son supérieur, Tom Donilon, soutenaient aussi l'idée du raid. Ben Rhodes, Michele Flournoy, Tony Blinken, Mike Vickers, Robert Cardillo et Nick Rasmussen[24] avaient tous appuyé cette option, comme le directeur du Renseignement national, Jim Clapper.

« C'est le choix qui présente le plus de risques, admit ce dernier, mais à mon avis, le plus important, dans cette affaire, c'est que nous disposons d'yeux, d'oreilles et de cerveaux sur le terrain. »

Obama écouta attentivement l'avis de ses conseillers, mais il garda son opinion pour lui[25]. L'un des responsables présents dans la pièce, qui avait assisté à d'innombrables réunions avec le chef de l'exécutif, a eu cette observation : « Il est très difficile de lire dans ses pensées. C'est un introverti, un cérébral. » La réunion tirant à sa fin, vers 19 heures, le président prit la parole.

« C'est une décision épineuse, et je ne suis pas prêt à trancher pour l'instant. J'ai besoin d'y réfléchir. La nuit porte conseil. Je vous communiquerai mes ordres demain matin[26]. »

Obama savait que le fardeau de cette décision pèserait sur ses épaules pour le restant de ses jours[27]. « Le plus difficile, estimait-il, c'est que l'on envoie des types s'exposer au danger. À partir de là, il y a quantité d'éléments qui peuvent mal tourner. Il y a beaucoup de variables. Mon principal souci, c'était que, si j'envoyais ces hommes là-bas, et si la loi de Murphy venait à s'appliquer, si quelque chose arrivait, pourrions-nous les tirer de là ? Ça, c'est le premier point. Le deuxième point, ces types pénètrent sur place dans la nuit noire. Et ils ne savent pas sur quoi ils vont tomber. Ils ignorent si les bâtiments sont piégés. Ils ignorent si des explosifs ne seront pas déclenchés par l'ouverture d'une porte. Ils prennent des risques énormes[28]. » Malgré ces risques, Obama décida d'écarter l'option du drone : « J'ai jugé que si nous entrions sur le territoire d'un État souverain, il serait important de détenir la preuve qu'il s'agissait bien de Ben Laden, au lieu de nous borner à tirer un missile sur un ensemble résidentiel[29]. » Et puis, même si cela se jouait à cinquante-cinquante, le président était convaincu à cent pour cent de la capacité de McRaven et des Seals à exécuter cette mission[30].

Obama avait parfaitement conscience de l'ampleur des enjeux : « Évidemment, j'avais compris que si nous allions à l'échec, il y avait non seulement un risque de pertes en vies humaines – ces Seals au courage exemplaire qui allaient investir les lieux –, mais aussi celui de conséquences géopolitiques considérables[31]. » Le président ne pouvait s'empêcher de se poser la question : « Et si ce promeneur mystérieux était un prince de Dubaï qui veut rester discret[32] ? »

Obama avait toujours su prendre des risques, fût-ce de façon très méthodique. Après tout, en n'ayant siégé que deux ans au Sénat, il avait su s'attaquer à Hillary Clinton, censée remporter à coup sûr l'investiture démocratique en vue de la présidentielle de 2008. En 2009, le président Obama, candidat « antiguerre », avait triplé les effectifs en Afghanistan par rapport aux troupes déployées par le président Bush[33]. Quand les Égyptiens se soulevèrent contre leur dictateur octogénaire, Hosni Moubarak, en février 2011, le président, contre l'avis de la quasi-totalité de son cabinet – qui défendait l'idée que « de deux maux, il fallait choisir le moindre » –, téléphona au raïs et lui annonça qu'il était temps de passer la main[34]. En mars 2011, alors que Mouammar al-Kadhafi s'apprêtait à écraser le mouvement d'opposition naissante en Libye, il ne fallut au président américain que quelques jours pour intervenir auprès des Nations unies et de l'OTAN avant de mettre en branle la campagne miliaire qui renverserait le dictateur libyen, une campagne qui fut vertement critiquée sur sa gauche comme sur sa droite[35]. Robert Gates et Joe Biden avaient, tous les deux, déconseillé au chef de l'exécutif de s'engager en Libye[36].

Malgré les avertissements du vice-président sur les dégâts irréparables qu'un raid sur Abbottabad causerait aux relations américano-pakistanaises, Obama estimait que celles-ci pourraient encaisser le choc, en particulier si l'on faisait des efforts pour aplanir aussitôt ce qui devait l'être. Et pour ceux qui avançaient que la meilleure méthode consisterait à attendre et à réunir davantage de renseignements irréfutables, Obama avait jugé, dès la mi-avril, que ces renseignements ne seraient jamais absolument certains. Maintenant qu'on en savait plus sur Abbottabad subsistait le risque très réel d'une fuite si l'on attendait trop[37] et, peut-être, l'opportunité de retrouver Ben Laden serait alors à jamais perdue.

Certaines décisions d'Obama, quoique mûrement réfléchies, n'en sont pas moins des coups de dés. Face à l'enjeu, il était prêt à ne pas tenir compte des avis de son vice-président et de son secrétaire à la Défense, et à jouer encore une fois son va-tout. « Même si je pensais qu'il n'y avait que cinquante pour cent de chances qu'Oussama soit bien là-bas, j'estimais que ça valait le coup. [...] Et ça valait le coup parce que nous avions versé beaucoup de sang et consacré beaucoup d'argent à combattre Al-Qaïda, depuis 2001. Et même bien avant, avec l'attentat à la bombe de notre ambassade au Kenya. Donc, en mon for intérieur, je gardais à l'esprit tous ces jeunes hommes auxquels j'avais rendu visite, qui combattaient encore en Afghanistan, aux familles des victimes du terrorisme que j'avais rencontrées. Je me suis dit que si nous avions une chance, non pas de vaincre, mais de gravement affaiblir les capacités combattantes d'Al-Qaïda, elle valait la peine de courir ces risques politiques et les dangers qu'allaient affronter nos hommes[38]. »

Le vendredi 29 avril à 8 h 20, dans la *Diplomatic Reception Room* de la Maison-Blanche, le président réunit Tom Donilon, McDonough, Brennan et son directeur de cabinet, Bill Daley, tous assis en demi-cercle autour de lui[39]. « Y a-t-il du nouveau ? demanda-t-il. Avez-vous changé d'avis concernant ce raid ? » Ses conseillers lui répondirent que c'était la meilleure chose à faire, et ils lui recommandaient vivement d'aller de l'avant.

Il leur répondit simplement : « J'ai réfléchi à cette décision : on y va. Et la seule chose qui nous en empêcherait, ce serait que Bill McRaven et ses gars considèrent que la météo ou les conditions au sol accroissent les risques pour nos forces[40]. »

Il donna pour instruction à Donilon de transmettre les ordres qui engageaient l'opération. « Cela fait longtemps que j'évolue à Washington, confie ce dernier. Je suis entré à la Maison-Blanche pour la première fois en juin 1977. Obama est le troisième président sous lequel je sers, et je trouve ces moments-là toujours aussi saisissants, quand nous exigeons d'une seule personne, le chef de l'exécutif, qu'elle prenne seule ce type de décision d'une incroyable difficulté, au nom de trois cents millions d'Américains[41]. »

Peu après, Tony Blinken apprit la nouvelle. « Je me suis dit : "Mon vieux, il en faut, du cran". D'abord, nous ne sommes pas sûrs que Ben Laden soit sur place ; nous nous fondons sur des présomptions. Ensuite, la majorité de ses principaux conseillers étaient sur une autre ligne. Je n'étais pas sûr, la veille, que le président y aille. Je me suis dit que le souvenir de Jimmy Carter avait dû, ce jour-là, traverser l'esprit de pas mal de gens[42]. »

Immédiatement après avoir donné son feu vert pour Abbottabad, Obama embarqua à bord de *Marine One*, l'hélicoptère présidentiel, à 8 h 30, avec sa famille, pour un saut de puce jusqu'à Andrews Air Force Base, où ils devaient ensuite s'envoler avec *Air Force One* pour Tuscaloosa, dans l'Alabama, l'une des villes les plus durement touchées par une semaine de tornades qui s'étaient abattues sur huit États. « Je n'ai jamais vu pareille dévastation[43]. »

Pendant ce temps, Donilon signait une autorisation officielle pour l'opération d'Abbottabad[44]. Vers la même heure, des agents du consulat américain de Peshawar, dans le nord-ouest du Pakistan – non loin des zones tribales où Al-Qaïda et un certain nombre de groupes talibans avaient leur quartier général – reçurent l'ordre d'évacuer[45]. Cet ordre se référait à de récentes menaces d'enlèvement, mais, en réalité, il était lié à l'opération imminente.

Cet après-midi-là, le président s'envolait pour le centre spatial Kennedy[46], en Floride, où il retrouva l'élue démocrate de l'Arizona à la Chambre des représentants, Gabrielle Giffords, qui se remettait lentement de ses lésions cérébrales, après qu'un forcené lui eut tiré dessus. Il devait ensuite assister au lancement de la navette *Endeavor*, commandée par le mari de Gabrielle Giffords, Mark Kelly. Et, dans la soirée, il allait prononcer une allocution pour la remise des diplômes de l'université de Miami Dade College, avant de rentrer à la Maison-Blanche à 23 h 30.

Au quartier général du JSOC en Afghanistan sur la base de Bagram au nord de Kaboul, son commandant, l'amiral McRaven, faisait visiter les lieux à une délégation de visiteurs du Congrès. Il ne fit aucune allusion à l'opération qu'il était sur le point de lancer, la plus importante de sa vie.

Au cours de cette longue journée, en Alabama et en Floride, le président sut aussi cacher son jeu. Il confia plus tard que l'opération d'Abbottabad « me pesait, mais vous savez, une chose que je n'ai cessé d'apprendre dans l'exercice de mes fonctions, c'est que le président doit savoir faire plus d'une chose à la fois ».

L'une de ces choses, justement, consistait à prendre ce samedi soir la parole au dîner des correspondants de presse de la Maison-Blanche – ce qui ressemble le plus à une cérémonie des Oscars dans cette ville de Washington assez collet monté. Il s'agit là d'un rituel annuel vieux de plusieurs décennies, où le président et à peu près tout ce que l'administration compte de hauts responsables – et d'autres individus convaincus de leur haute importance – se retrouvent avec la presse du Tout-Washington pour un dîner en tenue de soirée. Ajoutant un peu de clinquant à l'événement, les barons de la presse new-yorkaise sont également présents, ainsi qu'une pincée de stars hollywoodiennes et quelques poids lourds du monde des affaires. L'attraction de la soirée voit généralement l'intervention d'un comique qui éreinte gentiment les politiques des deux bords, avant que le président ne décoche à son tour quelques flèches à ses contempteurs et à la presse.

À l'insu des journalistes de Washington, ce dîner des correspondants de presse 2011 avait été l'objet d'une intense discussion, ces derniers jours, dans la *Situation Room*. Fallait-il reporter l'opération d'Abbottabad après cette date ? Il y avait de bonnes raisons d'envisager un tel report, car, si le raid tournait mal, l'idée consistait à maintenir le secret, ce qui ne serait guère facile si à peu près tous les hauts responsables de la Sécurité nationale présents au dîner se levaient d'un coup et quittaient la salle pour aller gérer les retombées d'un raid raté. Dans le même ordre d'idées, si le président annulait son apparition à ce dîner à la dernière minute, la presse flairerait sûrement qu'il se tramait quelque chose et se mettrait à enquêter sur les causes de cette annulation. Certains hauts responsables avancèrent l'idée d'égarer les journalistes en annonçant que le président avait la grippe. Si, enfin, l'administration retardait l'opération et s'il se révélait qu'elle avait manqué l'occasion de supprimer Ben Laden à cause de ce dîner, ce serait un désastre de relations publiques de proportions apocalyptiques.

Obama était réticent à l'idée de reporter l'opération après le dîner des correspondants de presse. « Le seul élément qui devait m'inciter à donner ou non le feu vert à cette mission, c'était les exigences du SEAL sur le terrain », précisa-t-il. Le vendredi soir, ce débat n'avait plus d'objet, car on prévoyait pour le lendemain soir une couverture nuageuse trop dense au-dessus du nord du Pakistan. McRaven décida de repousser la mission de vingt-quatre heures, au dimanche soir[47].

Le samedi après-midi, s'accordant une pause pendant la répétition de son discours du dîner des correspondants de presse, Obama appela McRaven[48] pour un dernier point sur la situation, car en Afghanistan, la soirée de samedi était déjà très avancée. Au cours de cette conversation de douze minutes, McRaven lui affirma qu'ils étaient prêts. Le président conclut cet appel par ces mots : « Je ne saurais mieux placer ma confiance qu'en vous et en votre unité. Bonne chance à vous et à vos hommes. Transmettez-leur, je vous prie, mes remerciements personnels pour leur dévouement, ainsi que ce message : Je vais suivre personnellement cette mission de très près[49]. »

L'opération *Neptune Spear* (« lance de Neptune ») était désormais lancée. Le nom de la mission faisait référence au trident du dieu romain des mers et des océans, repris sur tous les écussons que l'on remet aux hommes qualifiés pour intégrer le SEAL.

À 19 heures, samedi, Barack et Michelle Obama se présentèrent comme prévu dans la salle de banquet, aux allures de vaste caverne, de l'hôtel Hilton, à Washington, le président en smoking et la *First Lady* en robe sans manches de soie marron, au décolleté plongeant. Obama, qui repassait dans un coin de sa tête tous les détails de l'opération d'Abbottabad[50], réussit tout de même, après le dîner, à gratifier son auditoire d'un monologue désopilant tournant principalement autour de la controverse montée de toutes pièces sur la réalité de sa citoyenneté américaine[51]. Donald Trump, milliardaire plutôt imbu de sa personne et présentateur d'une émission de la chaîne NBC intitulée *Celebrity Apprentice*, avait le plus donné de la voix pour remettre en cause la citoyenneté du président. Il se trouvait dans la salle lorsque le chef de la Maison-Blanche entama son discours en ces termes : « Mes chers compatriotes [...] Donald Trump est avec nous ici, ce soir ! Maintenant, je sais qu'il s'est fait un peu descendre en flammes, ces derniers temps, mais personne n'est plus ravi, personne n'est plus fier que "notre" Donald d'enterrer cette histoire d'acte de naissance parce qu'il peut enfin se concentrer sur les questions essentielles. Celle-ci, par exemple : avons-nous vraiment marché sur la Lune ? [...] Bon, trêve de plaisanteries, nous connaissons tous l'ample expérience de Donald [Trump]. Par exemple – non, là, je suis sérieux, tout récemment, dans un épisode de *Celebrity Apprentice* – dans la séquence du restaurant de viande, l'équipe des cuisiniers n'a pas fait très forte impression sur le jury. Et vous, mister Trump, vous avez su cerner le véritable problème : un manque de leadership. Et donc en fin de compte, vous n'avez pas voulu faire porter le chapeau aux exécutants, vous avez viré le chef. Moi, c'est le genre de décisions qui m'empêche de trouver le sommeil. » Et Donald Trump dut subir les piques soigneusement ajustées du président avec un sourire navré.

Ce soir-là, dans la salle, on comptait parmi les autres rieurs plusieurs protagonistes de l'opération Ben Laden alors imminente ; Leon Panetta, Robert Gates, Tom Donilon, l'amiral Mike Mullen, Mike Vickers, et le chef de cabinet de la Maison-Blanche, Bill Daley. À un moment, le maître de cérémonie, le comique Seth Meyers, lâcha une blague à propos de la longue traque de Ben Laden. « Les gens se figurent que Ben Laden se cache dans l'Hindou Kouch, ironisa-t-il, mais savez-vous que tous les jours, de 16 heures à 17 heures, il anime une émission sur C-SPAN[52] ? » Le président ponctua l'allusion d'un énorme éclat de rire.

Le présentateur d'ABC News, George Stephanopoulos, avait eu vent du fait que, chose assez inhabituelle, la Maison-Blanche serait fermée aux visites le lendemain. Bavardant avec Bill Daley, Stephanopoulos le sonda sur le sujet : « Dites, jeunes gens, il y a un gros coup sur le feu, chez vous ? » Sur l'instant, Daley prit peur, mais il se ressaisit, et lui répliqua benoîtement : « Oh non. Juste un souci de plomberie. » Une explication dont Stephanopoulos parut se satisfaire[53].

À quelques rues de là, à Meridian House, une demeure chargée d'histoire, Michael Leiter épousait Alice Brown. Le juge qui officiait, Laurence Silberman, avait dirigé la commission d'enquête chargée d'examiner ce qui avait conduit la CIA à conclure, à tort, que Saddam Hussein avait reconstitué son arsenal d'armes de destruction massive. Dans moins de vingt-quatre heures, l'Agence aurait amplement l'occasion d'effacer le souvenir de ce sombre chapitre de son histoire. Ou de se retrouver, une fois encore, en fâcheuse posture.

13.

N'allume pas la lumière

Juste après minuit, les occupants de la résidence de Ben Laden furent réveillés en sursaut par des bruits d'explosion très proches. La fille de Ben Laden, Maryam, âgée de vingt ans, monta à toute vitesse dans la chambre de son père, au dernier étage, pour lui demander ce qui se passait.

« Redescends te coucher », lui répondit-il[1].

Puis il se tourna vers sa femme Amal.

« N'allume pas la lumière[2]. »

C'était un avertissement inutile. Quelqu'un – on ne sait qui – avait eu la bonne idée de couper l'alimentation électrique du quartier, ce qui donnait au SEAL un avantage, par cette nuit sans lune[3]. Ce devait être, aussi, les dernières paroles que prononcerait Oussama ben Laden.

Six heures plus tôt, vers 8 heures du matin, heure de la côte Est des États-Unis, dimanche 1er mai, les conseillers à la Sécurité nationale d'Obama arrivèrent les uns après les autres à la Maison-Blanche[4]. Certains firent un détour par le Star-bucks le plus proche, afin de se charger en caféine avant ce qui serait à l'évidence une longue journée. Et il y en avait bien un ou deux qui avaient la gueule de bois, après avoir assisté au dîner des correspondants de presse, la veille au soir. Le conseiller adjoint à la Sécurité nationale, Denis McDonough, s'était rendu au mariage de son ami Mike Leiter[5]. Après une courte nuit – « Enfin, quoi, c'était mon mariage ! » –, Leiter, qui avait déjà reporté son voyage de noces, annonça à sa jeune épouse qu'il devait se rendre à la Maison-Blanche pour d'importantes réunions. « Je risque d'être retenu assez longtemps. Je ne peux pas te dire pourquoi. Tu comprendras plus tard[6] », lui confia-t-il. Ce matin-là, Leon Panetta s'était levé tôt. En se rasant, il se regarda dans le miroir et se dit : « La prochaine fois que je me regarderai dans la glace, ou nous aurons accompli quelque chose de capital, ou je vais devoir m'expliquer devant pas mal de gens. »

Les principaux responsables de la Sécurité nationale veillèrent à se comporter comme si de rien n'était. Comme à son habitude de bon catholique pratiquant, Panetta se rendit à la messe[7]. Vers 9 h 45, le président Obama quitta la Maison-Blanche pour son parcours de golf habituel à la base Andrews de l'Air Force, mais ne joua que neuf trous. À 10 heures, la réunion des adjoints commença. Les membres de ce sous-cabinet avaient tous devant eux d'épais rapports[8] contenant diverses options sous les rubriques « ramifications » et « suites », couvrant à peu près tous les imprévus susceptibles de se présenter durant l'opération *Lance de Neptune*[9].

Vers midi, les premiers couteaux du cabinet arrivèrent à la Maison-Blanche. Pour ne pas attirer l'attention, les limousines blindées des membres du gouvernement, comme Hillary Clinton, ne furent pas garées à leur emplacement habituel, à proximité de l'aile ouest où les journalistes accrédités, toujours à l'affût, auraient pu les repérer[10]. La Maison-Blanche avait, aussi, annulé les visites guidées, pour que les touristes ne s'étonnent pas de toutes ces étranges allées et venues. Katie Johnson, la secrétaire personnelle du président, avait prévu une visite pour les stars du film *Very Bad Trip*, car elles étaient dans la capitale pour le dîner de la veille au Hilton, et elle demanda à Ben Rhodes si elle pouvait faire pour elles une exception. Rhodes lui répondit que ce serait impossible[11].

L'équipe en charge de la sécurité nationale à la Maison-Blanche avait installé dans la *Situation Room* un dispositif de communication sécurisé[12] relié à l'amiral McRaven, qui se trouvait à présent à Jalalabad, dans l'est de l'Afghanistan. La « Sit Room » était aussi en liaison sécurisée avec les bureaux de Panetta au siège de la CIA et avec l'Ops Center, le centre opérationnel du Pentagone où le général Cartwright guettait tous les rapports de renseignement émanant du terrain. Il disposait d'une équipe d'une trentaine d'officiers prête à réagir à toutes les urgences[13]. Cette équipe avait créé une matrice opérationnelle couvrant toutes les éventualités : un hélicoptère cloué au sol, Ben Laden capturé vivant, Ben Laden mort, Ben Laden blessé, ou, dernier cas de figure, que l'occupant de la résidence ne soit pas Ben Laden. La principale préoccupation de Cartwright était que la plus grande école militaire pakistanaise se situait à moins de deux kilomètres de la propriété[14]. Que se passerait-il si, pour une raison ou pour une autre, une unité importante de soldats était debout, à cette heure de la nuit, et tombait pile sur leur opération ? Cela pourrait dégénérer en bataille rangée. Si les troupes d'Islamabad faisaient soudain irruption en force, le plan des Seals consistait à éviter tout échange de tirs et à rester retranchés dans la résidence[15], pendant que les hauts responsables militaires américains, à Washington, tentaient de négocier leur sortie en toute sécurité. Mais avec la force de réaction rapide (la Quick Reaction Force, ou QRF) embarquée à bord des hélicoptères Chinook, les Seals disposaient d'assez de puissance de feu et de renforts pour s'extraire de là en combattant, si nécessaire[16].

À 13 heures, horaire de la côte Est des États-Unis, alors que la nuit tombait à plus de 11 000 kilomètres de là, au Pakistan, le cabinet de guerre d'Obama entamait sa réunion dans la *Sit Room*[17]. Sur l'autre rive du Potomac, à Langley, en Virginie, Panetta se trouvait dans une vaste salle de réunion, au dernier étage du quartier général de la CIA. Cette salle avait été transformée en centre de commandement, avec des cartes aux murs, des ordinateurs qui suivaient le déroulement de l'opération et deux grands écrans affichant des retransmissions vidéo sécurisées, l'un relié à la *Situation Room*, l'autre à l'amiral McRaven à Jalalabad[18].

« Votre avis ? demanda Panetta au directeur adjoint de la CIA, Michael Morell.

— Je ne serais pas surpris que Ben Laden soit là-bas. Et je ne serais pas surpris qu'il n'y soit pas, lui répondit-il.

— Moi, c'est pareil », acquiesça Panetta.

L'amiral Eric Olson, un ancien du Black Hawk Down en Somalie, en 1993, se trouvait parmi les observateurs au siège de la CIA. Désormais commandant des opérations spéciales, Olson, décoré d'une Silver Star « pour actes de bravoure » à Modigadiscio, avait une conscience aiguë de tout ce qui pouvait mal tourner au cours d'un assaut héliporté dans une ville étrangère.

Le directeur de la CIA exposait les derniers développements aux hauts responsables de la Maison-Blanche au fur et à mesure que McRaven les lui communiquait. Officiellement, Panetta exerçait la maîtrise de l'opération[19], afin qu'elle reste secrète et que l'exécutif puisse se ménager une possibilité de démenti au cas où Ben Laden ne serait pas dans la résidence – à condition que les Pakistanais ne détectent pas le raid. Mais ce « commandement » et cette « maîtrise » de l'opération par la CIA étaient purement fictifs ; le véritable patron, c'était McRaven.

À 13 h 22, Panetta lui ordonna de lancer le raid[20]. « Entrez là-dedans, attrapez Ben Laden, et s'il n'y est pas, ressortez dare-dare ! »

À 14 heures, alors que débutait l'opération *Lance de Neptune*, Obama rentrait de son parcours de golf et se rendit immédiatement dans la *Sit Room* pour une dernière réunion avec son équipe de sécurité nationale. À 14 h 05, Leon Panetta procédait à un dernier récapitulatif de l'opération[21].

Il était maintenant plus de 23 heures à Abbottabad, et toute la maisonnée Ben Laden était couchée. En raison de la différence d'heure entre le Pakistan et l'Afghanistan, il était tout juste 22 h 30 à Jalalabad, où l'équipe du SEAL, composée de vingt-trois « opérateurs » et un interprète – un « *terp* », en jargon militaire – se préparaient à embarquer à bord des deux Black Hawk[22]. Ces appareils allaient les transporter sur près de 250 kilomètres vers l'est, où ils seraient peut-être confrontés à l'homme responsable du massacre de civils le plus meurtrier de l'histoire américaine. Ces hommes étaient munis de petites fiches remplies de photos et de descriptifs de la famille de Ben Laden et de membres de son entourage, dont on pensait qu'ils habitaient dans la résidence[23]. Un chien de combat, Cairo, était aussi de l'opération, protégé par un gilet pare-balles, tout comme ses équipiers du SEAL[24].

Une trentaine de minutes plus tard, vers 23 heures, les deux Black Hawk décollaient de l'aérodrome de Jalalabad et mettaient le cap en direction de la frontière pakistanaise, qu'ils franchiraient après une quinzaine de minutes[25]. Les appareils MH-60 étaient modifiés de manière à échapper à la détection des stations radar pakistanaises, qui étaient en mode « temps de paix »[26], contrairement aux installations basées à la frontière commune du Pakistan avec son ennemi de longue date, l'Inde, toujours en état d'alerte renforcée. Peints de couches d'émulsion ultrasophistiquées conçues pour les aider à échapper aux ondes radar, les MH-60 dissipaient aussi une faible « signature » thermique en vol, et leur rotor de queue avait été conçu pour les rendre moins bruyants et moins susceptibles d'être identifiés par radar. En outre, les hélicoptères volaient en « NOE » (*nap of the earth*), au ras du sol[27], autrement dit dangereusement bas et vite, très vite – à quelques mètres au-dessus du relief, en se faufilant entre les arbres, en enfilant le lit des rivières et le fond des vallées qui s'enfonçaient dans les contreforts de l'Hindou Kouch. Cela aussi les rendait difficilement détectables par radar. Après avoir effacé la frontière pakistanaise, les hélicos virèrent au nord de Peshawar, loin de ses millions d'habitants et de leurs millions de paires d'yeux. Au total, le temps de vol jusqu'à l'objectif ne dépasserait pas une heure et demie[28].

Le secret entourant ce raid était si complet que, sur les cent cinquante mille soldats des États-Unis et de l'OTAN déployés en Afghanistan, le seul qui en ait été informé, par une note trois jours plus tôt, était leur commandant en chef, le général David Petraeus[29]. Comme presque toutes les nuits, en territoire afghan, les forces spéciales avaient une douzaine d'opérations en cours, destinées à capturer ou à supprimer certains commandants de groupes d'activistes[30]. Le raid contre Ben Laden était d'un autre ordre, non seulement en raison de sa cible, mais aussi parce qu'il avait lieu sur le territoire d'un pays dont les États-Unis étaient officiellement les alliés, sans que celui-ci en ait été informé.

Peu avant minuit, Petraeus entra tranquillement dans le centre d'opérations du quartier général de l'OTAN et pria tout le monde de bien vouloir sortir, excepté un officier. Ensuite, il ouvrit sur l'écran d'un ordinateur une fenêtre de discussion cryptée en temps réel qui lui permettrait de suivre l'opération. Si nécessaire, le général était prêt à ordonner aux appareils américains basés en Afghanistan de riposter aux avions de chasse pakistanais qui auraient tenté d'intercepter ou même d'attaquer les hélicoptères américains[31].

Une fois les deux Black Hawk à l'intérieur de l'espace aérien pakistanais, trois hélicoptères Chinook, chacun de la taille d'un autobus, décollèrent de l'aérodrome de Jalalabad[32]. L'un d'eux atterrit juste avant la frontière de l'Afghanistan avec le Pakistan, et deux autres poursuivirent leur vol jusqu'à Kala Dhaka[33], dans la région montagneuse de Swat, à environ quatre-vingts kilomètres au nord-ouest d'Abbottabad, où ils atterrirent en terrain plat, sur une sorte de plage le long des rives de l'Indus, un fleuve au lit très large. Cette partie du Nord-Pakistan était très peu peuplée et n'était contrôlée ni par les talibans ni par le gouvernement pakistanais. Les deux Chinook embarquaient la QRF, la force de réaction rapide composée d'une vingtaine de Seals qui interviendraient si leurs homologues à bord des Black Hawk rencontraient une forte résistance en atterrissant sur le site de la résidence. Les Chinook emportaient aussi des réservoirs souples de car- burant, pour ravitailler les Black Hawk lors de leur vol de retour vers l'Afghanistan.

À la Maison-Blanche, une autre salle de réunion, voisine de la *Situation Room*, peut accueillir plus d'une dizaine de hauts responsables[34] autour d'une grande table en bois verni et une vingtaine d'autres personnes, assises au second rang, sur des sièges le long des murs. Comme la *Situation Room*, cette salle de réunion est équipée de communications téléphoniques et vidéo sécurisées, mais n'est meublée que d'une petite table et ne peut confortablement recevoir que sept personnes. C'est dans celle-ci que s'étaient installés le général de brigade Mar- shall B. « Brad » Webb, commandant adjoint du JSOC, impec- cable dans son uniforme bleu de l'Air Force constellé de barrettes, chargé de suivre les équipes du SEAL en temps réel sur un ordinateur portable, et un autre officier du JSOC qui le secondait. Sur les écrans vidéo de la petite salle de confé- rences, des images très grenées du raid en cours étaient retransmises par un drone furtif, le RQ-170 Sentinel, au fuselage évoquant une chauve-souris, volant à plus de trois mille mètres d'altitude au-dessus d'Abbottabad[35].

Tom Donilon, conseiller à la Sécurité nationale, s'arrêta devant la petite salle et demanda ce que faisaient ici ces deux officiers. On lui expliqua qu'ils se préparaient à débrancher leur équipement et à le transporter dans la *Situation Room*. Il s'y opposa. « Non, pas question. Éteignez-moi tout ça. Je n'en veux pas ici. »

Il ne voulait laisser à personne l'impression que le président gérait dans les moindres détails une mission militaire dont il avait approuvé le schéma. Les officiers firent observer que s'ils éteignaient leurs équipements, il n'y aurait plus aucun moyen de communiquer avec McRaven. « D'accord, admit Donilon, mais il faudra tout laisser dans cette pièce. »

Dans la salle voisine, la discussion pour savoir si le président devait suivre l'opération en direct était de plus en plus animée. « La Maison-Blanche, se rappelle Leiter, se livra à l'un de ces conciliabules interminables, comme elle seule en est capable, pour décider s'il était opportun que le président surveille le déroulement du raid en temps réel. Et si, les choses tournant mal, le président intervenait, en paroles ou en actes ? Pour ma part, je n'allais pas rester planté là à attendre que l'on tranche la question. Moi, je comptais fermement suivre l'affaire en direct[36]. »

Leiter entra donc dans la petite salle de conférences voisine pour y suivre les images transmises par le drone furtif, et il fut bientôt rejoint par des membres du cabinet.

« Lentement, un par un, ou deux par deux, ils pointaient la tête, se rappelle-t-il[37]. Le vice-président Joe Biden se glissa par la porte, puis Robert Gates et Hillary Clinton, et, tout d'un coup, la salle fut pleine, avec plusieurs hauts responsables du renseignement et du contre-terrorisme, tous en rang d'oignon contre le mur ou jetant un œil par l'encadrement de la porte pour mieux suivre le déroulement de l'action. »

L'apparition du président régla le débat sur l'opportunité qu'il assiste ou non à l'opération. « Il faut que je voie ça[38] », dit-il avant de prendre place dans un siège, sur un côté de cette pièce exiguë. Des dizaines d'autres responsables, à la CIA et au Pentagone, suivaient eux aussi la retransmission vidéo[39].

Les hommes et les femmes présents dans cette pièce de la Maison-Blanche furent informés des étapes principales de l'itinéraire des hélicoptères, alors qu'ils entraient dans l'espace aérien pakistanais et se dirigeaient vers Abbottabad. La tension était palpable. Leiter, un ancien pilote d'avions d'assaut de l'US Navy, eut ce commentaire : « La seule chose comparable, c'est d'apponter de nuit sur un porte-avions[40]. » Il y eut très peu d'échanges, si ce n'est de temps à autre un responsable qui demandait des éclaircissements sur ce qui se passait, en posant des questions du genre : « Pourquoi cet hélico se trouve-t-il à cet endroit ? Que font-ils maintenant[41] ? » Si possible, Webb répondait aussitôt à la question ; sinon, il passait un rapide coup de fil pour s'informer.

Les Black Hawk approchèrent Abbottabad par le nord-ouest. Dès que les appareils eurent atteint leur destination, l'opération soigneusement planifiée commença de dérailler. Lorsque le premier hélicoptère tenta de se poser dans la grande cour de la résidence, il perdit soudain de l'altitude. La combinaison du poids supplémentaire des équipements furtifs et de la température plus élevée que prévu à Abbottabad en avaient dégradé les performances[42], entraînant un phénomène aérodynamique d'une descente rapide[43], instable et imprévue qui n'avait pas pour cause une défaillance mécanique mais la turbulence d'une colonne d'air*. Quand les Seals avaient répété la manœuvre, sur une réplique de la résidence, aux États-Unis, les murs d'enceinte étaient représentés par une clôture grillagée, alors qu'à Abbottabad ils étaient en béton[44]. Ces murs épais décuplèrent sans doute le souffle du rotor et contribuèrent à déstabiliser l'appareil. La queue du Black Hawk écorna alors l'une des enceintes, provoquant l'arrachement du rotor de queue, une pièce essentielle. Le pilote était désormais incapable de contrôler sa ligne de vol. Très entraîné, il sut éviter un crash potentiellement catastrophique[45] en plantant le nez de l'hélicoptère dans la terre de la grande cour, où les occupants de la résidence cultivaient leur potager. Grâce à sa présence d'esprit, aucun des Seals à bord ne fut sérieusement blessé et, après s'être ressaisis, tous purent s'extraire en vitesse de l'oiseau abattu.

Les plans prévoyaient que les deux Black Hawk déposent leur vingtaine d'hommes, s'attardent sur place deux ou trois minutes avant de s'envoler vers un point de rendez-vous plus éloigné, où ils attendraient le signal de retour de l'équipe des Seals, en fin de mission. Si d'éventuels riverains notaient la

---

* On appelle cette situation un « état de vortex », quand la colonne d'air que génère le rotor entraîne l'appareil vers le sol. *(N.d.T.)*

présence de ces hélicoptères, on espérait qu'ils supposeraient qu'ils se rendent sur la base militaire voisine[46]. Maintenant, avec ce Black Hawk au sol, toute possibilité de démenti vis-à-vis du public et de la presse devenait impossible. Et, avec elle, c'était aussi l'élément de surprise qui se volatilisait.

L'air sombre, Obama vit tout cela se dérouler à l'écran, avec ces images vidéo granuleuses retransmises par le drone en vol à haute altitude au-dessus de la résidence. Elles montraient nettement que les rotors du premier hélicoptère avaient cessé de tourner. Puis le second hélicoptère, au lieu de rester en vol stationnaire et de déposer quelques Navy SEAL sur le toit du bâtiment principal du complexe, avait tout simplement disparu du cadre.

« On a pu constater qu'un des hélicoptères avait des problèmes à l'atterrissage. Donc d'entrée de jeu, tout le monde, je crois, retenait son souffle. Cela ne cadrait plus avec le scénario », explique le président[47]. « Quand nous avons compris que le premier hélicoptère était perdu, nous savions qu'il faudrait amener l'un des hélicoptères de soutien sur le site, pour procéder à l'extraction de ces hommes. Et là, ce furent des minutes de très grande tension, renchérit la Secrétaire d'État, Hillary Clinton. C'était comme un épisode de *24 heures chrono* ou un de tous ces films d'action[48]. »

Le général James Clapper, directeur du Renseignement national, accablé par les images de la chute de l'hélicoptère, était assis en face de son vieil ami Robert Gates. Il lui lança un regard. Le secrétaire à la Défense était livide[49]. « À cette minute, dit Clapper, je sais qu'il avait la gorge nouée[50]. » « Je sentais presque son cœur battre dans la pièce », ajoute l'adjoint du général, Robert Cardillo. Et le vice-président Biden, lui, égrenait les perles de son rosaire.

Au siège de la CIA, dans la salle de réunion de Panetta maintenant remplie d'une vingtaine d'officiers de l'Agence, du JSOC et de membres d'autres branches de la communauté du renseignement, tous étaient pétrifiés face aux images tremblotantes de l'hélicoptère en chute libre. Le plus grand silence régnait.

« C'est bon, ça ? » laissa échapper une analyste sur les nerfs. Elle travaillait sur le dossier Ben Laden depuis des années[51].

Avec son accent traînant du Texas, McRaven s'adressa à Panetta, sans aucun changement de ton perceptible dans la voix.

« Nous allons modifier la mission. Monsieur le directeur, comme vous le voyez, nous avons un hélicoptère au tapis, dans la cour. Mes hommes sont préparés à ce type d'urgence et ils vont la traiter[52]. »

En quelques secondes, McRaven avait pu vérifier, d'après les images en direct de l'opération, que l'équipe du SEAL à bord de l'hélicoptère accidenté était parvenue à sortir de la carcasse sans problèmes graves. Une grosse minute plus tard, il ajoutait ceci : « J'envoie la QRF sur l'objectif[53]. » Autrement dit, les Seals en attente à bord du Chinook, à vingt minutes de vol au nord du complexe, allaient maintenant décoller d'urgence pour rallier Abbottabad.

Malgré ces plans de rechange, certains responsables étaient inquiets : ils savaient pertinemment que c'était après ce genre d'incident qu'une opération pouvait dérailler. L'affrontement le plus meurtrier auquel aient jamais été confrontés les Seals avait eu lieu six ans plus tôt, à Kunar, dans l'est de l'Afghanistan, où les talibans avaient pris une patrouille de quatre de ces hommes en embuscade, et trois d'entre eux y avaient laissé la vie. La mission lancée pour tenter de les exfiltrer avait ensuite viré au fiasco, après la chute d'un des hélicoptères de sauvetage, où les huit Seals et les huit aviateurs des opérations spéciales qui se trouvaient à bord perdirent la vie[54].

Après le crash de l'appareil dans l'enceinte d'Abbottabad, la principale crainte de l'amiral Mullen était que « quelqu'un à la Maison-Blanche s'en mêle et se mette à vouloir piloter la mission dans les moindres détails. J'étais bien décidé à y faire barrage, sauf, évidemment, s'il s'agissait du président. » Mais Obama laissa la mission se poursuivre.

Sur site, trois Seals de l'hélicoptère accidenté traversèrent au pas de course le petit carré de terrain où le Black Hawk s'était écrasé et ouvrirent une porte dans l'un des murs intérieurs du complexe, qui débouchait sur une annexe indépendante[55]. Là, ils découvrirent le garage où le « Koweitien » garait sa jeep et sa camionnette, et le bâtiment d'un étage où il vivait avec sa famille. Le Koweitien pointa la tête par un portail métallique qui donnait accès à ce bâtiment. Les Seals firent usage de leurs armes, et le tuèrent de deux balles au menton. Ils blessèrent son épouse d'un projectile à l'épaule droite. Leurs armes équipées de silencieux faisaient peu de bruit. (Plus tard, on retrouva l'AK-47 du messager, près du chevet de son lit. Il paraît peu probable que l'homme ait pu tirer, étant donné l'endroit où il se trouvait et l'absence de douilles sur les lieux.)

Entre-temps, le pilote du second Black Hawk, ayant vu ce qui était arrivé au premier, s'était adapté à la situation. Le plan A consistait à rester en vol stationnaire au-dessus du toit de la chambre de Ben Laden, pour que quelques Navy Seals puissent vite descendre en rappel et surprendre leur cible dans son sommeil. Le pilote opta pour le plan B, une option plus sûre, consistant à poser son engin juste à l'extérieur des murs d'enceinte, dans un champ[56]. Un groupe de quatre Seals en sauta pour sécuriser le périmètre du complexe[57], avec l'interprète et Cairo, un malinois, un berger belge très similaire à un berger allemand. Ce chien flairerait d'éventuels « fuyards », des individus cherchant à quitter la résidence, et découragerait les voisins un peu curieux de trop s'approcher. La plupart des musulmans considèrent les chiens comme des animaux « impurs » et se méfient d'eux, en particulier des chiens d'attaque comme Cairo. L'animal avait aussi été entraîné au dépistage des chambres ou des réduits secrets, susceptibles de dissimuler Ben Laden à l'intérieur de la résidence[58]. Les huit autres Seals à bord du second hélico sautèrent à terre et placèrent une charge explosive sur une porte en acier renforcée, dans l'un des murs d'enceinte, mais après avoir fait sauter les gonds de cette porte, ils se retrouvèrent nez à nez avec un grand mur de brique. Peu après, leurs équipiers de l'hélico accidenté les firent entrer par le portail principal de la résidence, leur évitant la peine de pratiquer une brèche à l'explosif dans cette épaisse muraille extérieure[59].

Dans sa chambre du dernier étage, Ben Laden était pris au piège de son propre dispositif de sécurité. Les rares fenêtres le mettaient à l'abri des regards, mais il lui était impossible de voir ce qui se passait hors de la petite pièce qu'il partageait avec son Amal bien-aimée. Vêtu d'une *salwar kameez*, une tunique couleur fauve, le chef d'Al-Qaïda se borna à attendre une quinzaine de minutes dans l'obscurité et le silence, comme mentalement paralysé, alors que les Américains investissaient son dernier refuge[60]. Sans lune et sans électricité, il y faisait noir comme dans un four, ce qui dut ajouter à sa confusion. Il avait sur lui, cousus dans la doublure de son vêtement, quelques centaines d'euros et deux numéros de téléphone, ceux d'un cellulaire au Pakistan et celui d'un centre de communications situé dans les régions tribales du même Pakistan. Le plan d'évasion de Ben Laden s'arrêtait là et ne lui serait à présent d'aucune aide[61].

Empruntant une porte en métal percée dans un mur intérieur, trois Seals débouchèrent de la bâtisse d'un étage du Koweitien sur la pelouse d'une cour, face à la maison principale. Ils pénétrèrent au rez-de-chaussée. Ils trouvèrent sur leur gauche une chambre où ils abattirent Abrar, le frère du Koweitien, et son épouse, Bushra[62]. Le couple n'était pas armé. À ce stade, les hauts responsables de la Maison-Blanche ne voyaient plus rien, car le drone en vol au-dessus du complexe ne transmettait que des images de l'extérieur.

« Nous étions vraiment dans le flou, se souvient Obama, et il nous était difficile de savoir exactement ce qui se déroulait. Nous savions qu'il y avait des coups de feu, et des explosions[63]. »

L'équipe du SEAL n'avait aucune information sur la configuration des étages à l'intérieur de la maison de Ben Laden[64].

Ils s'y enfoncèrent, dépassèrent une cuisine et deux grandes pièces de rangement. Vers le fond, qui avait des allures de bunker, il arrivèrent devant une nouvelle porte en métal, verrouillée. Ils se frayèrent un passage en la faisant sauter avec le matériel d'effraction qu'ils avaient sur eux.

Selon Leiter, ils craignaient que la maison ne soit piégée, une technique perfectionnée par Al-Qaïda en Irak. « Je m'attendais d'une seconde à l'autre à une grosse explosion qui ferait s'écrouler toute la maison [65]. »

Brennan n'était pas moins anxieux. « Ben Laden aurait-il pu disposer d'une force de riposte rapide, une unité de sécurité dont nous aurions tout ignoré [66] ? »

Les Seals montèrent à toute vitesse au deuxième étage, où ils tombèrent sur le fils de Ben Laden, Khalid, âgé de vingt-trois ans, qu'ils abattirent dans l'escalier. Il semblerait qu'il n'ait pas été armé. Une petite troupe d'enfants s'agglutinait maintenant dans les escaliers et sur les paliers de la résidence [67].

Ben Laden avait sur une étagère de sa chambre l'AK-47 et le pistolet-mitrailleur Makarov qui ne le quittaient jamais, mais il n'essaya pas de s'en saisir [68]. Il ouvrit une porte en acier, qui interdisait tout accès à sa chambre et ne pouvait être ouverte que de l'intérieur, et il pointa la tête au-dehors pour voir d'où provenait tout ce tapage. Les Seals le repérèrent aussitôt quand ils se lancèrent dans la volée de marches suivante. À ce stade, à moins que le chef d'Al-Qaïda ne sorte les mains levées et ne déclare : « Je me rends », il n'y avait plus aucune chance de le capturer vivant [69]. En se retirant à l'intérieur, il commit l'erreur fatale de ne pas refermer cette porte à clef derrière lui, laissant ainsi les Seals s'engouffrer dans un petit corridor. Ils tournèrent ensuite sur leur droite, et firent irruption dans la pièce.

Entendant le vacarme de ces étrangers se précipitant dans leur chambre, Amal cria quelque chose en arabe et se jeta devant son mari [70]. Le premier Seal qui se rua dans la pièce la poussa de côté, redoutant qu'elle ne porte un gilet piégé [71].

Amal reçut ensuite une balle dans le mollet, tirée par un autre SEAL, et s'effondra sans connaissance sur le double matelas qu'elle partageait avec Ben Laden. Ce dernier n'offrit aucune résistance quand on lui expédia un « doublé », une balle à la poitrine, une autre dans l'œil gauche. La scène fut horrible : sa cervelle gicla vers le plafond, au-dessus de sa tête, et dégoulina par l'orbite de son œil. Le sol près du lit était maculé de son sang[72].

Malgré toutes ses fanfaronnades, ses intentions de mourir les armes à la main ou tué par ses gardes du corps s'il était pris un jour par des Américains, quand vint son dernier instant, il n'y eut aucune déflagration, rien qu'un gémissement. Âgé de cinquante-quatre ans, peut-être avait-il péché par excès de confiance ou par lassitude, au terme de sa décennie de cavale ; il n'avait aucun plan de fuite digne de ce nom, et aucun passage secret pour sortir de sa cachette. S'attendait-il à une sorte d'avertissement qui ne vint jamais[73] ? Ou bien savait-il qu'une fusillade à l'intérieur des espaces confinés de sa résidence risquait de provoquer la mort de ses épouses et de ses enfants ? Après tout, les soldats du SEAL avaient ouvert le feu avec l'intention de tuer ou de blesser tous les adultes qu'ils croiseraient dans cette résidence, tuant quatre hommes et une femme et blessant deux autres femmes. Sur les onze adultes présent, cette nuit-là – dont les trois enfants les plus âgés de Ben Laden : Khalid, Maryam et Sumayia –, sept furent abattus, en l'espace d'un quart d'heure.

Sur la transmission audio en direct, McRaven entendit l'équipe du SEAL lui donner le code Geronimo. Chaque étape de l'opération avait été codifiée par une lettre de l'alphabet, et la lettre G signifiait que Ben Laden était « neutralisé »[74]. McRaven relaya le code à la Maison-Blanche, mais il restait une ambiguïté : Ben Laden était-il prisonnier ou mort ? McRaven demanda au commandant du SEAL sur le terrain : « Est-il EKIA [ennemi tué en action] ? » Quelques secondes plus tard, la réponse vint : « Roger, Geronimo EKIA. » « Geronimo EKIA », répéta McRaven à la Maison-Blanche.

Dans la *Situation Room*, on retint son souffle[75]. Il n'y eut ni cris de joie ni tope-là[76]. « Nous l'avons eu, nous l'avons eu », lâcha posément le président.

Au Pakistan, on était encore en pleine nuit, et les Seals ne pouvaient y voir qu'à travers des lunettes de vision nocturne à la luminosité verdâtre, trouble et pixélisée. McRaven reprit la ligne. « Écoutez, j'ai reçu un code Geronimo, mais je dois vous préciser que ce n'est qu'un premier code. Ce n'est pas une confirmation. N'allez pas trop vite en besogne, s'il vous plaît. Chez la plupart des agents en mission, le niveau d'adrénaline monte en flèche. Oui, ce sont des professionnels, mais ne tenons rien pour acquis tant qu'ils ne sont pas de retour et que nous ne disposons pas de preuves. » Et McRaven ajouta encore ceci : « Nous avons toujours nos Seals sur le terrain, sans rien pour les ramener. »

La tâche suivante des Navy Seals consistait à faire sauter l'hélicoptère accidenté, bourré d'une avionique ultrasecrète et entièrement revêtu de matériaux furtifs[77]. Ensuite, il fallait qu'ils sortent du Pakistan sans croiser les forces d'Islamabad, tant en l'air qu'au sol. Tous ceux qui suivaient l'opération savaient que quantité de choses pouvaient encore mal tourner.

« Tous, je crois, nous avons pris du recul, nous ne voulions pas trop nous emballer, se souvient le président Obama. Premièrement, parce qu'ils opéraient dans l'obscurité totale et parce que aucune identification n'était certaine. Deuxièmement, nos gars n'étaient pas encore sortis de là. »

Quant à Leiter, il l'admet, « nous étions tout simplement sidérés de l'absence de réaction pakistanaise. Même s'agissant d'eux, ils ont été d'une lenteur remarquable[78]. » Les Pakistanais firent tardivement décoller deux F-16. Leiter, qui avait à son actif des centaines d'heures de vol sur des avions de chasse, n'était pas vraiment inquiet, sachant que les pilotes pakistanais n'étaient pas très doués en vol nocturne. « J'avais une certaine notion de l'aptitude des Pakistanais à détecter, sans plate-forme aérienne de commandement et de contrôle, deux hélicoptères volant au ras du sol de nuit, explique-t-il.

Un F-16 américain aurait été incapable de les repérer dans le laps de temps nécessaire pour les intercepter. Le risque était inexistant. De tous ceux qui m'entouraient, c'était moi le moins inquiet. » En revanche, il craignait que l'armée pakistanaise n'interprète cette mystérieuse formation d'hélicoptères en vol autour d'Abbottabad comme une incursion de l'armée de l'air indienne et fut soulagé quand les F-16 pakistanais s'éloignèrent de la frontière avec l'Inde.

Les Seals s'emparèrent du corps de Ben Laden et le traînèrent dans l'escalier, y laissant une traînée de sang, sous le regard de Safia, sa fille, âgée de douze ans, qui ne perdit rien de cette scène. Les corps des trois autres hommes abattus par les Seals – le messager, son frère et Khalid ben Laden – gisaient en différents endroits de la résidence, du sang coulant de leurs narines, de leurs oreilles et de leur bouche[79]. Bushra, la femme du frère du messager, gisait elle aussi à côté de son mari.

À l'extérieur de la résidence, l'interprète éloignait d'un geste de la main les voisins qui avaient commencé à s'attrouper, en leur expliquant dans la langue locale qu'une opération de sécurité était en cours et qu'ils devaient rentrer chez eux[80]. En exactement vingt-trois minutes, quelques Seals raccordèrent l'hélicoptère accidenté à des explosifs tandis que d'autres regroupaient les nombreux ordinateurs, téléphones portables et clefs USB éparpillés dans les différentes pièces, susceptibles d'apporter des lumières sur les rouages internes d'Al-Qaïda et ses projets d'attaques terroristes. Les Seals réunirent aussi la dizaine de femmes et d'enfants de la résidence, tous anéantis et en pleurs, et les éloignèrent de la scène, afin de pouvoir faire sauter l'hélicoptère accidenté en toute sécurité.

Les Seals s'étaient attendus à trouver l'un des fils aînés de Ben Laden, Hamza, âgé de vingt et un ans, sur le site. Ce jeune homme, visible sur des vidéos d'Al-Qaïda alors qu'il était enfant, avait passé la quasi-totalité de la décennie postérieure au 11 Septembre en Iran. On savait qu'il était retourné au Pakistan durant l'été 2010. Aurait-il pu s'échapper pendant le raid ? Cela paraissait peu plausible, étant donné la présence de vingt-trois Seals dans la propriété, dont quatre qui patrouillaient autour de son enceinte avec un chien entraîné à appréhender quiconque aurait tenté de prendre la fuite tandis que, très haut dans le ciel, un drone surveillait l'opération. Il était plus probable qu'Hamza n'ait jamais rejoint Abbottabad et qu'il soit resté dans les régions tribales du Pakistan avec d'autres membres d'Al-Qaïda.

L'un des agents du SEAL prit une photo du visage de Ben Laden et téléchargea le cliché sur un serveur. Elle fut retransmise à Washington, où deux équipes distinctes d'experts en reconnaissance faciale se tenaient prêtes à comparer des photographies de Ben Laden et l'image du cadavre afin de fournir assez rapidement une confirmation qui, sans être infaillible, dirait cependant s'il s'agissait, ou non, du chef d'Al-Qaïda. Seuls les tests ADN permettraient de l'identifier avec une totale certitude, mais cela réclamerait plus de temps. Les Seals prélevèrent des fragments de tissu sur le corps du défunt et les placèrent dans des tubes à essai, en vue de procéder à cette analyse ADN[81]. Un lot de ces tubes s'envolerait avec le cadavre à bord du Chinook de secours qui venait d'arriver devant la propriété, et un autre lot serait embarqué dans le Black Hawk pour le vol de retour vers l'Afghanistan.

Le Chinook embarqua une dizaine d'hommes de l'appareil endommagé, et tout le matériel saisi dans la résidence[82] – une centaine de clefs USB, de DVD et de disquettes, ainsi que des disques durs, cinq ordinateurs et un certain nombre de téléphones portables. Le corps de Ben Laden fut aussi chargé à bord du Chinook. La décision avait déjà été prise de laisser les femmes et les enfants sur place.

À Washington, les hauts responsables qui suivaient la vidéo retransmise en direct par le drone furtif virent parfaitement les deux grands rotors très caractéristiques d'un hélicoptère pénétrer dans l'image. C'était le Chinook transportant la QRF, la force de réponse rapide, qui arrivait sur la propriété. Ils virent aussi les Seals restés au sol se regrouper devant le mur d'enceinte en attendant d'embarquer pour le vol de retour vers leur base. Ensuite, une énorme boule de feu embrasa l'écran : c'était l'hélicoptère accidenté qui venait de sauter. C'était comme dans une production de Jerry Bruckheimer, raconte l'un de ces hauts responsables, qui contemplait la scène, ébahi*. Puis le Chinook décolla du terrain d'Abbottabad et sortit du champ de vision du drone. Cette fois-ci, au commandement de la CIA, on se tapa dans les mains dans tous les coins de la salle[83].

Obama déclara plus tard que le temps passé par les Seals dans l'enceinte de la propriété « ont été les quarante minutes les plus longues de ma vie, à l'exception peut-être du jour où [ma fille] Sasha a eu une méningite, à l'âge de trois mois, et que j'attendais que le docteur puisse me rassurer ».

En s'éloignant d'Abbottabad, le Chinook et le Black Hawk se séparèrent, compliquant ainsi toute détection tandis qu'ils se dirigeaient vers l'Afghanistan. Les deux appareils suivirent une route plus directe qu'en entrant au Pakistan[84], car l'essentiel était, maintenant, d'aller vite, bien plus que de rester furtifs, et le Black Hawk devait encore effectuer un plein de carburant à un point de ravitaillement situé au Pakistan[85].

« Informez-moi dès que les hélicoptères seront sortis de l'espace aérien pakistanais », demanda le président à son équipe de la Sécurité nationale.

Le lundi, vers 2 heures du matin, heure locale, soit dimanche à 18 h 30, à Washington, les Chinook se posèrent sur la base de Jalalabad[86] ; au total, l'opération avait duré un peu plus de trois heures. Le chef de station de la CIA en Afghanistan, un analyste de premier plan, spécialiste de Ben Laden,

---

* Producteur de « blockbusters » hollywoodiens, de *Top Gun* à *Pirate des Caraïbes*, et de la série *Les Experts*, mais surtout de *La Chute du Faucon noir*, récit de la bataille de Mogadiscio, évoquée plus haut. *(N.d.T.)*

et l'amiral McRaven examinèrent tous deux rapidement le cadavre[87]. Ils allongèrent le corps de toute sa longueur, mais n'avaient pas de mètre sous la main pour confirmer qu'il mesurait bien un mètre quatre-vingt douze, la taille du chef d'Al-Qaïda. Un Seal, d'à peu près le même gabarit, se coucha à côté du cadavre. Leurs tailles correspondaient.

Quand McRaven s'adressa à Obama, il s'excusa en plaisantant de la perte de l'hélicoptère furtif.

« Bon, Monsieur le Président, je crois que je vous dois soixante millions de dollars.

— Je voudrais tirer une chose au clair, Bill. Je vous laisse un hélicoptère de soixante millions de dollars au Pakistan et vous n'avez même pas un dollar quatre-vingt-dix-neuf pour vous payer un mètre ? » lui répliqua le président[88].

« En réalité, ce n'est que lorsque Bill McRaven a vu le corps, se souvient Obama, que nous avons eu confirmation qu'il s'agissait de Ben Laden[89]. »

Peu après, le directeur du département science et technologie de la CIA contacta la *Situation Room*, et s'adressa à Jeremy Bash, le secrétaire général de l'Agence.

« J'ai les résultats d'une analyse faciale en huit points sur Ben Laden », lui annonça-t-il. L'officier exposa ce qui motivait la certitude de ses analystes – la photo correspondait bien à Ben Laden. La longueur du nez, l'écartement entre le haut de la paupière et le sourcil, la forme de l'oreille, les cartilages – tout correspond.

Bash griffonna une série de notes à toute vitesse et les tendit à Panetta. Ce dernier les lut à voix haute au président.

« Nous avons une analyse faciale, et cela correspond. Nous pensons qu'il s'agit de Ben Laden, avec un degré de certitude de l'ordre de quatre-vingt-quinze pour cent[90]. »

Dans la salle de réunion de la CIA, ce fut un tonnerre d'acclamations et, dans un certain nombre de bureaux, à Langley, on fit discrètement sauter quelques bouchons de champagne[91].

Le président devait-il publiquement annoncer la mort de

Ben Laden dès ce soir ? Après tout, il subsistait encore cinq pour cent de chances pour que ce ne soit pas leur homme.

La réaction initiale du chef de l'exécutif fut prudente.

« Cela ne me suffit pas. Je ne vais pas prendre la parole devant le peuple américain avec une chance sur vingt de me tromper. »

Certains des plus hauts responsables du cabinet insistèrent pour que l'on retarde toute déclaration publique jusqu'à ce que les tests ADN soient terminés, d'ici à peu près vingt-quatre heures. D'autres le mirent en garde.

« Monsieur le Président, nous n'allons pas pouvoir maintenir le secret. Il y aura des fuites. Vous devez faire une déclaration.

— Non, non, rien dans les médias tant que je ne l'ai pas décidé, leur répliqua-t-il. Les gens peuvent organiser toutes les fuites qu'ils veulent. Mais rien dans les médias tant que je ne suis pas intervenu. »

Une photo du chef mort d'Al-Qaïda fut ensuite retransmise dans la *Situation Room*, et Obama l'étudia soigneusement. Leiter et Brennan échangèrent un regard. « C'est Ben Laden », se dirent-ils. « Les photos étaient un peu macabres, se souvient le général Clapper, mais c'était lui. J'étais certain que c'était notre homme[92]. »

Un autre haut fonctionnaire de la Maison-Blanche partage ce souvenir. « Il avait un trou à la place de l'œil, et la balle avait emporté un morceau du crâne, mais cela ressemblait bien à Oussama ben Laden, si ce n'est le fait qu'il avait la barbe plus courte et plus noire. Il l'avait apparemment teinte et elle était mieux taillée que la longue barbe grise qu'il arborait sur toutes les fameuses photos de lui où on le voyait déambuler[93]. »

Pour sa part, Leiter se souvient très bien de ce qu'il s'est dit : « Je n'ai pas besoin de reconnaissance faciale. C'est Ben Laden, avec un trou dans la tête – immédiatement reconnaissable. Bordel de merde ! On vient de supprimer Ben Laden[94] ! »

14.

Après coup

Quelques minutes après le départ des Seals, des officiers de la sécurité pakistanaise commencèrent à arriver sur le site d'Abbottabad[1]. Ils purent même encore percevoir le vrombissement des hélicoptères s'estompant au loin. Ils découvrirent une scène de chaos. D'abord, l'hélicoptère en flammes. Ils en informèrent les militaires car il s'agissait peut-être, se dirent-ils, d'une mission d'entraînement de leur armée qui avait mal tourné. Ensuite, franchissant le portail de la résidence, ils tombèrent sur une femme blessée. C'était Mariam, l'épouse du messager. S'exprimant en pachtoune, l'une des langues de la région, elle leur dit : « Je suis de Swat. Ils ont tué mon mari. Si vous entrez, il y a beaucoup d'autres Arabes qu'ils ont tués[2]. »

À l'intérieur de la résidence principale, les officiers trouvèrent là plusieurs femmes qui poussaient des cris et qui hurlaient, ainsi que quatorze enfants, tous menottés. Ils comptèrent aussi quatre cadavres, deux dans l'annexe et deux au rez-de-chaussée du bâtiment principal. Au dernier étage, la plus jeune épouse de Ben Laden, Amal, gisait sur le lit, sans connaissance, vêtue d'une *abaya*, une ample tunique noire, comme si elle avait prévu de sortir. Il y avait du verre brisé partout. L'une des femmes plus âgées s'adressa aux officiers en anglais.

« Ils ont tué Abu Hamza[3] [le père d'Hamza].

— Ah, et qui est Abu Hamza ? lui demanda l'un des officiers.

— Oussama ben Laden, leur répondit-elle. Ils ont tué le père de mon fils.

— Je suis saoudienne. Oussama ben Laden est mon père », ajouta la fille du chef terroriste, Safia, âgée de douze ans[4].

Les Pakistanais conduisirent les trois épouses de Ben Laden et ses enfants sous bonne garde et les assignèrent à résidence, en attendant qu'elles soient interrogées par les enquêteurs du renseignement militaire pakistanais.

Le correspondant local du service en pachtoune de la Voix de l'Amérique, Ihsan Khan, fut l'un des premiers journalistes à arriver dans l'enceinte. Correspondant de presse opiniâtre dans une région du monde où ce genre d'attitude peut vous attirer des ennuis, il s'accordait un petit somme à son domicile quand il avait été réveillé par un bruit tout à fait inhabituel[5] : un hélicoptère survolant la ville, vers 0 h 45 du matin. C'était le Chinook d'appui qui venait remplacer le Black Hawk accidenté. Depuis sept ans qu'il habitait dans cette ville, il n'avait jamais entendu le vrombissement très caractéristique des pales d'un hélicoptère en vol de nuit. Il sauta de son lit et composa le numéro de la police locale. La ligne était occupée. Il passa d'autres appels et on lui répondit qu'un hélicoptère venait de s'écraser. Il se rua à l'extérieur de chez lui et vit une grosse boule de feu, à un peu moins de deux kilomètres, apparemment.

Quoi qu'il se passe, c'était un scoop. Et il ne se passait jamais rien, à Abbottabad ! C'était l'une des villes les plus paisibles du Pakistan. Il envoya à toute vitesse un e-mail à son rédacteur en chef de la Voix de l'Amérique à Washington : « Un hélicoptère s'est écrasé dans la zone sensible de Kakul, à Abbottabad. Avant l'incident, les riverains ont entendu des tirs nourris et des explosions. Les autorités ont confirmé le crash de l'hélico, mais sans précisions sur les victimes ou sur les causes. Je réunis davantage d'informations et je serai prêt pour un reportage en direct. Prière de me rappeler avant le journal du matin, si possible[6]. »

Ensuite, il gagna en courant l'endroit d'où s'était élevée cette boule de feu, dans le quartier de Bilal. Quand il atteignit la résidence, il s'aperçut que la police en avait déjà barré l'accès. Des riverains lui apprirent que l'électricité avait été coupée dans le quartier, et il ne s'agissait pas d'un délestage habituel du réseau. Des voisins lui signalèrent aussi que juste avant l'atterrissage de l'un des hélicoptères dans l'enceinte – très probablement le Chinook de secours –, quelqu'un, au sol, avait manié un rayon laser de couleur, en braquant le faisceau à proximité de la propriété pour guider l'appareil.

À la Maison-Blanche, l'entourage d'Obama comprit qu'en raison du crash du Black Hawk, l'opération Ben Laden n'allait pas rester longtemps secrète[7]. Les responsables présents qui suivaient la transmission vidéo du drone voyaient déjà des gens sur les toits des bâtiments d'Abbottabad parler dans des téléphones portables[8]. Et la NSA – une heure après le raid – interceptait des conversations entre responsables locaux, à Abbottabad, à propos de ce qui venait de se passer dans la mystérieuse « maison des Arabes »[9]. Ben Rhodes commençait à recevoir des rapports lui indiquant que des médias pakistanais étaient sur les lieux, occupés à filmer les traces du raid et à interviewer des voisins[10]. Certains journalistes pakistanais estimaient que l'hélicoptère abattu appartenait à une « puissance étrangère ». Le carrousel médiatique allait bientôt commencer avec le lever du jour, et certains médias pakistanais, avides de sensationnel et amateurs de théories du complot, allait se repaître de cette histoire.

« Certains d'entre nous, se souvient Rhodes, souhaitaient vivement que le président intervienne et s'adresse au monde le soir même, car nous redoutions des débordements[11]. »

Dans la *Situation Room*, le débat récurrent, depuis des mois, sur la meilleure façon de manier les Pakistanais, se ralluma aussitôt. Qui devait appeler les dirigeants du pays ? Et que devrait leur dire celui ou celle qui les appellerait ? Officiellement, le Pakistan est sous l'égide de son gouvernement civil, mais, dans les faits, les militaires contrôlent tous les aspects de la politique de sécurité du pays. Si Obama téléphonait à l'homme fort d'Islamabad, le chef d'état-major de l'armée, le général Ashfaq Parvez Kayani, ce serait du plus mauvais effet. Hillary Clinton devait-elle l'appeler, ou fallait-il que ce soit l'amiral Mullen, qui avait entretenu davantage de contacts directs avec Kayani que quiconque à la Maison-Blanche ? Mullen militait pour une prise de décision rapide. « Il faut appeler[12] ! »

Kayani et Mullen avaient noué une véritable amitié[13], après plus d'une vingtaine de visites que ce dernier avait effectuées au Pakistan ces quatre dernières années, afin de consolider la fragile alliance pakistano-américaine. Esprit analytique peu porté aux débordements, Kayani avait fait son cursus d'études à l'école d'état-major et de commandement de l'armée de terre américaine, à Fort Leavenworth, au Kansas et, malgré une certaine fierté nationaliste, il ne nourrissait pas de réflexes anti-américains. Mieux encore, c'était lui qui, au cours des deux années précédentes, avait pris la tête, au sein de l'armée, de l'initiative visant à cimenter un « partenariat stratégique » avec les États-Unis.

Mullen savait qu'il était important d'essayer de joindre Kayani avant que ses généraux lui parlent, car cela lui donnerait l'occasion d'assumer une part de responsabilité dans cet événement, au lieu de le laisser en position de devoir admettre qu'il n'avait pas été informé de ce qui s'était passé. Les Pakistanais risquaient aussi de croire que ces événements d'Abbottabad s'inscrivaient dans le cadre d'une attaque de leur ennemi traditionnel, l'Inde, et l'administration Obama devait veiller à ce qu'ils sachent la vérité dès que possible, afin d'éviter un conflit entre les deux puissances nucléaires.

Le lieutenant général Ahmed Shuja Pasha, chef des puissants services du renseignement militaire, travaillait tard ce soir-là dans son bureau quand quelqu'un l'appela pour lui dire : « Je suis désolé du crash de cet hélicoptère. »

Pasha savait que les hélicoptères de l'armée pakistanaise ne possédaient pas de capacités de vision nocturne. Il serait donc étrange qu'il s'agisse d'un appareil d'Islamabad.

« L'un de nos hélicoptères s'est écrasé ? demanda-t-il à ses hommes, en passant une série de coups de fil.

— Ce n'est pas l'un des nôtres », lui répondit-on[14].

Vers 1 heure du matin, le général Kayani répondit à un appel de son directeur des opérations militaires. Les nouvelles étaient alarmantes : un hélicoptère venait de s'écraser près d'une résidence à Abbottabad, dans une région du pays truffée d'installations militaires et de sites d'armements nucléaires. Dans l'hypothèse où l'Inde serait en train de lancer une attaque préventive contre les installations nucléaires pakistanaises, le général Kayani téléphona au chef de l'armée de l'air et lui ordonna de faire décoller des jets en urgence afin d'intercepter tout appareil en vol cette nuit-là. Deux F-16 de fabrication américaine décollèrent donc en catastrophe de leur base, à huit cents kilomètres au sud-ouest d'Abbottabad. Le Pakistan étant assez vaste – deux fois la taille de la Californie –, les jets furent incapables de détecter les intrus[15].

Une fois les deux hélicoptères transportant les Seals et le corps de Ben Laden sortis en toute sécurité de l'espace aérien pakistanais, le premier interlocuteur auquel Obama téléphona fut son prédécesseur[16]. George W. Bush dînait au restaurant, à Dallas, avec son épouse, Laura, quand le Secret Service* l'informa qu'il allait recevoir un appel de la Maison-Blanche dans vingt minutes. Bush rentra rapidement chez lui pour prendre cet appel. Quand Obama lui apprit la nouvelle, George W. Bush le félicita, ainsi que le SEAL. « Je n'ai pas ressenti de grande joie ou de jubilation, confia plus tard ce

---

* Le Secret Service est une agence gouvernementale américaine chargée notamment d'assurer la protection du président des États-Unis, du vice-président, de leur famille, de certaines personnalités comme des candidats à la présidence ou à la vice-présidence et les anciens présidents. *(N.d.T.)*

dernier. J'éprouvais le sentiment d'une page qui se tournait, et un sentiment de gratitude que justice ait pu être rendue[17]. »
Obama appela aussi Bill Clinton, le premier président américain qui ait essayé de supprimer Ben Laden, avec les frappes de missiles de croisière en Afghanistan, en 1998, après les attaques contre les ambassades américaines au Kenya et en Tanzanie. Et il téléphona enfin à son proche allié, David Cameron, le Premier ministre britannique, dont le pays avait souffert du terrorisme d'Al-Qaïda, de sorte que le chef du gouvernement britannique ne soit pas surpris en apprenant la nouvelle le lendemain matin.

Cameron Munter, l'ambassadeur des États-Unis au Pakistan, avait été informé à l'avance de l'imminence du raid, mais n'en avait discuté avec personne à son ambassade[18]. À présent, aux petites heures du matin, alors qu'il en suivait le déroulement, il sortit un instant de l'ambassade, à Islamabad, et reçut un coup de fil inattendu sur son téléphone portable. C'était un haut responsable pakistanais.

« Nous avons appris qu'un hélicoptère s'était écrasé à Abbottabad. Avez-vous la moindre information à ce sujet[19] ? »

Munter répondit à l'homme qu'il le contacterait. Il s'en abstint, estimant qu'il valait mieux laisser le président Obama et l'amiral Mullen se charger de prendre les devants, en passant une première série d'appels téléphoniques aux dirigeants du pays. Eu égard aux réactions de stupeur des responsables pakistanais face aux événements de la nuit, il semblait évident à Munter et à d'autres à la Maison-Blanche qu'ils ignoraient tout de la présence de Ben Laden à Abbottabad[20].

Obama appela le président, Asif Ali Zardari, et lui annonça la nouvelle. Zardari manifesta son émotion. Son épouse, Benazir Bhutto, l'ancien Premier ministre pakistanais, avait été assassinée par les talibans, quatre ans plus tôt.

« Je suis heureux, avoua-t-il à l'hôte de la Maison-Blanche, car ce sont le même genre d'individus qui ont tué ma femme, et ses proches font partie de ma famille, aussi je m'associe à tout cela[21]. »

L'amiral Mullen contacta ensuite le général Kayani, sur une ligne sécurisée.

« Félicitations », s'exclama aussitôt le général en apprenant la nouvelle[22]. La conversation dura vingt minutes, et elle fut tendue[23]. Mullen communiqua à son interlocuteur les grandes lignes de ce qui s'était produit à Abbottabad et lui précisa que le président pesait le pour et le contre d'une déclaration à propos du raid. Kayani lui répondit que cette violation de la souveraineté pakistanaise le préoccupait et il insista pour qu'Obama prenne le plus vite possible l'initiative d'expliquer ce qui s'était passé[24]. Il ferait bientôt jour au Pakistan, avec la carcasse d'un mystérieux hélicoptère abattu en plein milieu d'Abbottabad, qui n'appartenait manifestement pas à Islamabad ; la presse locale allait se précipiter sur cette affaire. « Notre peuple a besoin de comprendre ce qui s'est passé ici. Nous ne serons pas en mesure de gérer les médias pakistanais sans une confirmation de votre part. Vous pourrez le leur expliquer. Ils doivent comprendre qu'il s'agissait de Ben Laden et pas d'une simple opération américaine ordinaire[25]. »

Mullen regagna la *Situation Room.*

« Kayani demande que nous prenions position publiquement », dit-il, ce qui poussa le président américain à prendre la main. Vers 20 h 15, la Maison-Blanche informa les correspondants de presse de Washington qu'il ferait une importante déclaration, d'ici deux heures. Plus tôt dans la journée, le bureau de presse avait annoncé un « *lid* », signifiant par là que les nouvelles resteraient « sous vide », que le président ne ferait ou ne dirait rien qui puisse faire, ce jour-là, la une des médias. Les journalistes accrédités à la Maison-Blanche pouvaient rentrer chez eux, et voilà que maintenant ils entendaient un contrordre : « Revenez[26] ! » Joe Biden et Hillary Clinton commencèrent à manier le téléphone depuis des petites cabines installées autour de la *Situation Room,* appelant des membres éminents du Congrès et des alliés de premier plan pour les tenir informés, avant que le président annonce publiquement la mort de Ben Laden. Robert Gates, qui n'était pas favorable au raid, fut le premier à quitter la Maison-Blanche, vers 20 h 30. Le reste de l'équipe de sécurité nationale y prit ses quartiers pour ce qui serait une longue nuit.

Des journalistes et des commentateurs des chaînes de télévision prirent l'antenne en multipliant les conjectures sur ce qui pouvait bien motiver une allocation du président un dimanche soir tard. Ils se demandèrent si le dictateur libyen Mouammar al-Kadhafi n'aurait pas été abattu dans le cadre de l'opération qu'Obama avait mise en œuvre deux mois plus tôt. La veille, des membres de la famille Kadhafi avaient été tués lors d'une frappe aérienne de l'OTAN en Libye. Peu à peu, ces conjectures se nourrirent davantage d'informations, et quelques journalistes apprirent que l'intervention présidentielle aurait trait à Ben Laden[27].

Rhodes avait déjà pris le temps de s'asseoir à sa table et de rédiger un discours pour le président, où il annoncerait : « Nous avons eu Ben Laden », mais il n'en avait rédigé que les premières lignes quand il s'était dit : « Je ne peux pas faire ça. Je vais nous coller la poisse ; ça me paraît déplacé[28]. » Au lieu de quoi il avait couché sur le papier les principaux éléments d'un discours éventuel. L'aspect le plus épineux de cette allocution concernerait la façon d'évoquer l'implication du Pakistan.

« Nous avons décidé de ne pas enjoliver les choses, précise-t-il, en prétendant qu'Islamabad aurait joué un rôle, mais il n'en était pas moins vrai que la collecte de renseignements qui nous avait menés à sa résidence se fondait en partie sur la coopération pakistanaise. Cela s'était déroulé à l'insu de leurs services ; ils ignoraient qu'ils nous aidaient à repérer Ben Laden, mais ils ont bel et bien partagé avec nous des éléments qui ont complété le tableau de nos informations. Nous pouvions donc affirmer en toute certitude que la coopération pakistanaise nous avait conduits à ce résultat[29]. »

Obama expliqua à Rhodes que, pour ce discours, il voulait restituer l'opération dans le contexte des événements du

11 Septembre, mettre l'accent sur l'aide du Pakistan dans la lutte contre Al-Qaïda, rappeler au peuple américain le lourd sacrifice que dix années de guerre avaient imposé aux siens en Irak et en Afghanistan, et terminer sur l'idée que l'Amérique était toujours capable de réaliser des choses hors du commun[30]. Obama et Rhodes étaient encore tous les deux occupés à un travail de correction acharné sur le texte quelques minutes avant que le président se rende dans l'*East Room* de la Maison-Blanche pour s'adresser à la nation et au monde.

Alors que l'équipe de la sécurité nationale quittait la *Situation Room* et que le président procédait à quelques ultimes corrections, les écrans de télévision de la Maison-Blanche étaient allumés sur les émissions normalement programmées à cette heure-là, et que l'annonce concernant Ben Laden allait interrompre. Tony Blinken remarqua que sur NBC l'émission en cours n'était autre que le *Celebrity Apprentice* de Donald Trump. « Ça ne s'invente pas », s'amusa-t-il[31].

Juste avant que le président prononce son discours, Mike Vickers, qui avait trimé comme un fou à la planification de l'opération Ben Laden, téléphona à son épouse.

« Allume la télé. C'est pour ça que j'étais absent tout le week-end et que j'étais si soucieux depuis des mois[32]. »

Le directeur du Renseignement national, James Clapper, fut l'un des hauts responsables qui se transportèrent de la *Situation Room* à l'*East Room* avec Obama, quelques minutes avant que ce dernier s'adresse à la nation. Le temps de cette courte déambulation, il entendit les clameurs de la foule qui se massait peu à peu dans Lafayette Park, devant la Maison-Blanche, attirée là par la rumeur de la mort de Ben Laden.

« Je savais que cela signifiait beaucoup pour le pays, se rappelle-t-il, mais j'ignorais quelle serait la force de cette réaction. Je me souviens d'être sorti et d'avoir entendu : "USA ! USA ! USA !", depuis Lafayette Park. Et c'est à ce moment-là que cela m'a frappé. C'était énorme[33]. »

À 23 h 35, Obama empruntait le long corridor très solennel,

avec ses hauts plafonds, menant à l'*East Room*, jusqu'au pupitre présidentiel. Vêtu d'un costume sombre et d'une cravate rouge, il prononça une brève et sobre allocution : « Bonsoir. À l'heure où je vous parle, je suis en mesure d'annoncer au peuple américain et au monde que les États-Unis ont mené une opération qui a permis de supprimer Oussama ben Laden, le chef d'Al-Qaïda, un terroriste responsable du meurtre de milliers d'hommes, de femmes et d'enfants innocents[34]. » Il prit soin d'en attribuer en partie le mérite aux Pakistanais : « Il importe de souligner que notre coopération avec le Pakistan dans cette lutte antiterroriste nous a aidés à localiser Ben Laden et la résidence où il se cachait. En effet, Oussama ben Laden avait aussi déclaré la guerre au Pakistan, et ordonné des attaques contre le peuple pakistanais. » Malgré l'heure tardive, un dimanche soir, ce discours attira un auditoire plus nombreux que tous ceux de sa présidence ; quelque cinquante-cinq millions d'Américains étaient devant leur écran pour apprendre la mort du chef d'Al-Qaïda[35].

Après le discours du président, alors que Panetta quittait la Maison-Blanche dans son véhicule aux vitres teintées et fortement blindé, certains, dans la foule qui s'était regroupée au Lafayette Park, scandaient « CIA ! CIA ! CIA ! » Mullen fut frappé par la vision de « ces jeunes gens qui étaient là. À l'époque du 11 Septembre, ils devaient avoir dix ou onze ans et ils étaient là, dehors, à applaudir. » Sortant de la Maison-Blanche à son tour, Michele Flournoy se rappelle avoir entendu un air qui ne lui était que trop familier et s'être demandé : « Que se passe-t-il ? Et j'ai compris que c'était une foule de citoyens américains qui s'étaient rassemblés spontanément dans Lafayette Park et chantaient l'hymne national. J'ai senti, à ce moment-là, monter en moi une bouffée d'émotion, j'avais véritablement les larmes aux yeux. Je ne m'attendais pas à cela et ce fut un moment bouleversant. »

À l'autre bout du monde, on préparait le cadavre de Ben Laden, pour l'inhumer. On avait considérablement réfléchi à la manière de se débarrasser du corps du chef d'Al-Qaïda.

L'entourage présidentiel voulait s'assurer qu'il n'y ait pas de tombe susceptible de se transformer en sanctuaire. (Dans le même ordre d'idées, les Soviétiques s'étaient donné le plus grand mal pour veiller à ce qu'après le suicide d'Hitler, à la fin de la Seconde Guerre mondiale, le site où seraient inhumés ses restes demeure un secret bien gardé.) L'équipe de la sécurité nationale consulta des experts de l'islam qui expliquèrent que les obligations primordiales, pour un enterrement musulman convenable, consistaient, après la toilette du corps, à l'envelopper dans un drap blanc, à faire réciter des prières bien spécifiques par un musulman et à procéder à l'inhumation dans les vingt-quatre heures. Des funérailles maritimes étaient acceptables en certaines circonstances, par exemple si une personne était décédée en mer, et s'il n'y avait aucun moyen de regagner la terre ferme dans l'immédiat.

Les conseillers antiterrorisme d'Obama avaient en quelque sorte vécu une répétition générale de l'enterrement de Ben Laden deux ans plus tôt, avec Saleh Ali Saleh Nabhan, un dirigeant d'Al-Qaïda en Afrique, tué par les Seals lors d'un raid d'hélicoptères le 14 septembre 2009, alors qu'il roulait en direction de la capitale somalienne, Mogadiscio. Les Seals avaient brièvement atterri pour récupérer son corps et, après avoir obtenu confirmation de son identité grâce à des échantillons ADN, il avait été inhumé en mer.

John Brennan, l'ancien chef de station de la CIA en Arabie saoudite, appela le prince Mohammed ben Nayef, le puissant vice-ministre saoudien de l'Intérieur, pour lui annoncer que la CIA avait peu ou prou confirmé le décès de Ben Laden, abattu par les forces américaines au Pakistan. Il demanda si les Saoudiens voulaient que le corps du chef terroriste soit renvoyé dans sa terre natale. Sinon, lui précisa-t-il, leur plan consistait à l'inhumer en mer. Nayef lui présenta ses félicitations[36] – Al-Qaïda avait plus d'une fois tenté de l'assassiner, lui aussi – et ajouta qu'il allait en informer le roi Abdallah. Brennan lui expliqua que si le roi avait un autre souhait, il faudrait le lui dire dans les prochaines minutes. Nayef répondit alors à Brennan d'appliquer son plan.

Un V-22 Osprey à rotor basculant transporta le corps de Ben Laden de la base aérienne de Bagram[37], dans le centre de l'Afghanistan, à bord de l'USS *Carl Vinson*, un porte-avions qui croisait au large des côtes du Pakistan. Une fois le corps à bord, on se plia au rituel d'une inhumation musulmane. Au terme d'une cérémonie qui prit un peu plus d'une heure, le corps fut toiletté et enveloppé d'un linceul blanc. Il fut ensuite placé dans un sac, lesté de poids, et un officier lut quelques lignes à caractère religieux, qui furent traduites en arabe[38]. Le cadavre fut ensuite déposé sur une planche que l'on inclina afin qu'il glisse et tombe dans la mer. Le 2 mai, à 11 heures du matin – 2 heures du matin à Washington, Ben Laden fut déposé dans la vaste tombe anonyme de la mer d'Arabie, une inhumation qui n'eut pour témoins qu'un petit groupe d'officiers et de marins sur le pont d'envol d'un monumental navire de guerre américain.

D'éminents exégètes de l'islam protestèrent, parmi lesquels le cheikh Ahmed el-Tayeb, grand imam de la mosquée Al-Azhar du Caire, pour ainsi dire le Harvard de l'enseignement islamique sunnite, qui déclara : « L'inhumation de Ben Laden en mer est contraire aux principes des lois et valeurs religieuses islamiques, et des coutumes humanitaires. » Le théologien islamique irakien Abdul-Sattar al-Janabi acquiesça : « C'est presque un crime que de jeter le corps d'un homme musulman à la mer. Le corps de Ben Laden aurait dû être remis à sa famille pour qu'elle cherche un pays ou une terre où l'ensevelir. »

Omar ben Laden, l'un des fils aînés du chef d'Al-Qaïda, rendit public un communiqué, au nom de ses frères et sœurs, critiquant « l'inhumation en mer, à l'improviste, en l'absence de témoins, [qui] a privé notre famille de l'exercice des droits religieux [*sic*] d'un homme musulman. »

L'un des deux échantillons d'ADN prélevés sur le défunt fut ensuite analysé à la base aérienne de Bagram et l'information tirée de cet échantillon expédiée par voie électronique à Washington, pendant qu'un autre était transporté physiquement jusque dans la capitale américaine, pour analyses complémentaires[39]. En le confrontant au matériel ADN prélevé sur des parents de Ben Laden, des officiers du renseignement furent en mesure de déterminer avec une totale certitude que le cadavre qui avait coulé dans les profondeurs de l'océan était bien celui du chef d'Al-Qaïda[40].

Ce même jour, John Brennan, le principal conseiller antiterroriste d'Obama, donna une conférence de presse où il annonçait que le corps avait été inhumé en mer, et où il apportait une série de précisions sur ce qui s'était produit dans l'enceinte d'Abbottabad[41] : Ben Laden s'était servi d'une femme comme d'un bouclier humain, il avait cherché à se saisir de ses armes et il était mort au terme d'un échange de coups de feu avec les Seals. La Maison-Blanche se rétracta rapidement sur l'ensemble de ces déclarations, les attribuant à la confusion d'un combat mené dans l'obscurité de la nuit, à l'autre bout du monde, moins de vingt-quatre heures auparavant[42].

L'administration fit aussi preuve de maladresse dans ses déclarations initiales sur la publication des photos de Ben Laden mort. Le lendemain du décès de ce dernier, Panetta déclara sur NBC News que des images prouvant la fin de Ben Laden seraient bientôt « rendues publiques »[43]. Mais aussitôt la Maison-Blanche clarifia sa position : ce ne serait pas le cas. Obama, Gates et Clinton s'accordèrent pour considérer que ces clichés macabres seraient utilisés par Al-Qaïda pour inciter à des violences visant des Américains[44], tandis que les théoriciens du complot – ces gens enclins à croire que, quoi qu'il en soit, Ben Laden était encore vivant quelque part, et que la version officielle n'était qu'un subterfuge – ne se laisseraient de toute façon pas convaincre par des preuves en image. « Il était important pour nous de nous assurer que des photos extrêmement crues d'un individu atteint d'une balle en pleine tête ne soit pas utilisées pour inciter à davantage de violence, et comme outil de propagande[45] », expliqua Obama. Pour ceux qui doutaient de la mort du chef d'Al-Qaïda, celui-ci avait un message simple : « Le fait est que vous ne reverrez plus Ben Laden fouler le sol de cette planète[46]. »

Lors du point hebdomadaire du renseignement qui se tint autour du président deux jours plus tard, il y eut une discussion sur le fait que les Seals auraient apparemment tout planifié, sauf un détail : ils n'avaient pas sur eux de mètre ruban pour mesurer le corps. « Nous n'avons plus qu'à en offrir un à McRaven, en plaqué or », suggéra Tony Blinken[47]. « C'est une excellente idée », acquiesça Obama. Quatre jours après le raid, alors que McRaven entrait dans le Bureau ovale pour rencontrer le président, ce dernier lui lança : « Tenez, j'ai quelque chose pour vous », et il lui offrit un mètre ruban monté sur une plaque dorée[48].

La masse de documents saisi par le SEAL dans le repaire de Ben Laden fut promptement acheminée vers Washington, où une équipe de 125 personnes travailla dessus nuit et jour et sept jours sur sept[49], pour trier tout ce qui avait un rapport avec les attaques planifiées par Al-Qaïda. On invita tous les arabophones disponibles au sein de la communauté du renseignement à s'atteler massivement au travail sur ce que l'on finit par appeler le « butin », et à rédiger pour les forces de police et du renseignement des rapports sur toutes les menaces méritant d'être signalées. Ayant passé ce butin au crible, James Clapper, le directeur du Renseignement national, fut surtout frappé de constater les effets sur Ben Laden qu'avaient eu ces années d'isolement qu'il s'était imposées. Il y découvrit des considérations sur des attaques contre le réseau de transports américain, censées provoquer des victimes en masse, ou contre des pétroliers dans l'océan Indien, tout un mélange de divagations et d'observations rationnelles. « Pour une part, cela relevait de projets opérationnels, pour une bonne part de pures aspirations, mais je crois que le reste était pure illusion. Cela me rappelait un peu Hitler aux derniers stades de la

Seconde Guerre mondiale, occupé à déplacer des groupes d'armées qui n'existaient plus. »

Le 3 mai, Panetta racontait au magazine *Time* les questions que de hauts responsables de la Maison-Blanche avaient abordées lors de leurs délibérations secrètes : « Nous en avons conclu que d'éventuels efforts en vue de travailler avec les Pakistanais risquaient de mettre la mission en péril. Ils auraient pu alerter les cibles visées[50]. » Cette déclaration versa une bonne dose de sel sur les plaies ouvertes du Pakistan. Les premières réactions à l'opération Ben Laden des militaires pakistanais furent un état de choc[51]. Al-Qaïda et ses alliés au Pakistan avaient pris plusieurs fois l'armée pakistanaise pour cible, dès lors cette réaction de choc fut nuancée d'une certaine satisfaction, aux plus hauts échelons de l'armée pakistanaise. Plus tard dans le courant de cette journée qui avait vu la mort de Ben Laden, les généraux Kayani et Pasha rencontraient Marc Grossman, représentant spécial d'Obama en Afghanistan et au Pakistan, et l'ambassadeur des États-Unis à Islamabad, Cameron Munter. Les deux généraux pakistanais présentèrent leurs félicitations aux diplomates américains pour la mort du chef terroriste.

Mais cet assaut de bons sentiments ne dura pas. Le choc ne tarda pas à laisser place à la colère, alors que les Pakistanais se rendaient compte que le partenariat stratégique promis avec Washington ne leur avait apporté qu'un nombre important d'attaques aériennes de drones contre les régions tribales du pays et, ensuite, que l'armée pakistanaise avait dilapidé un capital politique non négligeable pour obtenir la libération de Raymond Davis, cet agent américain qui avait tué deux Pakistanais à Lahore. Le raid du SEAL, mené de manière unilatérale, pour tuer Ben Laden en plein cœur du Pakistan, apparaissait désormais comme le moment paroxystique de cette série d'événements. Prenant la pleine mesure de l'opération Ben Laden, le général Kayani s'interrogeait[52]. « Comment mon bon ami l'amiral Mullen a-t-il pu ne pas m'avertir de ce raid ? » Kayani et Mullen, depuis lors, se sont rarement adressé la parole.

Pour l'armée pakistanaise, qui aime se considérer – non sans justification – comme l'institution la plus compétente du Pakistan, ce raid était une source d'embarras considérable[53]. Si le Navy SEAL avait toute latitude de s'introduire sans coup férir au Pakistan sans que l'armée ne remarque rien ou ne puisse rien tenter, cela n'en disait-il pas long sur sa capacité à protéger les joyaux de la couronne stratégique, ses armes nucléaires, contre toute tentative des forces indiennes, ou même de l'armée américaine, de s'en emparer ?

Au Pakistan, la colère populaire vis-à-vis de l'armée, et envers le général Kayani en particulier, qui avait tenté de nouer des liens plus étroits avec l'Amérique, était forte. Au cours des journées consécutives au raid, les critiques contre les militaires fusèrent de toutes parts, une réaction d'ordinaire impensable dans ce pays[54]. Les postes de Kayani et Pasha semblaient menacés, car ils perdaient leurs soutiens tant au sein de l'armée que dans l'ensemble de la population. Kayani redoutait que la réputation des chefs militaires ne soit réduite à néant, et il confia à ses plus proches collaborateurs que c'était la pire semaine de sa vie[55].

Dans le passé, le général Pasha, chef du renseignement pakistanais, avait prié son homologue américain, Leon Panetta de prendre en considération l'hypothèse suivante : si jamais la CIA ne se fiait pas au gouvernement du Pakistan ou à son armée dans une affaire de première importance que, au moins, Washington prenne la peine d'en informer le président Zardari ou lui-même, afin que les Pakistanais soient en mesure de sauver la face, en déclarant, en toute sincérité, qu'ils avaient été tenus au courant[56]. Homme pondéré, aux manières policées, de taille moyenne, les yeux cerclés de cernes sombres et profondément marqués, trahissant de nombreuses nuits d'insomnie, Pasha avait joué un rôle clef dans la libération de Raymond Davis[57], l'agent sous contrat avec la CIA, en négociant directement avec les familles des victimes afin qu'elles acceptent le « prix du sang » en échange de sa libération. Après le raid contre Ben Laden, Pasha estimait que ses relations avec les États-Unis avaient franchi le seuil de l'irréparable[58].

Ce sentiment était partagé au Congrès des États-Unis. Une majorité de parlementaires étaient scandalisés que Ben Laden ait pu se cacher si longtemps au Pakistan, un pays qui, depuis le 11 Septembre, avait reçu des milliards de dollars d'aide américaine (peu importait que l'essentiel de cette « aide » soit la compensation des opérations militaires organisées par l'armée pakistanaise – et exigées par Washington – contre les talibans le long de la frontière afghano-pakistanaise). Le représentant Mike Rogers, un républicain du Michigan qui présidait la commission de la Chambre sur le renseignement, déclara publiquement : « Je crois qu'il y a, tant au sein de l'armée que du renseignement pakistanais, des éléments qui, par le passé comme à l'heure actuelle, ont fourni une assistance à Oussama ben Laden[59]. » Rogers n'a pas apporté la preuve de cette assertion et, dans son évaluation, quelques semaines après l'opération d'Abbottabad, la communauté américaine du renseignement considérait qu'il n'y avait en fait aucune complicité pakistanaise officielle à déplorer dans le séjour de Ben Laden à Abbottabad[60]. Rien dans le « butin » récupéré à l'intérieur de la résidence n'avait fourni la moindre preuve que le séjour de Ben Laden en ces lieux ait bénéficié du soutien de responsables pakistanais. Pourtant, l'opinion de Rogers, selon laquelle les Pakistanais auraient contribué à protéger le leader d'Al-Qaïda, était très répandue, tant dans les couloirs du Congrès que dans les médias américains.

Comme prévu, le 6 mai, quelques jours après la mort de Ben Laden, Al-Qaïda confirmait officiellement le décès de son chef dans un message[61] posté sur des forums Internet de djihadistes, où la cellule médiatique du groupe avait régulièrement posté de la propagande par le passé. Le message promettait que le « martyre » de son chef serait vengé. Al-Qaïda affirmait que son sang était « trop précieux pour nous et pour tous les musulmans pour qu'il soit versé en vain. [...] Nous appelons le peuple musulman du Pakistan, sur la terre duquel le Cheikh Oussama a été assassiné, à se lever et à se révolter [et] à nettoyer le pays de la souillure américaine qui y répand la corruption. » Très peu de gens, y compris parmi les Pakistanais, ont prêté attention à ce message. En réalité, les manifestations qui, au Pakistan, suivirent la mort de Ben Laden furent limitées, ne réunissant que quelques centaines de personnes.

Le jour où Al-Qaïda confirmait la mort de son chef, Obama et des membres de son équipe de la sécurité nationale effectuaient un déplacement à Fort Campbell, dans le Kentucky, où est basé le 160e régiment spécial d'opérations aériennes, auquel appartenaient les hélicoptères de la mission[62]. En une demi-heure, dans une petite salle d'instruction de la base, le président reçut toute une série d'éclaircissements de la part des hommes qui avaient mené cette opération[63].

Le premier à s'exprimer fut le pilote du Black Hawk qui s'était écrasé[64].

« Ce genre d'incident est déjà arrivé précédemment, lui expliqua-t-il. On ne peut jamais intégrer exactement le type d'environnement auquel on sera confronté.

— Le climat a pu jouer un rôle ? lui demanda le président.

— Le climat peut avoir un impact sur le plan de vol, et il faisait un peu plus chaud que prévu », lui répondit le militaire.

Le commandant de l'équipe du SEAL sur le terrain se servit d'une maquette de la résidence et d'un pointeur laser au faisceau de couleur rouge pour lui exposer ce qui s'était bien et mal passé, tout au long du déroulement de cette mission. Le plus gros problème tenait au fait qu'au stade des préparatifs, les répétitions ne s'étaient pas déroulées sur une reproduction fidèle du mur d'enceinte de la résidence, avec des maquettes en grandeur réelle. Les murs en béton du site avaient soumis le premier Black Hawk à des turbulences aérodynamiques quand il était resté en vol stationnaire au-dessus de la cour pour y effectuer le largage des Seals, et c'était ce qui avait entraîné l'atterrissage forcé de l'appareil.

« Si nous sommes tous en vie aujourd'hui, précisa le commandant des Seals, c'est grâce à ce pilote qui a opéré une manœuvre d'une incroyable difficulté, a réussi à manier cet engin et à sortir tout le monde de là sain et sauf. C'est le résultat final de dix années d'efforts, poursuivit-il. Ce sont ces dix années d'entraînement qui nous ont permis de nous perfectionner. C'est le travail que nous avons réalisé en Afghanistan, celui que nous avons réalisé en Irak. »

Le commandant énuméra ensuite une liste de bases opérationnelles avancées en Afghanistan, toutes baptisées du nom d'opérateurs du SEAL morts au cours de cette décennie. Ensuite, il aborda l'opération d'Abbottabad, en rappelant le rôle de chacun, y compris celui de l'interprète qui avait crié en pachtoune et en urdu aux voisins de la résidence de se tenir à distance[65].

« Si nous n'avions pas eu ce garçon, qui sait ce qui aurait pu se produire. Si vous retiriez un individu de ce puzzle, continuat-il, vous n'auriez pas eu toutes les compétences nécessaires à l'accomplissement de cette mission ; tout le monde a joué un rôle vital. Cela ne tient pas seulement au type qui a pressé la détente pour tuer Ben Laden, cela tient à ce que nous avons tout réalisé ensemble. »

Le président ne demanda à aucun des Seals lequel d'entre eux avait pressé sur cette détente pour tuer le chef d'Al-Qaïda, et personne ne lui communiqua cette information.

« Le petit groupe d'individualités présent dans cette pièce, se borna-t-il à remarquer, constitue la meilleure force combattante de l'histoire du monde[66]. »

Il souhaita ensuite faire la connaissance de Cairo, le chien qui avait accompagné les Seals dans ce raid.

« Eh bien, Monsieur le Président, je vais devoir vivement vous suggérer d'avoir une petite gourmandise à lui offrir, lui dit le patron des Seals, parce que, vous savez, cet animal est coriace[67]. »

On présenta donc Cairo à Obama, en prenant soin de lui déconseiller de caresser la bête, qui portait une muselière.

Pour se rabibocher avec les Pakistanais, le sénateur John Kerry, l'un des rares politiques américains possédant une certaine crédibilité au Pakistan en raison de son rôle très militant dans la défense de programmes locaux d'aide civile, effectua le déplacement jusqu'à Islamabad à la mi-mai. Au cours d'entretiens avec les généraux Kayani et Pasha, qui se prolongèrent plusieurs heures, Kerry discuta de tous les sujets de tension entre les deux pays[68] : le soutien du Pakistan à certains éléments des talibans, les opérations de la CIA au Pakistan et le raid d'Abbottabad. Kayani et Pasha exigèrent la suspension des interventions de drones au-dessus de leur territoire. Kayani fit aussi part à Kerry du profond sentiment de trahison qu'il avait éprouvé après l'opération d'Abbottabad et des risques énormes qu'il avait pris en prenant fait et cause pour les Américains. Kerry leur répondit qu'il n'était pas envisagé de mettre fin aux missions des drones et qu'aucun président doué d'un peu de bon sens n'aurait délégué l'opération Ben Laden à un pays tiers, notamment après l'échec de la capture du leader d'Al-Qaïda dans les grottes de Tora Bora.

Kerry fut aussi en mesure de négocier la restitution de la queue du Black Hawk accidenté, un modèle furtif ultrasecret. Il s'organisa pour que la CIA ait accès à la résidence d'Abbottabad et puisse interroger les épouses de Ben Laden. Le sénateur était encore à bord du vol le ramenant vers Washington quand la CIA lança une nouvelle attaque de drones sur les zones tribales du Pakistan[69]. C'était apparemment le moyen, d'une subtilité toute relative, que la CIA avait trouvé pour rappeler aux Pakistanais et à Kerry que c'était toujours elle, ici, qui menait la danse.

Les Pakistanais eurent recours à des enquêteurs de sexe féminin pour interroger les épouses du terroriste défunt, trois femmes ultrareligieuses, mais elles révélèrent très peu de choses sur leur existence en cavale ou leur vie à Abbottabad. La principale de ces épouses était aussi la plus âgée, Khairia, soixante-deux ans. Les enquêtrices la décrivirent comme un personnage « très dur, très difficile »[70]. Malgré l'habitation confortable où elles furent logées, elles déclarèrent à leurs geôliers pakistanais qu'elles ne désiraient qu'une chose – rentrer chez elles. Et quand les officiers de la CIA les interrogèrent à leur tour, elles firent toutes trois preuve d'une grande hostilité envers les Américains. À ce stade des relations pakistano-américaines, les deux parties s'accordaient sur peu de sujets ; l'un d'eux concernait la difficulté de gérer ces femmes. Presque un an après la mort de Ben Laden, le gouvernement d'Islamabad annonça que ses trois épouses avaient été inculpées d'« entrée illégale » sur le territoire du Pakistan, ce qui pourrait leur valoir une peine d'emprisonnement de cinq ans.

Le président Obama s'est rendu au quartier général de la CIA, en Virginie, le 20 mai, pour remercier la communauté du renseignement de son travail sur la mission Ben Laden[71]. Il se réunit à huis clos avec une soixantaine d'officiers et d'analystes de l'Agence qui avaient joué un rôle déterminant dans la chasse au chef d'Al-Qaïda, et s'adressa ensuite à un millier d'employés de la CIA, massés dans le hall central de Langley.

« Le travail que vous avez accompli et la qualité de l'information que vous avez pu fournir ont eu un poids déterminant, leur dit-il. Et nous, à Washington, nous avons aussi réussi quelque chose de remarquable, ajouta-t-il, pince-sans-rire. Nous avons su garder le secret[72]. »

Son auditoire éclata de rire, au milieu des applaudissements et des vivats.

Épilogue

Le crépuscule d'Al-Qaïda

Tout comme nous ne pouvons comprendre pourquoi l'armée française prit le risque de marcher sur Moscou pendant l'hiver glacial de 1812 sans saisir toute la mesure des ambitions de Napoléon, nous ne pouvons comprendre Al-Qaïda ou le 11 Septembre sans Oussama ben Laden. Il fut le concepteur d'Al-Qaïda, au temps où l'occupation soviétique de l'Afghanistan était sur le déclin et il en était demeuré le chef incontesté depuis sa création, à Peshawar, en août 1988, jusqu'au jour de sa mort, plus de vingt après[1]. Ce fut lui qui élabora cette stratégie d'attaques contre les États-Unis, afin de mettre un terme à leur influence dans le monde musulman – une stratégie qui finit par avoir les mêmes conséquences que la marche sur Moscou décidée par Napoléon. Au lieu de forcer les États-Unis à se retirer du Moyen-Orient, comme Ben Laden avait prédit qu'ils le feraient après les attaques du 11 Septembre, Washington, avec ses alliés, détruisit à peu près complètement l'organisation terroriste en Afghanistan, puis envahit l'Irak, tout en construisant simultanément d'immenses bases militaires dans des pays musulmans comme le Qatar, le Koweit et Bahreïn.

Si sa stratégie contre les États-Unis fut largement vouée à l'échec, ses idées, elles, pourraient conserver une validité plus durable, tout au moins auprès d'une petite minorité au sein du monde musulman. Comme beaucoup de chefs dont l'action détermina le cours de l'histoire, Ben Laden défendait une vision du monde fort simple que ses partisans – de Djakarta à Londres – n'eurent aucun mal à saisir. Dans cette histoire qu'il leur inculquait, l'Occident – sous la conduite des États-Unis – et les alliés à sa solde fomentaient dans le monde musulman une conspiration visant à détruire l'islam véritable. Ben Laden sut communiquer de manière très efficace, à un auditoire planétaire, cette fiction dominante d'une guerre contre l'islam menée par l'Amérique et qui appelait une vengeance. Un sondage Gallup effectué dans dix pays musulmans en 2005 et 2006 montrait que 7 % des musulmans considéraient les attaques du 11 Septembre comme « totalement justifiées »[2]. Pour le formuler autrement, sur 1,2 milliard de musulmans (ce chiffre est une estimation), 100 millions environ soutenaient sans hésiter la logique qui sous-tendait les attaques du 11 Septembre et la nécessité d'une vengeance contre l'Occident.

L'un des legs les plus délétères de Ben Laden, c'est que même des groupes de militants islamistes qui ne portent pas le nom d'Al-Qaïda ont adopté cette idéologie. Selon des procureurs espagnols, des talibans pakistanais ont envoyé un groupe de kamikazes à Barcelone pour y commettre des attentats dans le métro, en janvier 2008[3]. Un an plus tard, ces mêmes talibans pakistanais formaient une recrue américaine, Fayçal Shahzad, pour qu'il commette un attentat à New York[4]. Shahzad fit le voyage jusqu'au Pakistan, où il reçut une formation de cinq jours à la fabrication de bombes artisanales, dans la région tribale du Waziristan. Grâce à cette formation, il put placer une bombe dans un 4 × 4 et tenta de la faire exploser sur Times Square, à New York, le 1er mai 2010, vers 18 heures. Heureusement, la bombe eut une défaillance, et Shahzad fut arrêté deux jours plus tard.

Les attentats de Mumbai, en 2008, montrèrent que les idées de Ben Laden, incitant à des attaques contre des cibles occidentales et juives, étaient désormais reprises par des groupes d'activistes pakistanais comme Lashkar-e-Taiba (LeT), dont les objectifs terroristes avaient visé l'Inde. Sur trois journées, en novembre 2008, LeT se livra à de multiples attaques, à Mumbai, en prenant pour cible des hôtels de grand luxe abritant des Occidentaux, ainsi qu'un centre juif américain, tuant 170 personnes[5].

D'autres groupes locaux affiliés à Al-Qaïda essaieront, eux aussi, de poursuivre l'œuvre sanglante de Ben Laden. Le groupement Al-Qaïda dans la péninsule Arabique (AQAP) fut responsable d'une tentative d'attentat suicide sur le vol Northwest 253 au-dessus de Detroit, le jour de Noël 2009, au moyen d'une bombe cachée dans les sous-vêtements d'Omar Farouk Abdulmutallab, une recrue nigériane. Un an plus tard, AQAP dissimulait des bombes dans des cartouches d'imprimante, à bord d'appareils en partance pour Chicago[6]. Ces bombes furent découvertes au dernier moment, sur l'aéroport d'East Midlands, au Royaume-Uni, et à Dubaï.

En septembre 2009, le groupe d'insurgés islamistes somaliens Al-Shabaab (« la jeunesse », en arabe) prêtait officiellement allégeance à Ben Laden, après une période de deux ans pendant lesquels ce groupe avait recruté des Somalo-Américains et d'autres musulmans originaires des États-Unis pour prendre part à la guerre en Somalie[7]. Après avoir annoncé son allégeance à Ben Laden, Shabaab fut à même de recruter un grand nombre de combattants étrangers ; selon une estimation, en 2010, ils étaient jusqu'à 1 200 à opérer dans le cadre de ce groupement. Un an plus tard, Shabaab contrôlait la quasi-totalité du sud de la Somalie[8].

Au cours de l'été 2011, au Nigeria, pays à forte population musulmane, un groupe djihadiste, Boko Haram, lança une attaque dans la capitale, Abuja, contre un bâtiment des Nations unies, tuant une vingtaine de personnes. Depuis lors, ce groupe a fomenté une campagne systématique visant des cibles chrétiennes.

En 2008, en Irak, Al-Qaïda (AQI) paraissait au bord de la défaite. L'ambassadeur des États-Unis, Ryan Crocker déclarait : « Vous ne m'entendrez pas dire qu'Al-Qaïda est fini, mais, à ce jour, ils n'ont jamais été aussi proches de la défaite[9]. » Certes, AQI avait perdu toute capacité de contrôler de vastes portions du pays et une bonne part de la population sunnite, comme c'était le cas en 2006, mais ce groupe révéla une faculté de résistance surprenante, en continuant d'organiser des attentats à la bombe à grande échelle, dans le centre de Bagdad. En 2012, AQI envoya des fantassins en Syrie pour combattre le régime de Bashar el-Assad[10], lui même membre d'une secte chiite, les alaouites, que méprisent les ultrafondamentalistes sunnites qui composent Al-Qaïda.

Ces groupes, ainsi que quelques « loups solitaires » inspirés par Ben Laden, continueront de vouloir semer la destruction, mais leurs efforts ne précipiteront pas le « choc des civilisations » qu'espérait leur mentor après le 11 Septembre. En fait, plusieurs gouvernements de pays musulmans, de la Jordanie à l'Indonésie, ont entrepris des actions agressives contre Al-Qaïda et ses affidés, et ces groupes essaiment maintenant une idéologie qui a perdu l'essentiel de son emprise sur le monde musulman. Dans les deux nations musulmanes les plus peuplées de la planète – l'Indonésie et le Pakistan –, le niveau d'opinions favorables à Ben Laden et de soutien aux attentats suicides a au moins chuté de moitié entre 2003 et 2010[11]. La mort de civils musulmans, assassinés par des terroristes djihadistes, constitue la raison principale de ce déclin. Al-Qaïda et ses alliés ont constamment pris pour cible la vaste majorité de leurs coreligionnaires qui ne partagent pas précisément leurs opinions. De Bagdad à Djakarta et d'Amman à Islamabad, la cohorte des morts civils tout au long de la décennie postérieure au 11 Septembre fut largement l'œuvre d'Al-Qaïda et de ses alliés. Le fait que ceux-ci, en se définissant comme les défenseurs de l'islam authentique, aient laissé tant de victimes musulmanes dans leur sillage n'a guère milité en leur faveur auprès d'une majorité du monde musulman.

Malgré l'échec pitoyable de la stratégie mise en œuvre par Al-Qaïda avec le 11 Septembre, un certain nombre d'auteurs éminents, d'universitaires et de politiques occidentaux ont affirmé que les attaques perpétrées à Washington et à New York avaient marqué le début d'une guerre contre une idéologie totalitaire similaire à celles, elles aussi meurtrières, que les États-Unis ont combattues tout au long du XXe siècle. De fait, le « benladénisme » présente quelques points communs avec le national-socialisme et le stalinisme : l'antisémitisme et l'antilibéralisme, l'adhésion à des chefs charismatiques, l'exploitation adroite de méthodes de propagande modernes et, si son programme devait être appliqué, la promesse fallacieuse d'une utopie ici et maintenant, sur cette terre. Mais le benladénisme n'a jamais fait peser de menace existentielle comparable à celles du communisme et du nazisme. Pourtant, chez certains, la conviction que l'« islamo-fascisme » ferait peser sur l'Occident une menace aussi lourde que les nazis ou les soviétiques a tenu lieu de véritable article de foi. Richard Perle, un néoconservateur influent, prévint que l'Ouest était confronté à la « victoire ou à l'holocauste » dans sa lutte contre les islamo-fascistes[12]. Et, après le 11 Septembre, l'ancien directeur de la CIA, James Woolsey, multiplia les apparitions télévisées dans les émissions d'information des chaînes américaines, en invoquant le spectre d'une nouvelle guerre mondiale[13].

Mais tout cela participait d'une grossière exagération. Les nazis ont occupé et soumis la quasi-totalité de l'Europe et déclenché un conflit planétaire qui décima des dizaines de millions d'êtres humains[14]. Et, à cette période, les États-Unis avaient consacré à peu près 40 % de leur PIB à combattre les nazis, en alignant contre eux des millions de soldats. Les régimes communistes ont tué cent millions de personnes en provoquant des guerres, en les enfermant dans des camps, en multipliant les famines volontaires et les pogromes.

La menace d'Al-Qaïda est d'une ampleur nettement plus limitée. En dépit de toute la rhétorique mélodramatique de Ben Laden, ses partisans ne mettront pas fin au mode de vie américain. Chaque année ou presque, les Américains risquent plus de mourir noyés accidentellement dans leur baignoire que d'être tués par un terroriste[15]. Les recherches d'Al-Qaïda en matière d'armes de destruction massive, teintées d'amateurisme, ne sont rien comparées à la possibilité très réelle de conflagration nucléaire à laquelle le monde fut confronté durant la guerre froide. Enfin, l'Occident compte aujourd'hui relativement peu de thuriféraires du benladénisme, alors que les fidèles du communisme et du nazisme se comptèrent par dizaines de millions.

Malgré la relative insignifiance de la menace posée par Al-Qaïda et ses alliés, la guerre contre le terrorisme a été une manne pour le complexe militaro-industriel américain. Le 11 septembre 2001, le budget annuel de l'ensemble des agences de renseignement américaines s'élevait à environ 25 milliards de dollars. Dix ans plus tard, il est de 80 milliards de dollars. Aujourd'hui, près d'un million d'Américains détiennent une habilitation d'accès à des informations ultra-confidentielles, et six des dix comtés américains les plus riches se situent dans la région de Washington. Si, au bout du compte, l'enjeu de la guerre contre le terrorisme se résume à la volonté de traduire Ben Laden en justice, il nous faut alors réfléchir au fait que les agences de renseignement américaines ont dépensé quelque cinq cents milliards de dollars en vue d'atteindre cet objectif.

Six semaines après la mort de Ben Laden, Al-Qaïda annonçait l'identité de son successeur, Ayman al-Zawahiri, un austère chirurgien égyptien[16]. Adjoint de longue date du chef défunt, sa voie était toute tracée ; son prédécesseur lui avait légué un cadeau empoisonné. Au moment de sa mort, Al-Qaïda était une organisation en déclin, une « marque » idéologique dont la date de péremption était depuis longtemps dépassée.

La « mine » de quelque six mille documents récupérés par le SEAL dans la résidence confirme la profondeur des problèmes dont souffrait l'organisation. Dans des notes qu'il n'aurait jamais imaginé voir entre les mains de la CIA, Ben

Laden déconseillait à d'autres groupes d'activistes djihadistes d'adopter la dénomination Al-Qaïda. Le 7 août 2010, il écrivait ainsi au chef de la milice Al-Shabaab, en Somalie, une phalange d'une extrême violence, pour lui déconseiller de se déclarer publiquement partie intégrante d'Al-Qaïda. Cela ne lui vaudrait que des ennemis, comme c'était le cas pour l'organisation affiliée à Al-Qaïda en Irak, et ne ferait que compliquer ses levées de fonds auprès de riches donateurs arabes.

Manifestement, son chef comprenait qu'Al-Qaïda avait perdu une bonne part de son prestige, et cela de longue date. En même temps, il constatait que l'administration Obama, elle, avait su résoudre son problème de marketing politique en cessant « à peu près complètement d'utiliser la formule de "guerre contre le terrorisme". Ses responsables ne veulent pas provoquer les musulmans, car ils estiment que, pour quantité de gens, parler de "guerre contre le terrorisme" évoquerait une guerre contre l'islam. » Et ce constat le troublait.

La série d'erreurs spectaculaires et autodestructrices que commirent les affidés d'Al-Qaïda en Irak préoccupèrent notablement Ben Laden et ses principaux conseillers. Ils déploraient que les attaques contre les chrétiens irakiens n'aient pas reçu l'imprimatur de Ben Laden. Et ce dernier pressa ses partisans au Yémen de ne pas tuer les membres de tribus locales, une tactique fréquemment employée par l'organisation dans l'ouest de l'Irak qui, dès 2006, avait entraîné un soulèvement tribal contre Al-Qaïda, compromettant gravement l'avenir du mouvement en Irak.

En octobre 2010, Ben Laden adressait un texte de quarante-huit pages à l'un de ses adjoints, dressant le bilan du djihad d'Al-Qaïda. Il débutait sur une note optimiste, observant que, pour les Américains, c'était « leur année la pire en Afghanistan depuis qu'ils avaient envahi le pays », une tendance qui, prédisait-il, ne ferait que s'amplifier avec l'aggravation de la crise budgétaire de Washington. Mais il s'inquiétait aussi de ce que le sanctuaire de longue date d'Al-Qaïda au Waziristan, dans les régions tribales du Pakistan, se révélait maintenant trop dangereux à cause des frappes de drones qu'y menait Washington. « Je serais d'avis de sortir la quasi-totalité de nos frères de cette région. »

Entre-temps, il conseillait à ses partisans de ne plus se déplacer dans ces zones tribales, sauf par temps nuageux, quand les satellites et les drones américains ne bénéficieraient pas d'une aussi bonne couverture du terrain, et il se plaignait de ce que « les Américains ont accumulé une grande compétence en matière de relevés photographiques de la région, et c'est dû au fait qu'ils y travaillent depuis des années. Ils sont même capables de distinguer les maisons fréquentées plus souvent que la normale par des individus de sexe masculin. »

Il pressait ses partisans de quitter ces zones tribales pour gagner les provinces afghanes reculées de Ghazni, de Zaboul et, en particulier, de Kunar, où il s'était caché avec succès après la bataille de Tora Bora, soulignant que les hautes montagnes et les épaisses forêts de cette région fournissaient une protection particulièrement efficace contre les regards inquisiteurs des Américains. S'inquiétant pour son fils, Hamza, âgé de vingt ans qui, après la levée de son assignation à résidence en Iran s'était installé dans ces régions tribales du Pakistan, il écrivait : « Veillez bien à dire à Hamza que je suis d'avis qu'il quitte le Waziristan. [...] Il ne doit se déplacer que lorsqu'il y a d'épais nuages. » Hamza devrait lever le camp et gagner le royaume, aussi prospère que minuscule, du Qatar, dans le golfe Persique, suggérait-il enfin.

Au cours de ses derniers jours, Ben Laden redoublait de prudence, et son mode de réflexion devenait même, parfois, paranoïaque. Il donna pour instruction à Hamza de jeter tout ce qu'il avait emporté d'Iran avec lui, car ces effets pouvaient contenir un dispositif de traçage. Il fallait aussi qu'il évite la compagnie d'un dénommé Abu Salman al-Baluchi, ce dernier ayant des acolytes liés aux services de renseignement pakistanais. Il formulait des instructions détaillées sur la manière dont Hamza devait échapper à la surveillance des drones en ne rencontrant des membres d'Al-Qaïda que dans un tunnel routier bien précis, non loin de Peshawar.

Il rappelait également à ses adjoints que « toute communication devait se faire par lettre » et non par téléphone ou par Internet. En conséquence, il lui fallait attendre les réponses à ses questions jusqu'à deux ou trois mois – un moyen de gestion guère efficace pour le chef d'une organisation. Il informait enfin ses lieutenants que, lors des enlèvements, il convenait de prendre quantité de précautions au stade des négociations et qu'il fallait jeter les sacs contenant l'argent des rançons, de peur qu'ils ne contiennent des dispositifs de traçage.

Au cours de ses dernières années d'isolement, Ben Laden devint un microgestionnaire invétéré, insistant auprès de son groupe au Yémen pour que ses membres fassent le plein de carburant et se nourrissent copieusement avant de s'embarquer sur la route, afin d'éviter les arrêts dans les stations-service et les restaurants qui risquaient d'être sous la surveillance d'espions du gouvernement. Il conseillait à l'aile nord-africaine d'Al-Qaïda de planter des arbres, pour que ses militants puissent plus tard s'en servir comme d'une couverture, en opération. Ce sage conseil arboricole fut ignoré.

Surtout, il échafaudait des stratégies sur le meilleur moyen d'améliorer son image publique, en observant qu'« une bonne part de la bataille se livre dans les médias ». « Le dixième anniversaire de l'attaque du 11 Septembre approche et, en raison de l'importance de cette date, il est temps d'entamer des préparatifs, ordonna Ben Laden à ses troupes. Je vous prie de m'envoyer vos suggestions à ce propos. » Il pensa, aussi, à contacter les correspondants des deux chaînes d'Al Jazeera, en anglais et en arabe, et se demandait s'il ne pourrait pas intervenir sur une chaîne de télévision américaine, « une chaîne exempte de parti pris, comme CBS ». L'un de ses conseillers en communication – on pense qu'il s'agit d'Adam Gadahn, une recrue américaine d'Al-Qaïda – envisagea que Ben Laden profite de ce dixième anniversaire, en 2011, pour enregistrer une vidéo haute définition qui serait adressée à toutes les grandes chaînes d'information des États-Unis, sauf Fox News, dont Gadahn jugeait qu'elle « manque de neutralité ». Il ne semble pas que Ben Laden ait jamais réalisé pareille vidéo.

Jusqu'à la fin, il resta fixé sur l'idée de monter une nouvelle attaque d'envergure contre les États-Unis. « Il serait bon que vous puissiez choisir un certain nombre de frères, sans aller au-delà de dix, pour les envoyer individuellement dans leurs pays de destination, sans qu'aucun d'eux connaissent les autres, afin d'y apprendre le pilotage », demanda-t-il à l'un de ses adjoints. Bizarrement, il se plaignait de ce que Fayçal Shahzad, le citoyen américain d'origine pakistanaise qui avait essayé de faire sauter un 4×4 à Times Square, ait rompu le serment d'allégeance qu'il avait prêté aux États-Unis. « Dans l'islam, il n'est pas acceptable de trahir la confiance et de rompre un pacte. » Son aversion apparente à recruter des citoyens américains pour mener des attaques dans leur propre pays limitait ses options. De toute manière, Zawahiri le freinait, plaidant qu'il était plus réaliste d'attaquer des soldats américains en Afghanistan que des civils aux États-Unis.

Ben Laden et ses hommes n'avaient plus monté d'attaque terroriste couronnée de succès en Occident depuis le 7 juillet 2005, avec les attentats de Londres. Les complots du réseau pour faire sauter des bombes à Manhattan en 2009[17] et monter des attaques de même style que celles de Mumbai en Allemagne[18] un an plus tard ont fait long feu. Et, depuis le 11 septembre 2001, Al-Qaïda n'a plus jamais organisé d'attaque réussie contre les États-Unis.

Cette série d'échecs retentissants précédait les événements mouvementés du Printemps arabe – événements où les dirigeants, les fantassins et les idées d'Al-Qaïda n'ont joué aucun rôle. Entre temps, les frappes de drones avaient décimé le ban et l'arrière-ban des commandants d'Al-Qaïda depuis l'été 2008, quand le président George W. Bush avait autorisé un programme d'attaques renforcées contre les régions tribales du Pakistan[19]. Après l'ascension de Zawahiri à la tête d'Al-Qaïda, un drone de la CIA tua Atiyah Abdul Rahman[20] qui, nous l'avons vu, occupa le poste de chef de cabinet de Ben Laden pendant de nombreuses années. Le mouvement ne pouvait aisément remplacer un individu possédant la longue expérience de Rahman, ou aucun des autres chefs du mouvement tués par des attaques de drones durant la dernière année de la présidence de Bush et depuis le début de celle d'Obama.

Il est peu probable que Zawahiri renverse la tendance. Loin d'être l'orateur exaltant qu'était son prédécesseur, il s'apparente plutôt à l'un de ces patriarches aux discours interminables et pointilleux qui, lors des dîners de famille, abreuvent son auditoire d'histoires sur ses querelles ancestrales avec d'obscurs ennemis. En 2011, la demi-douzaine de communications publiques de Zawahiri sur les événements du Printemps arabe furent accueillies au Moyen-Orient par un gigantesque bâillement collectif. Non seulement Zawahiri souffre d'un manque de charisme abyssal, mais c'est un chef inefficace, ni bien considéré, ni très apprécié des divers groupes djihadistes de son Égypte natale.

La mort de Ben Laden a donc scellé l'élimination du seul leader qu'a connu Al-Qaïda depuis sa fondation en 1988. Il était, aussi, le seul homme capable de proposer à l'ensemble du mouvement djihadiste des objectifs stratégiques incontestés. L'imprévu serait que l'un de ses fils (ils sont au moins dix, peut-être davantage, et tous portent un nom de famille emblématique) puisse prendre un jour la tête du mouvement terroriste[21].

La mort de Ben Laden ne suffira évidemment pas à faire disparaître le terrorisme djihadiste, mais il est difficile d'imaginer mieux, avec elle et les révoltes du Printemps arabe, pour mettre un terme définitif à la « guerre contre le terrorisme ».

Certes, nous ne savons pas quelle sera l'issue finale des révolutions arabes, mais il y a peu de chances pour qu'Al-Qaïda ou d'autres groupements extrémistes puissent prendre les rênes du pouvoir, alors que les régimes autoritaires du Moyen-Orient s'effondrent. Néanmoins, si Al-Qaïda et ses alliés sont incapables de s'emparer du pouvoir où que ce soit dans le monde musulman, ils prospèrent sur fond de chaos et de guerre civile. Toute révolution est par nature imprévisible, même pour ceux qui sont à sa tête. C'est si vrai que, ces prochaines années, tout peut arriver en Libye, au Yémen, en Syrie – et l'avenir de l'Égypte est tout aussi inconnu.

En Égypte, les groupes islamistes ont fort bien tiré leur épingle du jeu lors des scrutins parlementaires postérieurs au renversement d'Hosni Moubarak[22]. Les Frères musulmans et un parti salafiste ont recueilli à peu près les trois quarts des voix. Ces groupes ne se font pas les chantres de la violence et Al-Qaïda a longtemps critiqué la volonté des Frères musulmans de s'engager dans des élections que les djihadistes considèrent, par nature, « anti-islamiques ». Mais, même en Égypte, les salafistes veulent sans doute une société qui ressemblerait beaucoup plus à celle des talibans afghans d'avant le 11 Septembre que celle envisagée par les révolutionnaires arabes qui lancèrent, sur Facebook, leur appel à la révolte contre Moubarak.

Malgré les déficiences de Zawahiri et les problèmes institutionnels graves dont il a hérité, il aura d'autres occasions de contribuer à la résurrection d'Al-Qaïda. Après le reflux de la grande promesse initiale du Printemps arabe, il est probable qu'il essaiera d'exploiter le chaos qui règne dans la région pour atteindre son objectif central : établir un nouveau refuge pour Al-Qaïda. L'unique endroit où il pourrait y parvenir serait le Yémen. Comme Ben Laden, beaucoup de membres d'Al-Qaïda ont des racines dans ce pays, et des responsables américains de l'antiterrorisme ont pu identifier le groupe affilié au mouvement qui y sévit comme la plus dangereuse de toutes ses ramifications régionales[23]. La guerre civile qui embrase aujourd'hui le Yémen a déjà fourni aux militants djihadistes l'occasion de s'emparer de plusieurs bourgades dans le sud du pays. Il est certain que le mouvement cherchera à consolider ces conquêtes dans un pays qui ressemble de très près à l'Afghanistan d'avant le 11 Septembre : une nation essentiellement tribale, où les armes prolifèrent, d'une pauvreté crasse, marquée par des années de guerre.

Oussama ben Laden s'est longtemps imaginé comme une sorte de poète. Ses compositions avaient une tendance morbide, et un poème écrit deux ans après le 11 Septembre, où il envisageait les circonstances de sa mort, n'y fait pas exception. « Que ma tombe soit le ventre d'un aigle, sa dernière demeure, l'atmosphère céleste, parmi les aigles perchés[24]. » Mais faute de martyre spectaculaire dans les montagnes au milieu des aigles, il mourut entouré de ses épouses, dans une résidence de banlieue, dans une chambre sordide jonchée de verre brisé, de jouets et de flacons de médicaments – témoignages de la brutalité de l'assaut du SEAL contre son ultime repaire. Et, le 25 février 2012, les autorités pakistanaises envoyèrent des pelleteuses mécaniques pour abattre ces bâtiments en l'espace d'un week-end, effaçant ainsi le séjour de six années du chef d'Al-Qaïda à Abbottabad[25].

S'il y a de la poésie dans la fin de Ben Laden, c'est celle de la justice, et ce sont ici les propos du président George W. Bush devant le Congrès, neuf jours après le 11 Septembre qui reviennent à l'esprit. Il prédit alors que l'on confierait un jour Ben Laden et Al-Qaïda à « la tombe anonyme de l'Histoire dédiée aux mensonges oubliés »[26], où reposent déjà le communisme et le nazisme. Le président Barack Obama a dépeint Al-Qaïda et ses affiliés comme de « petites gens, tombées du mauvais côté de l'Histoire[27] ».

Pour Al-Qaïda, cette histoire s'est accélérée de façon spectaculaire au moment où le corps de Ben Laden sombrait dans les profondeurs de la mer.

n chien, similaire à Cairo, le malinois belge qui a accompagné les Seals à Abbottabad, saute d'un hélicoptère
ec son maître des Forces spéciales, durant un entraînement.

s aspirants au Navy Seal doivent subir un entraînement très dur, tel cet exercice au cours duquel ils sont plongés
ns une piscine profonde, pieds et poings liés.

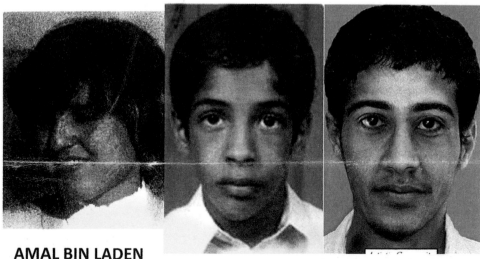

NAME: USAMA BIN LADIN
ALIASES: SHAYKH
SIGNIFICANCE:
POSSIBLE DESCRIPTION

- NATIONALITY: ARAB/SAUDI
- AGE: 54
- HT: 6'4" – 6'6"
- WT: ~160 LBS
- EYES: BROWN
- HAIR: BROWN
- CLOTHING: 3RD MALE OBSERVED ON CMPD ALWAYS WEARS LIGHT COLORED
       SHAWAL KAMEEZ WITH A DARK VEST. OCCASIONALLY
       WEARS LIGHT COLORED PRAYER CAP.
FAMILY MEMBERS: CMPD AC1, COURTYARD A, 2ND AND 3RD FLOOR
- 1ST WIFE: AMAL AL FATTAH AL SADAH (28 YRS OLD)
- DAUGHTER: SAFIYAH (9YRS OLD)
* 2 UNIDENTIFIED CHILDREN BORN SINCE 2011 (UNK IF IN "A" COMPOUND

- 2ND WIFE: SIHAM ABDULLAH BIN HUSAYN AL SHARIF (54 YRS OLD)
- SON: KHALID (23 YRS OLD)
- DAUGHTERS: MIRIAM (20 YRS OLD), SUMAYA (16 YRS OLD)

- 3RD WIFE: KHAYRIYA HUSAYN TAHA SABIR aka UMM HAMZA (62 YRS OLD)
- SON: HAMZA (21 YRS OLD)
   - WIFE: MARYAM
   - SON: USAMA (4 YRS OLD)
   - DAUGHTER: KHAYRIYA (1 YR OLD)
* 3RD WIFE KHAYRIYA AND SON RELEASED FROM IRANIAN CUSTODY IN JUL
2010

AMAL BIN LADEN
WIFE

KHALID
SON

Une carte identifiant Ben Laden et les membres de sa famille, que portaient sur eux le 1er mai 2011 les membres du commando du Navy Seal à Abbottabad.

NAME: IBRAHIM SAID AHMAD ABD AL HAMID
ALIASES: ARSHAD, ASIF KHAN, TARIQ, HAJI NADEEM, SARDAR ASHAD
(OWNER OF AC1)
SIGNIFICANCE: COURIER AND ASSESSED
AS ONE OF 3 INDIVIDUALS
RESPONSIBLE FOR HVT #1s CARE
POSSIBLE DESCRIPTION
 - NATIONALITY: ARAB/KUWAITI
 - AGE: 32
 - HT: 5'9" – 5'11"
 - WT: UNK
 - EYES: UNK
 - HAIR: UNK
 - SKIN: UNK
 - CLOTHING: TYPICALLY A WHITE SHAWAL KAMEEZ
 - OTHER: MOVED FROM MARDAN CITY TO TARGET CMPD IN 2006 WITH
         BROTHER ABRAR
FAMILY MEMBERS: CMPD AC1, COURTYARD C
 - WIFE: MARYAM (31 YRS OLD)
 - SONS: KHALID (5-7 YRS OLD), AHMAD (1-4 YRS OLD), HABIB (18 MONTHS)
 - DAUGHTER: RAHMA (8 YRS OLD)
* WIFE AND KIDS RETURNED TO C CMPD ON 28 APR 2011
 - BROTHER: ABRAR
 - FATHER: AHMAD SAID (DECEASED)
 - MOTHER: HAMIDA AHMAD SAID (46 YRS OLD)

NO PHOTO

NAME: ABRAR AHMAD SAID ABD AL HAMID
ALIASES: ARSHAD, ASIF KHAN,
SARDAR ASHAD (OWNER OF AC1)
SIGNIFICANCE: FACILITATOR FOR HVT #1
POSSIBLE DESCRIPTION
 - NATIONALITY: ARAB/KUWAITI
 - AGE: 33
 - HT: UNK
 - WT: UNK
 - EYES: UNK
 - HAIR: DARK
 - SKIN: UNK
 - CLOTHING: WEARS GLASSES
 - OTHER: MOVED FROM MARDAN CITY TO TARGET CMPD IN 2006 WITH
         BROTHER ABRAR

FAMILY MEMBERS: CMPD AC1, COURTYARD A, FIRST FLOOR
 - WIFE: BUSHRA (~30 YRS OLD)
 - SONS: IBRAHIM (4 MONTHS), ABD AL RAHMAN (1-4 YRS OLD), MUHAMMAD
(6-7 YRS OLD, ATTENDS MADRASSA AWAY FROM FAMILY)
 - DAUGHTER: KHADIJA (1-4 YRS OLD)
 - BROTHER: ABU AHMAD
 - FATHER: AHMAD SAID (DECEASED)
 - MOTHER: HAMIDA AHMAD SAID (46 YRS OLD)

u verso de cette carte figurent des informations détaillées sur « le Koweitien », son frère et leurs familles.

Tranquille et vallonnée, la ville d'Abbottabad, où vécut Ben Laden pendant plus de cinq ans.

On peut voir sur cette photo de la maison d'Abbottabad les petites fenêtres opaques, placées haut sur le mur du troisième et dernier étage où vécurent Ben Laden et sa jeune épouse.

Le jardin potager dans lequel ▯ Laden, surnommé « le Promeneur » par les analystes de la CIA, aimait marcher dans la journée.

Ben Laden, assis sur le sol d'une chambre de la résidence d'Abbottabad, regarde sur un écran de télévision une vidéo de lui-même.

La chaîne de télévision pakistanaise Geo News diffuse les images de la carcasse en feu de l'hélicoptère furtif américain accidenté la nuit du raid.

OBAMA SAYS JUSTICE HAS BEEN DONE

La queue de l'appareil accidenté est posée sur l'enceinte extérieure de la propriété de Ben Laden, le matin du raid.

Le corps de Ben Laden a été jeté dans la mer d'Arabie depuis le porte-avions américain *USS Carl Vinson*.

Le général Ashfaq Parvez Kayani, chef d'état-major de l'armée pakistanaise, considéré comme l'homme le plus puissant du pays. Il a contribué à l'élaboration d'un « pacte stratégique » avec les États-Unis et s'est senti trahi de ne pas avoir été prévenu par les autorités américaines du raid sur le site d'Abbottabad.

À gauche sur cette phot[o] se tiennent trois petit[s-]enfants de Ben Laden : Fatima, 5 ans ; Abdullah[,] 12 ans et Hamza, 7 ans. À droite : Hussain, 3 an[s,] Zainab, 5 ans et Ibraheem, 8 ans, sont les tr[ois] plus jeunes des vingt-quatre enfants de Ben Laden. Hussain et Zaina[b] sont nés quand le chef d'Al-Qaïda vivait à Abbottabad.

vant la Maison-Blanche, une foule s'est rassemblée pour fêter la nouvelle de la mort de Ben Laden.

s militants pakistanais du groupe radical Jamaat-e-Islami défilent à Peshawar, le 6 mai 2011, pour protester
tre les États-Unis et condamner l'opération qui a tué Ben Laden. Les manifestants, assez peu nombreux, qui ont
ticipé à ce genre de rassemblement étaient des partisans de groupes religieux extrémistes.

Le successeur de Ben Laden à la tête d'Al-Qaïda, le Dr Ayman al-Zawahiri, sur une vidéo diffusée le 16 novembre 2011. Il chante les louanges de son prédécesseur, sa gentillesse, sa générosité et sa loyauté.

He used to remember the 19 (people) who attac[k] the idiot of the age, America.

© CIA

IN HONOR OF THOSE MEMBERS
OF THE CENTRAL INTELLIGENCE AGENCY
WHO GAVE THEIR LIVES IN THE SERVICE OF THEIR COUNTRY

Les étoiles du monum[ent] aux morts, au siège de la CIA. Chacune représente un agent tué en exerc[ice]. Vingt-quatre d'entre e[ux] sont morts dans la décennie qui a suiv[i] les attentats du 11 Septembre.

© Mahmud Hams/AFP/Getty Images

Des manifestants brandissent le drapea[u] égyptien sur la place Tahrir, au Caire, le 11 mars 2011. Les hommes et les idées de Ben Laden furent ignorés des manifesta[nts] du Printemps arabe de 2011.

Bibliographie

LIVRES

Feroz Ali Abbasi, *Guantánamo Bay Prison Memoirs*, 2002-2004. Collection de l'auteur.

Matthew M. Aid, *Intel Wars : The Secret History of the Fight Against Terror*, Bloomsbury, New York, 2012.

Charles Allen, *Soldier Sahibs : The Men Who Made the North-West Frontier*, Abacus, Londres, 2001.

Jonathan Alter, *The Promise : President Obama, Year One*, Simon and Schuster, New York, 2009.

Mir Bahmanyar avec Chris Osman, *SEALs : The US Navy's Elite Fighting Force*, Osprey Publishing, Oxford, United Kingdom, 2008.

Nasser al-Bahri avec Georges Malbrunot, *Dans l'ombre de Ben Laden : Révélations de son garde du corps repenti*, Michel Lafon, Paris, 2010.

Ken Ballen, *Terrorists in Love : The Real Lives of Islamic Radicals*, Free Press, New York, 2011.

Neal Bascomb, *La Traque d'Eichmann. La plus grande chasse à l'homme de l'histoire*, Perrin, Paris, 2010.

Peter Bergen, *Guerre sainte, multinationale*, Gallimard, Paris, 2002.

- *The Longest War : The Enduring Conflict between America and al-Qaeda*, Free Press, New York, 2011.

– *Ben Laden l'insaisissable : Portrait d'Oussama ben Laden par ceux qui l'ont connu*, Michel Lafon, Paris, 2006.

Gary Berntsen et Ralph Pezzullo, *Jawbreaker : The Attack on Bin Laden and Al-Qaeda. A Personal Account by the CIA's Key Field Commander*, Crown, New York, 2005.

Peter Blaber, *The Mission, the Men, and Me : Lessons from a Former Delta Force Commander*, Berkley Caliber, New York, 2008.

Mark Bowden, *J'étais le pilote du Faucon Noir. « Mike, nous ne partirons pas sans toi ! »*, Altipresse, Paris, 2012.

– *Guests of the Ayatollah : The Iran Hostage Crisis : The First Battle in America's War with Militant Islam*, Grove Press, New York, 2007.

– *Killing Pablo : The Hunt for the World's Greatest Outlaw*, Atlantic Monthly Press, New York, 2001.

Charles H. Briscoe, Richard L. Kiper, et Kalev Sepp, *U.S. Army Special Operations in Afghanistan*, Paladin Press, Boulder, Colorado, 2006.

Paula Broadwell et Vernon Leob, *All In : The Education of General David Petraeus*, Penguin Press HC, New York, 2012.

Jason Burke, *The 9/11 Wars*, Penguin Books, Londres, 2011.

George W. Bush, *Instants décisifs*, Plon, Paris, 2010.

Dick Cheney, *In My Time : A Personal and Political Memoir*, Simon and Schuster, New York, 2011.

Steve Coll, *Ghost Wars : The Secret History of the CIA, Afghanistan, and Bin Laden, from the Soviet Invasion to September 10, 2001*, Penguin, New York, 2004.

– *The Bin Ladens : An Arabian Family in the American Century*, Penguin, New York, 2008.

George Crile, *Charlie Wilson's War : The Extraordinary Story of How the Wildest Man in Congress and a Rogue CIA Agent Changed the History of Our Times*, Grove Press, New York, 2007.

Henry A. Crumpton, « Intelligence and War in Afghanistan, 2001-2002 », in *Transforming U.S. Intelligence*, éds Jessica E. Sims et Burton Gerber, Georgetown University Press, Washington, DC, 2005.

Bibliographie

Michael DeLong et Noah Lukeman, *A General Speaks Out : The Truth About the Wars in Afghanistan and Iraq*, Zenith Press, Osceola, 2004.

Douglas Feith, *War and Decision : Inside the Pentagon at the Dawn of the War on Terrorism*, Harper Perennial, New York, 2009.

Yosri Fouda et Nick Fielding, *Les Cerveaux du terrorisme : Le 11 Septembre raconté par ceux qui l'ont commis*, Éditions du Rocher, Paris, 2003.

Tommy Franks, *American Soldier*, HarperCollins, New York, 2004.

Jim Frederick, *Special Ops : The Hidden World of America's Toughest Warriors*, Time, New York, 2011.

Dalton Fury, *Mission « Kill Bin Laden »*, Altripresse, Paris, 2012.

Robert M. Gates, *From the Shadows : The Ultimate Insider's Story of Five Presidents and How They Won the Cold War*, Simon and Schuster, New York, 2006.

Fawaz Gerges, *The Rise and Fall of Al-Qaeda*, Oxford University Press, New York, 2011.

Bradley Graham, *By His Own Rules : The Ambitions, Successes, and Ultimate Failures of Donald Rumsfeld*, PublicAffairs, New York, 2009.

Eric Greitens, *The Heart and the Fist : The Education of a Humanitarian, the Making of a Navy SEAL*, Houghton Mifflin Harcourt, New York, 2011.

Imtiaz Gul, *The Most Dangerous Place : Pakistan's Lawless Frontier*, Penguin, New York, 2011.

Michael Hastings, *The Operators : The Wild and Terrifying Inside Story of America's War in Afghanistan*, Blue Rider Press, New York, 2012.

Thomas Hegghammer, *Jihad in Saudi Arabia : Violence and Pan-Islamism Since 1979*, Cambridge University Press, New York, 2010.

John Heilemann et Mark Halperin, *Game Change : Obama and the Clintons, McCain and Palin, and the Race of a Lifetime*, Harper, New York, 2010.

Zahid Hussain, *Frontline Pakistan : The Struggle with Militant Islam*, Columbia University Press, New York, 2008.

Seth Jones, *Hunting in the Shadows : The Pursuit of Al Qa'ida Since 9/11*, W. W. Norton & Company, New York, 2012.

Gilles Kepel, Jean-Pierre Milelli, et Pascale Ghazaleh, *Al-Qaida dans le texte : Écrits d'Oussama ben Laden, Abdallah Azzam, Ayman al-Zawahiri et Abou Moussab al-Zarqawi*, « Quadrige Essais-débats », PUF, 2008.

Ronald Kessler, *The CIA at War : Inside the Secret Campaign Against Terror*, St. Martin's Press, New York, 2003.

Jim Lacey, *A Terrorist's Call to Global Jihad : Deciphering Abu Musab Al-Suri's Islamic Jihad Manifesto*, Naval Institute Press, Annapolis, 2008.

Robert Lacey, *Inside the Kingdom : Kings, Clerics, Modernists, Terrorists, and the Struggle for Saudi Arabia*, Viking Press, New York, 2009.

Najwa ben Laden, Omar ben Laden et Jean Sasson, *Oussama ben Laden, portrait de famille : Sa femme et son fils racontent*, Denoël, Paris, 2010.

Bruce Lawrence, *Messages to the World : The Statements of Osama Bin Laden*, Verso, New York, 2005.

Brynjar Lia, *Architect of Global Jihad*, Columbia University Press, New York, 2008.

Terry McDermott et Josh Meyer, *The Hunt for KSM : Inside the Pursuit and Takedown of the Real 9/11 Mastermind, Khalid Sheikh Mohammed*, Little, Brown and Company, New York, 2012.

William H. McRaven, *Spec Ops : Case Studies in Special Operations Warfare : Theory and Practice*, Random House, New York, 1996.

Jane Mayer, *The Dark Side : The Inside Story of How the War on Terror Turned into a War on American Ideals*, Anchor Books, New York, 2008.

Pervez Musharraf, *In the Line of Fire : A Memoir*, Free Press, New York, 2006.

Richard Myers, *Eyes on the Horizon : Serving on the Front Lines of National Security*, Threshold Editions, New York, 2009.

Leigh Neville, *Special Forces in Afghanistan : Afghanistan 2001-2007*, Osprey Publishing, Oxford, 2007.

Dana Priest et William M. Arkin, *Top Secret America : The Rise of the New American Security State*, Little, Brown and Co., New York, 2011.

Condoleezza Rice, *No Higher Honor : A Memoir of My Time in Washington*, Crown, New York, 2011.

Donald Rumsfeld, *Known and Unknown : A Memoir*, Penguin Group, New York, 2011.

Benjamin Runkle, *Wanted Dead or Alive : Manhunts from Geronimo to Bin Laden*, Palgrave Macmillan, New York, 2011.

Michael Scheuer, *Osama Bin Laden*, Oxford University Press, New York, 2011.

Eric Schmitt et Thom Shanker, *Contre-croisade : le 11 Septembre et le retournement du monde*, L'Harmattan, Paris, 2011.

Gary Schroen, *First In : An Insider's Account of How the CIA Spearheaded the War on Terror in Afghanistan*, Presidio Press, New York, 2005.

Henry Schuster et Charles Stone, *Hunting Eric Rudolph : An Insider's Account of the Five-Year Search for the Olympic Bombing Suspect*, Berkley Books, New York, 2005.

Mitchell Silber, *The Al Qaeda Factor : Plots Against the West*, University of Pennsylvania Press, Philadelphie, 2012.

Jessica E. Sims et Burton Gerber, eds., *Transforming U.S. Intelligence*, Georgetown University Press, Washington, DC, 2005.

Michael Smith, *Killer Elite : The Inside Story of America's Most Secret Special Operations Teams*, St. Martin's Press, New York, 2011.

Ali Soufan, *The Black Banners : The Inside Story of 9/11 and the War Against al-Qaeda*, W. W. Norton & Company, New York, 2011.

Anthony Summers et Robbyn Swann, *The Eleventh Day : The Full Story of 9/11 and Osama Bin Laden*, Ballantine Books, New York, 2011.

Camille Tawil, *Brothers in Arms : The Story of Al-Qa'ida and the Arab Jihadists*, Saqi Books, Londres, 2011.

George Tenet, *At the Center of the Storm : My Years at the CIA*, HarperCollins, New York, 2007.

Hugh Trevor-Roper, *Les Derniers Jours de Hitler*, Calmann-Lévy, Paris, 1947.

Mark Urban, *Task Force Black : The Explosive True Story of the Secret Special Forces War in Iraq*, St. Martin's Press, New York, 2011.

Joby Warrick, *The Triple Agent : The Al-Qaeda Mole Who Infiltrated the CIA*, Doubleday, New York, 2011.

Richard Wolffe, *Renegade : The Making of a President*, Crown, New York, 2009.

Bob Woodward, *Les Guerres d'Obama*, Denoël, Paris, 2012.

– *Plan d'attaque*, Gallimard, « Folio », 2005.

Andy Worthington, *Guantánamo Files : The Stories of the 759 Detainees in America's Illegal Prison*, Pluto Press, Londres, 2007).

Donald P. Wright, James R. Bird, Steven E. Clay, Peter W. Connors, lieutenant colonel Scott C. Farquhar, Lynn Chandler Garcia et Dennis Van Wey, *A Different Kind of War : The United States Army in Operation Enduring Freedom (OEF), Octobre 2001–Septembre 2005*, Combat Studies Institute Press, Fort Leavenworth, Kansas, 2005.

Lawrence Wright, *La Guerre cachée : Al-Qaïda et les origines du terrorisme islamiste*, Robert Laffont, Paris, 2007.

Abdul Salam Zaeef, *My Life with the Taliban*, Columbia University Press, New York, 2010.

Ahmad Zaidan, *Usama Bin Ladin without a Mask : Interviews Banned by the Taliban*, World Book Publishing Company, Liban, 2003.

DOCUMENTS

Documents du gouvernement américain

Conseil national du renseignement, « National Intelligence Estimate : The Terrorist Threat to the U.S. Homeland », juillet 2007, http://www.c-span.org/pdf/nie_071707.pdf.

United States Navy, amiral William H. McRaven, biographie, United States Special Operations Command, mise à jour 8 août 2011.

Pièce du prévenu 950 in *U.S. v. Moussaoui*, Cr. No. 01-455-A, « FBI's Handling of Intelligence Information Related to Khalid al-Mihdhar & Nawaf al-Hamzi », département de la Justice, rapport à l'inspecteur général, par Glenn A. Fine, obtenu via INTELWIRE.com.

Département de la Défense, « Recommendation for Continued Detention Under DoD Control (CD for Detainee, ISN US9SA-000063DP(S)) », 30 octobre 2008.

Département de la Défense, verbatim Transcript of Combatant Status Review Trial, Khalid Sheikh Mohammed, 10 mars 2007.

Département de la Défense, verbatim Transcript of Combatant Status Review Trial for ISN 10024, Khalid Sheikh Mohammed, 10 mars 2007, http://www.defenselink. mil/news/transcript ISN10024.pdf.

Département de la Justice, service du conseil juridique, « Memorandum for John A. Rizzo, Senior Deputy Council, Central Intelligence Agency », 30 mai 2005, http://s3.amazonaws.com/propublica/assets/missing memos/28O LC memo final redact 30 may 05.pdf.

JTF-GTMO Detainee Assessment for Abdul Shalabi, ISN US9SA-000042DP, 14 mai 2008.

JTF-GTMO Detainee Assessment for Abdul Rabbani Abu Rahman, ISN US9PK-001460DP, 9 juin 2008.

JTF-GTMO Detainee Assessment for Abu al-Libi, ISN US9LY-010017DP, 10 septembre 2008.

JTF-GTMO Detainee Assessment for Ali Hamza Ismail, ISN US9YM-000039DP, 15 novembre 2007.

JTF-GTMO Detainee Assessment for Ammar al-Baluchi, ISN USSPK-010018D, 8 décembre 2006.

JTF-GTMO Detainee Assessment for Awal Gul, ISN US9AF-000782DP, 15 février 2008.

JTF-GTMO Detainee Assessment for Bashir Lap, ISN US9MY-010022DP, 13 octobre 2008.

JTF-GTMO Detainee Assessment for Faruq Ahmed, ISN US9YM-000032DP, 18 février 2008.

JTF-GTMO Detainee Assessment for Harun al-Afghani, ISN US9AF-003148DP, 2 août 2007.

JTF-GTMO Detainee Assessment for Ibrahim Sulayman Muhammad Arbaysh, ISN US9SA-000192D, 30 novembre 2005.

JTF-GTMO Detainee Assessment for Khalid Shaykh Muhammad, ISN US9KU-010024DP, 8 décembre 2006.

JTF-GTMO Detainee Assessment for Maad al-Qahtani, ISN US9SA-000063DP (S), 30 octobre 2008.

JTF-GTMO Detainee Assessment for Mohammed al-Qahtani, ISN US9SA- 000063DP, 30 octobre 2008.

JTF-GTMO Detainee Assessment for Muazhamza al-Alawi, ISN US9YM- 000028DP, 14 mars 2008.

JTF-GTMO Detainee Assessment for Riduan Isomuddin, ISN US9ID- 010019DP, 30 octobre 2008.

JTF-GTMO Detainee Assessment for Riyad Atiq Ali Abdu al-Haj, ISN US9YM-000256DP, 23 mars 2008.

JFT-GTMO Detainee Assessment for Salim Hamed (Salim Hamdan), ISN US9YM-000149DP, 4 septembre 2008.

JTF-GTMO Detainee Assessment for Sultan al-Uwaydha, ISN US9SA-000059DP, 1er août 2007.

JTF-GTMO Detainee Assessment for Walid Said bin Said Zaid, ISN US9YM- 000550DP (S), 16 janvier 2008.

Mitchell D. Silber et Arvin Bhatt, « Radicalization in the West : the Homegrown Threat », New York Police Department,

2007.www.nypdshield.org/public/... /NYPD Report-Radicalization in the West.pdf.

« National Commission on Terrorist Attacks Upon the United States Final Report », Washington, DC, 2004 (« 9/11 Commission Report »).

National Defense University, Conflict Records Research Center, « Document contains al-Qaeda review of the 9/11 att acks on the United States one year later », non daté (*circa* septembre 2002), AQ-SHPD-D-001-285, http://www.ndu.edu/inss/docUploaded/AQ-SHPD-D-001-285.pdf.

Bureau du directeur du Renseignement national, « Declassified Key Judgments of the National Intelligence Estimate. Trends in Global Terrorism : Implications for the United States », avril 2006, http://www.dni.gov/press_releases/Declassified_NIE_Key_Judgments.pdf.

Bureau de l'inspecteur général, « Report on CIA Accountability with Respect to the 9/11 Attacks », 21 août 2007, https://www.cia.gov/library/reports/Executive%20Summary_OIG %20Report.pdf.

Département d'État des États-Unis, Bureau de Renseignement et de Recherche (INR), « The Wandering Mujahidin : Armed and Dangerous », 21-22 août 1993.

Département d'État des États-Unis, Bureau de Renseignement et de Recherche (INR), « Terrorism ? Usama bin Ladin : Who's Chasing Whom ? », 18 juillet 1996.

Département du Trésor des États-Unis, « Treasury Targets Key Al-Qa'ida Funding and Support Network Using Iran as a Critical Transit Point », 28 juillet 2011, http://www.treasury.gov/press-center/press releases/Pages/tg1261.aspx.

Sénat des États-Unis, commission des Affaires étrangères, « Tora Bora Revisited : How We Failed to Get Bin Laden and Why It Matt ers Today », 30 novembre 2009.

Commission spéciale du Sénat sur le Renseignement, « Report on Prewar Intelligence Assessments on Postwar Iraq, together with additional views », 12 février 2004, http://intelligence.senate.gov/prewar.pdf.

United States Special Operations Command History, 6ᵉ édition, 2008, http://www.socom.mil/SOCO MHome/Documents/history6thedition.pdf.

WikiLeaks, télégramme du Secrétaire d'État des États-Unis à l'ambassade des États-Unis à Islamabad, daté du 9 octobre 2008.

Documents et rapports

Brian Fishman, « Redefining the Islamic State : The Fall and Rise of Al-Qaeda in Iraq », The New America Foundation, August 18, 2011, http://newamerica.net/publications/policy/redefi ning_the_islamic_state.

Holloway Report, 23 août 1980, http:// www.gwu.edu/~nsarchiv/NSAEBB/NSAEBB63/doc8pdf.

« Nomination of Michael Leiter to be Director, National Counterterrorism Center », http://www.fas.org/irp/congress/2008_hr/leiter.pdf.

« Pervez Musharraf on U.S.-Pakistan Relations », Conseil des relations étrangères, 26 octobre 2011, http://carnegieendowment.org/files/1026carnegie-musharraf.pdf.

« Report into the London Terrorist Attacks on July 7, 2005 », commission du Renseignement et de la Sécurité, mai 2006, http://www.cabinetoffice.gov.uk/sites/default/files/resources/ isc_7july_report.pdf, p. 12 et 15.

Camille Tawil, « The Other Face of al-Qaeda », trad. Maryan El-Hajbi et Mustafa Abulhimal, Quilliam Foundation, novembre 2010.

Katherine Tiedemann et Peter Bergen, « The Year of the Drone », New America Foundation, 24 février 2010, http://counterterrorism.newamerica.net/sites/new america.net/files/policydocs/bergentiedemann2.pdf.

Documents judiciaires

Interrogatoire de Nizar Trabelsi, recrue d'Al-Qaïda, interrogé en français en juin 2002. Le texte de son interrogatoire a été communiqué par la suite en italien aux procureurs de

Milan chargés de l'enquête sur les complices de Trabelsi. Documents récupérés et traduits par Leo Sisti, journaliste d'investigation à *L'Espresso*. Collection de l'auteur.

U.S. v. Ali Hamza Ahmad Suliman al Bahlul, 7 mai 2008.

U.S. v. Moussaoui, Cr. No. 01-455-A, pièce ST-0001.

U.S. v. Khalid Sheikh Mohammed et al., inculpation devant la cour fédérale de district du district sud de New York [S14] 93 Cr. 180 [KTD], 14 décembre 2009.

U.S. v. Najibullah Zazi, district est de New York, 09-CR-663, mémorandum judiciaire l'appui de la requête d'ordre de détention permanent du gouvernement (Via IntelWire).

DISCOURS DE RESPONSABLES OCCIDENTAUX

Dick Cheney, allocution, « Town Hall Meeting », *CQ Transcriptions*, 19 octobre 2004.

Henry A. Crumpton, discours aux CSIS Smart Power Series, Washington, DC, 14 janvier 2008, http://csis.org/fi les/media/csis/press/080114_smart_crumpton.pdf.

Jonathan Evans, intervention à la Society of Editors, Manchester, Angleterre, 5 novembre 2007, http:// www.homeoffice.gov.uk/about-us/news/security - speech-mi5 ?version=1.

Robert Gates, allocution, École navale Koutzenov, Saint-Petersbourg, Russie, 21 mars 2011.

John McCain, discours après sa victoire lors de la primaire du Wisconsin, C-SPAN, 19 février 2008, http://www.c-spanvideo.org/appearance/290354897.

Amiral Michael Mullen, US Navy, chef d'état-major interarmées, devant la commission des Forces armées du Sénat, 22 septembre 2011, http://armed-services.senate.gov/statemnt/2011/09 %20September/Mullen %2009-22-11.pdf.

Barack Obama, « Address to the Nation on the Way Forward in Afghanistan and Pakistan », communiqué de presse de la Maison-Blanche, 1er décembre 2009, http://www.white

house.gov/the-press-office/remarkspresident-address-nation-wayforward-afghanistan-and-pakistan.

Barack Obama, débat organisé par le Parti démocrate, Los Angeles, Californie, 31 janvier 2008, http://articles.cnn.com/2008-01 31/politics/dem.debate. transcript_1_hillary-clinton-debate-stake/29?_s=PM:POLITICS.

Barack Obama, « Obama's Nobel Remarks [transcription] », *New York Times*, 10 décembre 2009, http://www.nytimes.com/2009/12.

Barack Obama, discours au Woodrow Wilson Center, Washington, DC, 1er août 2007, http://www.cfr.org/us-election-2008/obamas-speech-woodrowwilson-center/ p13974.

« Transcript : the Republican Candidates Debate », *New York Times*, 5 août 2007, http://www.nytimes.com/2007/08/05/us/politics/05transcriptdebate.html?pagewanted=all.

Paul Wolfowitz, briefing au département de la Défense, 10 décembre 2001.

DÉCLARATIONS DE DIRIGEANTS D'AL-QAÏDA ET D'AUTRES MILITANTS ALLIÉS DU MOUVEMENT

Abd al-Halim Adl, lettre à Khalid Cheikh Mohamed : traduction du Counterterrorism Center de West Point, Harmony Program.

Abu Musab al-Suri, « The Call to Global Islamic Resistance », publié sur des sites de djihadistes, 2004.

Oussama ben Laden, « Letter to Mullah Mohammed Omar from Bin Laden », non datée, AFGP-2002-600321. Disponible sur http://www.ctc.usma.edu/posts/letter-to-mullah-mohammed-omar-from-bin-laden-english translation.

Oussama ben Laden, « Statement », 7 octobre 2001. Diffusé par Al Jazeera.

Oussama ben Laden, interview à Al Jazeera, 1998. Disponible via « Note to Zarqawi », 12 novembre 2005, disponible sur http://www.ctc.usma.edu/wpcontent/uploads/2010/08/CTC-AtiyahLetter.pdf.

« The Solution : A Video Speech from Usama Bin Laden

Addressing the American People on the Occasion of the Sixth Anniversary of 9/11-9/2007 », SITE Group translation, 11 septembre 2007, http:// counterterrorismblog.org/site-resources/images/SITE-OBL-transcript.pdf.

« Al-Zarqawi : The Second al-Qa'ida Generation », Fu'ad Husayn, Al-Quds al-Arabi, 21-22 mai 2005.

JOURNAUX, MAGAZINES, REVUES, AGENCES DE PRESSE, ÉMISSIONS ET RADIOS D'INFORMATIONS

Journaux

Al-Hayat, Al-Quds Al-Arabi, Asharq Al-Awsat, Australian, Chicago Tribune, Daily Times (Pakistan), *Dawn* (Pakistan), *Der Spiegel, Express Tribune, Friday Times, Guardian, Harvard University Gazette, Independent, International Herald Tribune, Los Angeles Times, McClatchy Newspapers, The News* (Pakistan), *New York Times, New York Daily News, Sunday Times, Telegraph, Wall Street Journal, Washington Post, Washington Times, Weekly Standard, USA Today*

Magazines

Al-Majallah (Arabie saoudite), *Atlantic Monthly, Bloomberg Business Week, Mother Jones, National Journal, New Republic, New Yorker, Newsweek, Rolling Stone, Time, Washingtonian, Wired*

Revues

Foreign Affairs, Foreign Policy, Security Studies

Agences de presse

Agence France-Presse, Associated Press, Reuters, ProPublica

Émissions et radios d'informations

ABC, Canadian Broadcasting Corporation, CBS, CNN, France24, Al Jazeera, Middle East Broadcasting Corporation, MSNBC, NBC, PBS, Radio Free Europe/Radio Liberty

DOCUMENTAIRES

Canadian Broadcasting Corporation, *Al Qaeda Family*, 22 février 2004.

CNN, *In the Footsteps of Bin Laden*, 23 août 2006.

History Channel, *Targeting Bin Laden*, 6 septembre 2011.

National Geographic, *The Last Days of Osama Bin Laden*, 9 novembre 2011 ; *George W. Bush : The 9/11 Interview*, 30 août 2011.

NBC, « Inside the Terror Plot That "Rivaled 9/11" », *Dateline*, 14 septembre 2009.

PBS, *Frontline*, « Dana Priest : Top Secret America », 2011 ; « Campaign Against Terror », 2002.

Laura Poitras, *The Oath*, Praxis Films (2010).

Bibliographie

INTERVIEWS

Abdullah Anas
Abdel Bari Atwan
Hutaifa Azzam
Jeremy Bash
Khaled Batarfi
Noman Benotman
Gary Berntsen
Tony Blinken
John Brennan
Robert Cardillo
Glenn Carle
James « Hoss » Cartwright
Shamila Chaudhary
James Clapper
Hillary Clinton
Henry A. Crumpton
Dell Dailey
Robert Dannenberg
Khaled al-Fawwaz
Ari Fleischer
Michele Flournoy
Yosri Fouda
Tommy Franks
Dalton Fury
Brad Garrett
Susan Glasser
Eric Greitens
Robert Grenier
Jamal Ismail
Art Keller
Jamal Khalifa
Ihsan Mohammad Khan
Khalid Khawaja
Khalid Khan Kheshgi
David Kilcullen
Oussama ben Laden

Michael Leiter
David Low
Stanley McChrystal
Denis McDonough
John McLaughlin
Hamid Mir
Vahid Mojdeh
Philip Mudd
Michael Mullen
Asad Munir
Arturo Munoz
Muhammad Musa
Vali Nasr
Leon Panetta
David Petraeus
Paul Pillar
Mohammed Asif Qazizanda
Nick Rasmussen
Ben Rhodes
Robert Richer
Bruce Riedel
Michael Scheuer
Shabbir (voisin de Ben Laden)
Ali Soufan
Cindy Storer
Barbara Sude
Abu Musab al-Suri
Camille Tawil
Frances Fragos Townsend
Wisal al-Turabi
Michael Vickers
Junaid Younis
Rahimullah Yusufzai
Mohammed Zahir
Ahmad Zaidan
Juan Zarate

Notes

Prologue : Une retraite bien tranquille

1. Major Abbott, voir Charles Allen, *Soldier Sahibs : The Men Who Made the North-West Frontier*, Londres, Abacus, 2001, p. 205.

2. Sebastian Abbot, « Pakistani Town Copes with Infamy After Bin Laden », Associated Press, 24 mai 2011, www.guardian.co.uk/world/f3darticle/9661254.

3. Khalid Khan Kheshgi, entretien avec l'auteur, Pakistan, juillet 2011.

4. Câble du Département d'État à l'ambassade américaine d'Islamabad daté du 9 octobre 2008, repris par WikiLeaks.

5. M. Ilyas Khan, « Bin Laden Neighbours Describe Abbottabad Compound », BBC, 2 mai 2011, www.bbc.co.uk/news/world-south-asia-13257338.

6. « Pakistani Owner of Bin Laden's Hideaway Aided Him », Associated Press, 4 mai 2011.

7. Junaid Younis, entretien avec l'auteur, Abbottabad, Pakistan, 20 juillet 2011.

8. Christina Lamb, « Bickering Widows Blame Young Wife for Alerting US », *Sunday Times*, 22 mai, 2011, www.thesundaytimes.co.uk/sto/news/world_news/Asia/article 631884.ece.

9. Entretien de l'auteur avec un responsable pakistanais du renseignement, juillet 2011.

10. *Ibid.*

11. Najwa bin Laden, Omar bin Laden et Jean Sasson, *Growing Up Bin Laden : Oussama's Wife and Son Take Us Inside Their Secret World*, New York, St. Martin's Press, 2009, p. 173.

12. Khalad al-Hammadi, « Bin Ladin's Former "Bodyguard" Interviewed on al-Qaida Strategies », *al-Quds al-Arabi*, in Arabic, 3 août, 2004.

13. *Ibid.*

14. Wisal al-Turabi, interview par Sam Dealey, Khartoum, Soudan, 10 juillet 2005.

15. Bin Laden, Bin Laden et Sasson, *Growing Up Bin Laden*, p. 282 et 146.

16. *Ibid*, p. 282.

17. *Ibid.*

18. *Ibid.*, p. 146.

19. Interview de Wisal al-Turabi.

20. Lawrence Wright, *The Looming Tower : Al-Qaeda and the Road to 9/11*, New York, Alfred A. Knopf, 2006, p. 252.

21. Mohammed AlShafey, « Bin Laden's Family Under House Arrest in Iran », *Ashar al-Awsat*, 23 décembre 2009.

22. « Iran Says Rescued Diplomat Kidnapped in Pakistan », Reuters, 30 mars 2010.

23. Entretien de l'auteur avec plusieurs responsables pakistanais du renseignement, juillet 2011.

24. Christina Lamb, « Revealed : The SEALs' Secret Guide to Bin Laden Lair », *Sunday Times*, 22 mai 2011.

25. Entretien de l'auteur avec des responsables du renseignement pakistanais.

26. Durant le printemps 2011, Ben Laden et Siham avaient prévu de marier Khalid avec la fille d'un combattant d'Al-Qaïda mort au combat en Afghanistan quelques années plus tôt. Siham avait aussi deux filles vivant avec elle : Maryam, vingt ans, et Sumaiyah, seize ans. Leur troisième fille, Khadija, avait épousé un combattant d'Al-Qaïda en 1999, quand elle n'avait que onze ans, mais elle venait de mourir d'une infection dans une région tribale du Pakistan alors que son mari avait été tué récemment par un drone américain. Leurs quatre enfants vivaient donc à Abbottabad, avec « grand-père Oussama » et « grand-mère Siham ».

27. Mustafa al-Ansari, « Bin Ladin's Brother in-Law to Al Hayah : "My Sister Holds PhD : She Differs with Husband Usama Ideologically" », *Al Hayat* online, 26 mai 2011.

28. Hala Jaber, « Finding Oussama a Wife », *Sunday Times*, 24 janvier 2010.

29. *Ibid.*

30. *Ibid.*

31. Al-Ansari, « Bin Laden's Yemeni Spouse ».

32. Nasser al-Bahri, *Dans l'ombre de Ben Laden : Révélations de son garde du corps repenti*, Michel Lafon, Paris, 2010, p. 201.

33. Al-Ansari, « Bin Laden's Yemeni Spouse ».

34. *Ibid.*

35. *Ibid.*

36. Hamid Mir, entretien avec l'auteur, Islamabad, Pakistan, 11 mai 2002 et mars 2005.

37. Abdullah Anas, entretiens avec l'auteur, Londres, 15, 17 et 20 juin 2005.

38. L'épicier Mohamed Rachid interviewé par la BBC, « What Was Life Like in the Bin Laden Compound ? », BBC, 9 mai 2011.

39. « Abbottabad Children Played by Bin Laden Compound », CNN, 9 mai 2011.

40. *Ibid.*

41. Stan Grant, interview avec un enfant du quartier, The Situation Room, CNN, 30 mai 2011.

42. Ishan Mohammad Khan, entretien avec l'auteur, Abbottabad, Pakistan, 21 juillet 2011.

43. Khaled al-Fawwaz, entretien avec l'auteur, Londres, 1er avril 1997.

44. Norman Benotman, entretien avec l'auteur, Londres, 30 août 2005.

45. *Ibid.*

46. Lamb, « Revealed : Seal's Secret Guide ».

47. Robert Booth, Saeed Shah, and Jason Burke,« Oussama Bin Laden Death : How Family Scene in Compound Turnedto Carnage », *Guardian*, 5 mai 2011.

48. Al-Hammadi, « Oussama's Former Bodyguard », *op. cit.*

49. Zaynab Khadr, interview par Terrence McKenna, Islamabad, Pakistan, « Al Qaeda Family », Canadian Broadcasting Corporation, « Maha Elsammah and Zaynab Khadr », 22 février 2004.

50. Officiers du renseignement pakistanais interviewés par l'auteur.

51. Wright, *The Looming Tower*, p. 251 ; Abu Jundal, « His Three Wives Lived in One House That Had Only One Floor. They Lived in Perfect Harmony » ; Khalid al-Hammadi, « Bin Laden's Former "Bodyguard" Interviewed », *Al-Quds al-Arabi*, 20 mars-4 avril 2004.

52. Observations de l'auteur à Abbottabad.

53. Reponsables pakistanais de la sécurité interviewés par l'auteur.

54. Bin Laden, Bin Laden and Sasson, *Growing up Bin Laden*, p. 41.

55. Khaled Batarfi, entretien avec l'auteur, Djeddah, Arabie saoudite, 5 et 9 septembre 2005.

56. JoNel Aleccia, «What Was in Medicine Chests at Bin Laden Compound ?» MSNBC, 6 mai 2011.

57. Un responsable du renseignement pakistanais interviewé par l'auteur.

58. Joaillier de Rawalpindi, Pakistan, interviewé par l'auteur, 19 juillet 2011.

59. Responsables du renseignement pakistanais interviewés par l'auteur.

60. « Oussama Bin Laden Videos Released by Government », ABC News, 8 mai 2011.

61. « Al Qaeda Leader Mocks Obama in Web Posting », CNN, 19 novembre 2008.

62. Responsables pakistanais interviewés par l'auteur.

63. Ces livres venaient très probablement des deux excellentes librairies de langue anglaise d'Islamabad, Saeed Book Band et Mr Books, à deux heures de route d'Abbottabad.

Chapitre 1. Le 11 Septembre et ses lendemains

1. Interview de Ben Laden par John Miller, pour PBS Frontline, mai 1998.

2. Camille Tawil, « The Other Face of al-Qaeda », Quilliam Foundation, novembre 2010.

3. Interview de Ben Laden par Al Jazeera, 1998.

4. Gary Schroen, *First In : An Insider's Account of How the CIA Spearheaded the War on Terror in Afghanistan*, Presidio Press, 2005.

5. « Osama ben Laden video Excepts », BBC, 14 décembre 2001.

6. George Tenet, *At the Center of the Storm : My Years at the CIA*, HarperCollins, 2007.

7. Jim VandeHei et Peter Baker, *Washington Post*, 3 août 2005.

8. G. Tenet, *At the Center of the Storm, op. cit.*

9. Ari Fleischer, interview par l'auteur, New York, 11 septembre 2011.

10. George Bush, *Decision Points*, Crown Publishers, 2010.

11. Norman Benorman, interview par l'auteur, 30 août 2005.

12. Y. Fouda et W. Fielding, *Masterminds of Terror*.

13. Conversation par vidéo entre Ben Laden et un supporter saoudien, ABC News, 13 décembre 2001.

14. Anthony Summers et Robbyn Swann, *The Eleventh Day*, Ballantine Books, 2011.

15. Interview par l'auteur d'un responsable des renseignements américains, Washington, DC.

16. Interview par l'auteur d'un responsable des renseignements américains.

17. John Rizzo, « The Lawyer Who Apporved the CIA's Most Controversial Program ».

18. « Bush : Ben Laden recherché mort ou vif », CNN, 17 septembre 2001.

19. Jamal Ismail, interview par l'auteur, Islamabad, Pakistan, mars 2005.

20. Interview de Jamal Ismail.

21. Abu Walid al-Misri, *Asharq Al-Awsat*, 8-14 décembre 2004.

22. Vahid Mojdeh, ancien responsable taliban, interview par l'auteur, Kaboul, janvier 2005.

23. Abdul Salam Zaeef, *My Life with the Taliban*, Columbia University Press, 2010.

24. Description dans « Afghans Consider Rebuilding Bamiyan Bouddhas », *International Herald Tribune*, 5 novembre 2006.

25. Les talibans ont aussi secrètement détruit toutes les statues du musée de Kaboul, écrasant quelques 2 500 objets avec des marteaux, Peter Bergen, CNN, 11 mai 2007.

26. John F. Burns, « Afghan Clerics Urge Ben Laden to Leave ; White House Says Unacceptable », *New York Times*, 20 septembre 2001.

27. Ali Soufan, interview par l'auteur, New York, 17 décembre 2009.

28. Robert Grenier, interview par l'auteur, Washington, DC, 19 janvier 2010.

29. Alan Culison et Andrew Higgins, *Wall Street Journal*, 31 décembre 2001.

30. Oussama ben Laden, « Statement », diffusé le 7 octobre 2001 sur Al Jazeera.

31. Bruce Lawrence, *Messages to the World : The Statements of Osama ben Laden*, Verso, 2005.

32. Interview sur CNN, 5 février 2002.

33. Selon des rapports de l'époque, le Secrétaire d'État américain Colin Powell a dit qu'Al Jazeera était « irresponsable » de diffuser les vidéos de Ben Laden.

34. Oussama ben Laden dans *The Looming Tower*, L. Wright.

35. Hamid Mir, interview, 11 mai 2002.

36. « The Fall of Kabul », NewsHour avec Jim Lehrer, 13 novembre 2001.

37. Interview d'Hamid Mir, 11 mai 2002 et mars 2005.

38. Interview d'Hamid Mir, 11 mai 2002.

39. Ben Laden souffait de plusieurs maux, dont une tension basse et une blessure au pied qu'il s'était faite en combattant les Soviétiques en Afghanistan à la fin des années 1980, mais même si ces problèmes l'affectaient parfois, ils ne mettaient pas sa vie en danger. P. Bergen, *The Osama Bin Laden I Know.*

40. Gary Schroen, à la tête de l'équipe de la CIA qui entra en Afghanistan après le 11 Septembre, dit qu'il sut le 17 octobre que des membres des forces spéciales étaient arrivés au nord du pays. G. Schroen, *First In, op. cit.*

41. Gary Berntsen, interview par l'auteur, Washington, DC, 27 octobre 2009.

42. Interview par l'auteur de responsables des renseignements américains, Washington, DC, 6 juin 2003.

Chapitre 2. Tora Bora

1. Interview de Gary Berntsen.

2. Mohammed Asif Qazizanda, un commandant moudjahidin basé à Tora Bora, interview par l'auteur, Jalalabad, Afghanistan, 4 juillet 2004.

3. Hutaifa Azzam, interview par l'auteur, Amman, Jordanie, 13 septembre 2005.

4. Bin Laden, Bin Laden et Sasson, *Growing Up Bin Laden* ».

5. Interview d'Abdel Bari Atwan.

6. Le détenu Yasin Muhammad Salih Mazeeb Basardah raconta à ceux qui l'interrogeaient que le sultan saoudien al-Uwaydha se rendit à Tora Bora trois semaines avant l'arrivée de Ben Laden pour lui préparer le terrain. Un autre détenu, Abdul Rahman Shalabi, également à Tora Bora dans le même but, creusa des tunnels, organisa la sécurité et fit des réserves de nourriture.

7. Interview de Gary Berntsen.

8. Gary Berntsen, e-mail à l'auteur, 24 novembre 2009.

9. United States Special Operations Command, *History of United States Special Operations Command*, 2008.

10. Peter Bergen, « The Battle for Tora Bora », *New Republic*, 22 décembre 2009.

11. Faiza Saleh Ambah : « Out of Guantánamo and Bitter toward Bin Laden », *Washington Post*, 24 mars 2008.

12. Tenet, *At the Center of the Storm, op. cit.*

13. Observation du temps par un opérateur au sol de Delta à Tora Bora, e-mail à l'auteur, 6 août 2009.

14. Paul Wolfowitz, point presse du département de la Défense, 10 décembre 2001.

15. Michael DeLong et Noah Lukeman, *A General Speaks Out : The Truth About the Wars in Afghanistan and Iraq*, Zenith Press, 2004.

16. Dalton Fury, *Kill Bin Laden : A Delta Force Commander's Account of the Hunt for the World's Most Wanted Man*, St Martin's Press, 8 décembre 2008.

17. Interview par l'auteur de participants à la bataille de Tora Bora.

18. Mohammed Zahir, interview par l'auteur, Jalalabad, Afghanistan, été 2003.

19. Muhammad Musa, interview par l'auteur, Jalalabad, Afghanistan, juin 2003.

20. Tenet, *At the Center of the Storm, op. cit.*

21. Oussama ben Laden, « Message à nos frères en Irak », Al Jazeera, 11 février 2003.

22. Ayma al-Zawahiri « Osama Bin Laden Was Tender and Kind », BBC, 15 novembre 2011.

23. Gary Berntsen et Ralph Pezzullo, *Jawbreaker : The Attack on Bin Laden and Al-Qaeda : A Personal Account by the CIA's Key Field Commander*, Crown, 2005.

24. Donald Rumsfeld, *Known and Unknown : A Memoir*, Penguin Group, 2011.

25. « Campaign against terror », PBS Frontline, 12 juin 2002.

26. Interview de Henry A. Crumpton.

27. Tenet, *At the Center of the Storm, op. cit.*

28. Déclaration envoyée à Al-Neda, le site Internet d'Al-Qaïda à l'époque, 11 septembre 2002.

29. Wolfowitz, conférence de presse au département de la Défense, 10 décembre 2001.

30. Déclaration d'un détenu, 18 février 2008.

31. Committee on Foreign Relations, Sénat américain, « Tora Bora Revisited : How We Failed to Get Bin Laden and Why It Matters Today », 30 novembre 2009.

32. Dalton Fury, e-mail à l'auteur, 8 décembre 2009.

33. Milton Bearden, « Afghanistan : Graveyards of Empires », *Foreign Affairs*, novembre-décembre 2001.

34. À ce moment-là, trois soldats avaient été tués et le 19 novembre 2001, c'était au tour de quatre journalistes, *Guardian*, 27 novembre 2001.

35. Patrick Readon, « As Bodies Pile Up, Support Can Slip », *Chicago Tribune*, 30 mars 2003.

36. Tommy Franks, *American Soldier*, Harper Collins, 2004.

37. Bob Woodward, *Plan of Attack*, Simon and Schuster, 2004.

38. Tommy Franks, e-mail à l'auteur, 24 novembre 2009.

39. Dell Dailey, interview par l'auteur, Washington, DC, octobre 2011.

40. Susan Glasser, e-mail à l'auteur, 9 décembre 2008.

41. Drew Brown, « US Lost Its Best Chance to Decimate Al-Qaeda in Tora Bora », Knight-Ridder, 14 octobre 2002.

42. Peter Krause, « The Last Good Chance : A Reassessment of US Operations at Tora Bora », Security Studies, octobre 2008.

43. *A Different Kind of War : The Unites States Army in Operation Enduring Freedom (OEF)*, octobre 2001-septembre 2005, Combat Studies Institute Press, 2005.

44. Condoleeza Rice, *No Higher Honor : A Memoir of My Time in Washington*, Crown Publishers, 2011.

45. Ce groupe de gardes du corps était connu sous le nom des « trente sales ». Déclaration du détenu Muazhamza al-Alawi, 14 mars 2008.

46. *Asharq Al-Awsat*, 20 août 2004.

47. Un chef d'Al-Qaïda se souvient du « côté humain » de Ben Laden, associated Press, 15 novembre 2011.

48. Ousama ben Laden, « Le testament d'un homme recherchant l'aide d'Allah le Tout-Puissant, Usama Bin Laden », *Al-Majallah* (magazine saoudien), 14 décembre 2001.

49. Al Jazeera, 27 décembre 2001.

50. Interview par l'auteur d'un responsable des services de renseignements américains.

51. Richard B. Cheney lors d'une réunion, 19 octobre 2004.

Chapitre 3. **Al-Qaïda dans la nature**

1. Sebastian Rotella, *Los Angeles Times*, 16 avril 2008.

2. Cullisson, « Inside Al-Qaeda's Hard Drive ».

3. Son vrai nom est Mustafa Setmariam Nasar.

4. Abu Musab al-Suri, « The Call to Global Islamic Resistance », publié sur des sites djihadistes, 2004.

5. « Al-Qaeda Review of the 9/11 Attacks on the United States One Year Later », vers septembre 2002, National Defense University.

6. Fu'ad Husayn, « Al-Zarqawi : The Second al-Qa'ida Generation », 21-22 mai 2005. Husayn est un journaliste jordanien qui collecta des informations auprès de trois personnes proches d'al-Zarqawi, dont Saif al-Adel.

7. « Dana Priest : Top Secret America "Is Here to Stay" », PBS Frontline, 6 septembre 2011.

8. « John Rizzo : The Lawyer Who Approved CIA's Most Controversial Programs », PBS Frontline, 6 septembre 2011.

9. Douglas A. Frantz, « Nuclear Secrets : Pakistan Frees 2 Scientists Linked to Bin Laden Network », *New York Times*, 17 décembre 2001.

10. Richard Myers, *Eyes on the Horizon : Serving on the Front Lines of National Security*, Threshold Editions, 2009.

11. Interview d'Ari Fleischer.

12. Interview par l'auteur d'Ahmed Zaidan, Islamabad, Pakistan, 15 juillet 2011.

13. « Bin Laden message », Al Jazeera, 12 novembre 2002.

14. Interview par l'auteur d'un responsable saoudien du contre-terrorisme, 2009.

15. Déclaration d'un détenu pour Abdul Rabbani Abu Rahman.

16. Déclaration d'un détenu pour Khalid Shaykh Muhammad, 8 décembre 2006.

17. Scott Shane, « Inside a 9/11 Mastermind's Interrogation », *New York Times*, 22 juin 2008.

18. Asad Munir, interview par l'auteur, Islamabad, Pakistan, 19 juillet 2011.

19. « Robertson : Purported Bin Laden Tapes a "Two Pronged Attack" », CNN, 20 octobre 2003.

20. « Istanbul Rocked by Double Bombing », BBC News, 20 novembre 2003.

21. « Madrid Train Attacks », BBC News.

22. Gilles Kepel, Jean-Pierre Milelli et Pascale Ghazaleh, *Al-Qaeda in Its Own Words*, Boston, 2008.

23. Craig Whitlock et Susan Glasser, « On Tape : Bin Laden Tries New Approch », *Washington Post*, 17 décembre 2004.

24. Joel Roberts, « Al Qaeda Threatens More Oil Attacks », CBS News, 25 février 2006.

25. Interview par l'auteur de Robert Dannenberg, New York, 17 décembre 2009.

26. Don Van Natta Jr et Desmond Butler, « How Tiny Swiss Cellphone Chips Helped Track Global Terror Web », *New York Times*, 4 mars 2004.

27. Ashlee Vance et Brad Stone, « Palantir, the War on Terror's Secret Weapon », *Blomberg BusinessWeek*, 22 novembre 2011.

28. John Warrick, *The Triple Agent : The Al-Qaeda Mole Who Infiltrated the CIA*, Doubleday, 2011.

29. Ronald Kessler, *The CIA at War : Inside the Secret Campaign Against Terror*, St Martin's Press, 2003.

30. Salman Masood, « Pakistani Leader Escapes Attempt at Assassination », *New York Times*, 26 décembre 2003.

31. Interview d'Asad Munir.

32. Pervez Musharraf, *In the Line of Fire : A Memoir*, Free Press, 2008.

Chapitre 4. La résurgence d'Al-Qaïda

1. Pour en savoir davantage sur la radicalisation de Khyam en Grande-Bretagne et le projet d'attentat à la bombe de 2004, voir Elaine Sciolino et Stephen Grey, « British Terror Trial Centers on Alleged Homegrown Plot », *International Herald Tribune*, 26 novembre 2006, www.nytimes.com/2006/11/26/world/europe/26iht-web.1026crevice.3665748.html? pagewanted=1.

2. Mitchell Silber, *The Al Qaeda Factor : Plots Against the West*, University of Pennsylvania Press, Philadelphie, 2012, p. 96.

3. Pour une description des arrestations de l'« Opération Crevice », ainsi que les autorités britanniques avaient rebaptisé ce complot, *ibid.*, p. 83-107.

4. Jane Perlez, « U.S. Seeks Closing of Visa Loophole for Britons », *New York Times*, 2 mai 2007, www.nytimes.com/2007/05/02/world/europe/02britain. html? pagewanted=all.

5. « Report into the Londres Terrorist Attacks on July 7, 2005 », Intelligence and Security Committee, mai 2006, www.cabinetoffice.gov.uk/sites/default/files/ resources/ isc_7 juillet_report.pdf, p. 12 and 15.

6. Mitchell D. Silber et Arvin Bhatt, « Radicalization in the West : The Homegrown Threat », New York Police Department, 2007, www.nypdshield.org/public/.../ NYPD_Report-Radicalization_in_the_West.pdf, p. 48-49.

7. « London Bomber : Text in Full », BBC, 1er septembre 2005, news.bbc.co.uk/2/hi/uk_news/4206800.stm.

8. « U.S., UK Investigate "Bomber Tape" », CNN.com, 2 septembre, 2005, articles.cnn.com/2005-09-02/world/Londres.claim_1_al-jazeera-Londres-attacks-qaeda? _s=PM:WORLD.

9. Carlotta Gall *et al.*, « Airstrike by US Draws Protests from Pakistanis », *New York Times*, 15 janvier 2006, www. nytimes.com/2006/01/15/international/asia/15pakistan. html ?pagewanted=all.

10. Hassan Fattah, « Qaeda Deputy Taunts Bush for "Failure" in Airstrike », *New York Times*, 31 janvier 2006.

11. « Suicide Videos : What They Said », BBC, 4 avril 2008, news.bbc.co.uk/2/hi/uk_news/7330367.stm.

12. Richard Greenberg, Paul Cruickshank, et Chris Hansen, « Inside the Terror Plot That "Rivaled 9/11" », *Dateline NBC*, 14 septembre 2009, www.msnbc.msn.com/id/26726987#. Tw9Q2V1AIj8.

13. « Bin Laden Tape Encourages Pakistanis to Rebel », Associated Press, 20 septembre 2007, www.usatoday. com/news/world/2007-09-20-al-qaeda-video_N.htm.

14. « Bomb Hits Pakistan Danish Embassy », BBC, 2 juin 2008, news.bbc.co.uk/2/hi/south_asia/7430721.stm.

15. Discussions de l'auteur avec des responsables saoudiens, Riyad, Arabie saoudite, 2009.

16. Evan Thomas, « Into Thin Air », *Newsweek*, 3 septembre 2007, www.thedailybeast.com/newsweek/2007/09/02/into-thin-air.html.

17. *Ibid.*

18. « CIA Chief Has "Excellent Idea" Where Bin Laden Is », CNN.com, 22 juin 2005, articles.cnn.com/2005-06-20/us/goss.bin.laden_1_bin-ayman-sense- of -international -obligation?_s=PM :US.

19. Art Keller, entretien avec l'auteur, Albuquerque, New Mexico, 13 février 2007.

20. Robert Grenier, entretien avec l'auteur, Washington, DC, 18 février 2009.

21. David Kilcullen, entretien avec l'auteur, New York, 20 novembre 2009.

22. Craig Whitlock, « In Hunt for Bin Laden, a New Approach », *Washington Post*, 10 septembre 2008, www.washing

tonpost.com/wp-dyn/content/article/2008/09/09/ AR200809 0903404_3.html?nav=emailpage&sid=ST2008090903480.

23. J. Warrick, *The Triple Agent, op. cit.*

24. Michael Leiter, entretien avec l'auteur, Washington, DC, 29 août 2011.

25. Entretien de l'auteur avec un responsable de l'administration Bush, Washington, DC, 2009.

26. *Ibid.*

27. « Reaper : A New Way to Wage War », *Time*, 1ᵉʳ juin 2009, www.time.com/time/magazine/pdf/20090601drone.pdf.

28. « Al-Qaeda Chemical Expert "Killed" », BBC, 28 juillet 2008, news.bbc.co.uk/2/hi/south_asia/7529419.stm.

29. Voir Katherine Tiedemann et Peter Bergen, « The Year of the Drone », *New America Foundation*, 24 février 2010, counterterrorism.newamerica.net/sites/newamerica.net/files /policy docs/bergentiedemann2.pdf

30. Voir « Guard : Al Qaeda Chief in Pakistan Killed », CNN.com, 9 septembre 2011, edition.cnn.com/ 2008 /WORLD /asiapcf/09/09/pakistan.alqaeda.killed/index.html ; Pir Zubair Shah, « U.S Strike Is Said to Kill Qaeda Figure in Pakistan », *New York Times*, 17 octobre 2008, www.nytimes.com/ 2008/10/18/world/asia/18pstan.html ; Ismail Khan et Jane Perlez, « Airstrike Kills Qaeda-Linked Militant in Pakistan », *New York Times*, 2 novembre 2008, www.nytimes.com/2008/ 11/23/world/asia/23rauf.html ; Eric Schmitt, « 2 Qaeda Leaders Killed in U.S. Strike in Pakistan », *New York Times*, 8 janvier 2009, www.nytimes.com/2009/01/09/world/asia/09 pstan.html.

31. Entretien avec Ari Fleischer.

32. Eric Schmitt et Mark Mazzetti, « Bush Said to Give Orders Allowing Raids in Pakistan », *New York Times*, 10 septembre 2008, www.nytimes.com/2008/09/11/washington/11policy.html?page wanted=all.

33. Pir Zubair Shah, Eric Schmitt et Jane Perlez, « American Forces Attack Militants on Pakistani Soil », *New York Times*,

4 septembre 2008, www.nytimes.com/2008/09/04/world/asia/04 attack.html?_r=1&oref=slogin.

34. Stephen Graham, « Pakistan Army Chief Criticizes U.S. Raid », Associated Press, 10 septembre 2008, www.breitbart.com/article.php?id=D9346IB00&show_article=1.

Chapitre 5. Une hypothèse de travail

1. Observation de l'auteur.

2. Observation de l'auteur.

3. L'Alec Station de la CIA fut initialement créée en décembre 1995 pour suivre Ben Laden à la trace. Elle a été démantelée en 2005. Voir Warrick, *The Triple Agent*, p. 94.

4. Des dépositions de deux détenus de Guantánamo indiquent qu'après la bataille Ben Laden et son second, Ayman al-Zawahiri, se sont échappés en direction de Jalalabad, où ils ont séjourné chez Awal Gul. Gul est mort à Guantánamo en février 2011. Voir JTF-GTMO Detainee Assessment for Awal Gul, ISN US9AF000782DP, 15 février 2008.

5. Michael Scheuer, entretien avec l'auteur, Washington, DC, 1er octobre 2011.

6. Peter Bergen, *The Longest War : The Enduring Confl ict Between America and al-Qaeda*, Free Press, New York, 2011, p. 48.

7. *Ibid.*

8. Entretien avec David Low.

9. Barbara Sude, entretien avec l'auteur, Washington, DC, 20 octobre 2011.

10. *Ibid.*

11. Entretien avec Robert Dannenberg.

12. Entretien avec Michael Scheuer.

13. J. Warrick, *The Triple Agent, op. cit.*

14. Entretien avec Michael Scheuer.

15. U.S. Department of State, Bureau of Intelligence and Research (INR), « The Wandering Mujahidin : Armed and Dangerous », 21-22 août 1993.

16. U.S. Department of State, Bureau of Intelligence and

Research (INR), « Terrorism ? Usama bin Ladin : Who's Chasing Whom ? », 18 juillet 1996.

17. Cindy Storer, entretien avec l'auteur, Washington, DC, 13 septembre 2011.

18. David Low, entretien avec l'auteur, Washington, DC, 20 août 2011.

19. Roy Gutman, *How We Missed the Story : Osama Bin Laden, the Taliban, and the Hijacking of Afghanistan,* United States Institute of Peace Press, Washington, DC, 2008, p. 170.

20. Richard Clarke, « The Dark Side », PBS Frontline, 23 janvier 2006, http://www.pbs.org/wgbh/pages/frontline/darkside/interviews/clarke.html

21. « CIA Insider Says Osama Hunt Flawed », CBS News, 15 septembre 2004, http://www.cbsnews.com/stories/2004/08/10/terror/main635038.shtml.

22. « 9/11 Commission Report », *op. cit.*, p. 137.

23. John Diamond, *The CIA and the Culture of Failure : U.S. Intelligence from the End of the Cold War to the Invasion of Iraq,* Stanford University Press, Stanford, Californie, 2008, p. 316-318.

24. Observations de l'auteur, à proximité de Jalalabad, Afghanistan, mars 1997.

25. Ali Soufan, *The Black Banners : The Inside Story of 9/11 and the War Against al-Qaeda,* W. W. Norton & Company, New York, 2011, p. 99.

26. Entretiens de l'auteur avec des responsables du renseignement américain impliqués dans la traque de Ben Laden.

27. *Ibid.*

28. Journaliste et chroniqueur spécialisé sur Ben Laden, Steve Coll raconte comment Haqqani a organisé un groupe de volontaires arabes pour le djihad antisoviétique des années 1980, et opéré souvent dans les mêmes régions que Ben Laden. Voir Steve Coll, *Ghost Wars : The Secret History of the CIA, Afghanistan, and Bin Laden, from the Soviet Invasion to September 10, 2001,* Penguin, New York, 2004, p. 157.

29. Entretien de l'auteur avec des responsables américains impliqués dans la traque de Ben Laden.

30. À l'arrivée de Ben Laden à Jalalabad (alors sous le contrôle de Haji Qadir, membre d'une faction des Khalis), en 1996, du Soudan, il fut rapidement escorté pour aller à la rencontre de Khali en personne. Voir P. Bergen, *The Osama Bin Laden I Know, op. cit.*, p. 158-59.

31. Entretien de l'auteur avec des responsables américains de l'antiterrorisme.

32. « Bin Laden : "Your Security Is in Your Own Hands" », CNN.com, 29 octobre 2004, articles.cnn.com/2004-10-29/world/bin.laden.transcript_1_lebanon-george-w-bush-arab ?_s= PM:WORLD.

33. Frances Townsend, entretien avec l'auteur.

34. Entretien avec Michael Scheuer.

35. Entretien de l'auteur avec un haut responsable de l'anti-terrorisme, Washington, DC, décembre 2011.

36. « Al Jazeera, "Full Transcript of Bin Laden's Speech" », 29 octobre 2004, english.aljazeera.net/archive/2004/11/2008 49163336457223.html.

37. Traduction SITE Group, 11 septembre 2007, counterter-rorismblog.org/site-resources/images/SITE-OBL-transcript.pdf.

38. Entretien avec Barbara Sude.

39. Neal Bascomb, *Hunting Eichmann : How a Band of Survivors and a Young Spy Agency Chased Down the World's Most Notorious Nazi*, Houghton Miffl in Harcourt, Boston, 2009, p. 86-87.

40. On trouve un récit exhaustif de la traque de Pablo Escobar dans Mark Bowden, *Killing Pablo : The Hunt for the World's Greatest Outlaw*, Atlantic Monthly Press, New York, 2001.

41. Général Michael Hayden, entretien pour *Last Days of Osama Bin Laden*, National Geographic Channel, diffusé le 9 novembre 2011.

42. Khaled al-Fawwaz, entretien avec l'auteur, Londres, 1er avril 1997.

43. Glenn Kessler, « File the Bin Laden Phone Leak Under "Urban Myths" », *Washington Post*, 22 décembre 2005, www.was

hingtonpost.com/wp-dyn/content/article/2005/12/21/AR200
5122101994_pf.html.

44. Henry Schuster et Charles Stone, *Hunting Eric Rudolph :
An Insider's Account of the Five-Year Search for the Olympic Bombing
Suspect*, Berkley Books, New York, 2005, p. 277–79.

45. Tim Weiner, « U.S. Seizes Lone Suspect in Killing of 2
C.I.A. Officers », *New York Times*, 18 juin 1997, www.nytimes.
com/1997/06/18/world/us-seizes-the-lone-suspect-inkilling -
of-2-cia-officers.html ?ref=miramalkansi.

46. Entretien de l'auteur avec Brad Garrett, Washington,
DC, novembre 2011.

47. *Ibid.*

48. *Ibid.*

49. *Ibid.*

50. Peter Bergen, *Holy War, Inc. : Inside the Secret World of
Osama Bin Laden*, Simon and Schuster, New York, 2001, p. 4.

51. Entretien de l'auteur avec des responsables de l'antiterrorisme américain impliqués dans la traque de Ben Laden.

52. *Ibid.*

53. Philip Mudd, entretien avec l'auteur, Washington, DC,
2 juin 2011.

54. Entretien de l'auteur avec un haut responsable du renseignement américain, Washington, DC, novembre 2011.

55. Entretien avec Philip Mudd.

56. Entretien de l'auteur avec des responsables de l'antiterrorisme américain impliqués dans la traque de Ben Laden.

57. Entretien de l'auteur avec un haut responsable du renseignement américain. Washington DC, novembre 2011.

58. *Ibid.*

59. Entretien de l'auteur avec de hauts responsables de
l'antiterrorisme américain.

60. *Ibid.*

61. *Ibid.*

62. *Ibid.*

63. Entretien de l'auteur avec un haut responsable du renseignement américain, Washington, DC, novembre 2011.

64. Oussama ben Laden, *Portrait de famile*, p. 238-239.

65. Entretien de l'auteur avec un haut responsable du Conseil national de sécurité, Washington, DC, 2011.

66. Entretien de l'auteur avec de hauts responsables de l'antiterrorisme américain.

67. Entretien de l'auteur avec des responsables de l'antiterrorisme américain impliqués dans la traque de Ben Laden.

68. Entretien avec Robert Dannenberg.

69. *Ibid.*

70. *Ibid.*

Chapitre 6. On se rapproche du messager

1. Adam Zagorin et Michael Duffy, « Inside the Interrogation of Detainee 063 », *Time*, 20 juin 2005, www.time.com/time/magazine/article/0,9171,1071284-1,00.html.

2. JTF-GTMO assessment for Maad Al Qahtani, ISN US9SA-000063DP (S), 30 octobre 2008.

3. *Ibid.*

4. Voir *U.S. v. Moussaoui*, Cr. No. 01-455-A, pièce ST-0001.

5. JTF-GTMO Detainee Assessment for Maad Al Qahtani.

6. Greg Miller et Josh Meyer, « Clues Missed on 9/11 Plotters », *Los Angeles Times*, 27 janvier 2004, articles.latimes.com/2004/jan/27/nation/na-terror27/2. Voir aussi Michael Isikoff et Daniel Klaidman, « How the "20th Hijacker" Got Turned Away », *Newsweek*, 26 janvier 2004, www.thedailybeast.com/newsweek/2004/01/25/exclusivehow-the-20th-hijacker-got-turned-away.html.

7. JTF-GTMO Detainee Assessment for Maad Al Qahtani.

8. Adam Zagorin et Michael Duffy, « Inside the Interrogation of Detainee 063 ».

9. *Ibid.*

10. Neil A. Lewis, « Fresh Details Emerge on Harsh Methods at Guantánamo », *New York Times*, 1ᵉʳ janvier 2005.

11. Adam Zagorin et Michael Duffy, « Inside the Interrogation of Detainee 063 ».

12. Bob Woodward, « Guantánamo Detainee Was Tortured,

Says Official Overseeing Military Trials », *Washington Post*, 14 janvier 2009, www.washingtonpost.com/wp-dyn/content/article/2009/01/13/AR2009011303372.html.

13. U.S. Department of Defense, « Recommendation for Continued Detention Under DoD Control (CD for Detainee, ISN US9SA-000063DP[S]) », 30 octobre 2008.

14. Entretien avec Michael Scheuer.

15. P. Musharraf, *In the Line of Fire, op. cit.*, p. 220.

16. Scott Shane, « Waterboarding Used 266 Times on 2 Suspects », *New York Times*, 19 avril 2009, www.nytimes.com/2009/04/20/world/20detain.html.

17. Peter Finn, Joby Warrick, et Julie Tate, « How a Detainee Became an Asset : Sept. 11 Plotter Cooperated After Water-boarding », *Washington Post*, 29 août 2009, www.washingtonpost.com/wp-dyn/content/article/2009/08/28/AR2009082803874_pf.html.

18. Scott Shane, « Harsh Methods of Questioning Debated Again », *New York Times*, 4 mai 2011, www.nytimes.com/2011/05/04/us/politics/04torture.html.

19. Jane Mayer, *The Dark Side : The Inside Story of How the War on Terror Turned into a War on American Ideals*, Anchor Books, New York, 2008, p. 273.

20. JTF-GTMO Detainee Assessment for Riduan Isomuddin, ISN US9ID-010019DP, 30 octobre 2008.

21. *Ibid.*

22. « Letter May Detail Iraq Insurgency's Concerns », CNN.com, 10 février 2004, articles.cnn.com/200402-10/world/sprj.nirq.zarqawi_1_zarqawi-Qaïda-senior-coalition?_s=PM:WORLD.

22. Mark Hosenball et Brian Grow, « Bin Laden Informant's Treatment Key to Torture Debate », Reuters, 14 mai 2011, www.reuters.com/article/2011/05/14/us-binladen-ghul-idUSTRE74D0EJ20110514. La confusion provient de l'ambiguïté entourant les conditions de détention et le statut de Ghul, et la seule mention du traitement qui lui est réservé figure dans une note du département de la Justice à la CIA concernant les traitements jugés acceptables pour ces détenus. Il est indiqué dans cette note que les enquêteurs ont reçu un accord leur permettant d'utiliser « les prises, le plaquage contre un mur, les gifles, la position debout dos au mur, les positions physiquement pénibles et la privation de sommeil ». Voir département de la Justice des États-Unis, Bureau du conseil juridique, « Memorandum for John A. Rizzo, Senior Deputy Council, Central Intelligence Agency », 30 mai 2005, p. 7, s3.amazonaws.com/propublica/assets/missing_memos/28OLCmemofinalredact30May05.pdf.

23. JTF-GTMO Detainee Assessment for Maad Al Qahtani.

24. Ken Dilanian, « Detainee Put CIA on Bin Laden Trail », *Los Angeles Times*, 5 mai 2011, articles.latimes.com/2011/may/05/nation/la-na-bin-laden-torture-20110505/2.

25. Sur le rôle d'Al-Libi comme commandant opérationnel, voir JTF-GTMO Detainee Assessment for Abu al-Libi, ISN US9LY-010017DP, 10 septembre 2008.

26. Tim McGirk, « Can This Man Help Capture Bin Laden ? », *Time*, 8 mai 2005, www.time.com/time/magazine/article/0,9171,1058999,00.html.

27. P. Musharraf, *In the Line of Fire, op. cit.*, p. 258.

28. JTF-GTMO Detainee Assessment for Abu al-Libi.

29. *Ibid.* Il fut transféré sous la garde des États-Unis le 6 juin 2005.

30. *Ibid.*

31. Adam Goldman et Matt Apuzzo, « Phone Call by Kuwaiti Courier Led to Bin Laden », Associated Press, 3 mai 2011, abcnews.go.com/US/wireStory ?id=13512344.

32. Scott Shane et Charlie Savage, « Bin Laden Raid Revives Debate on Value of Torture », *New York Times*, 3 mai 2011, www.nytimes.com/2011/05/04/us/politics/04torture.html.

33. Robert Richer, entretien avec l'auteur, Washington, DC, 6 octobre 2011.

34. *Ibid.*

35. Entretien avec Robert Dannenberg.

36. Entretien de l'auteur avec des responsables de l'antiterrorisme américain impliqués dans la traque de Ben Laden ; voir aussi Goldman et Apuzzo, *Phone Call by Kuwaiti Courier*.

37. C. Lamb, *Revealed : The SEALs' Secret Guide*.

38. Entretien de l'auteur avec des responsables de l'antiterrorisme américain impliqués dans la traque de Ben Laden.

39. Voir JTF-GTMO Detainee Assessment for Walid Said bin Said Zaid, ISN US9YM-000550DP (S), 16 janvier 2008.

40. Barton Gellman et Thomas E. Ricks, « U.S. Concludes Bin Laden Escaped at Tora Bora Fight », *Washington Post*, 17 avril 2002, www.washingtonpost.com/ac2/wp-dyn/A62618-2002Apr16 ?language=printer.

41. Michael Hayden, interview for *The Last Days of Osama Bin Laden*, National Geographic, diffusée le 9 novembre 2011.

42. Entretien de l'auteur avec des responsables de l'antiterrorisme américain impliqués dans la traque de Ben Laden.

43. Cette précision a été d'abord apportée par James Risen et Eric Lichtblau, « Bush Lets U.S. Spy on Callers without Courts », *New York Times*, 16 décembre 2005, www.nytimes.com/2005/12/16/politics/16program.html? pagewanted=all.

44. Entretien avec Michael Hayden.

45. Entretien de l'auteur avec des responsables de l'antiterrorisme américain impliqués dans la traque de Ben Laden.

46. Adam Goldman et Matt Apuzzo, « Meet "John" : The CIA's Bin Laden Hunter-in-Chief », Associated Press, 5 juillet 2011, www.msnbc.msn.com/id/43637044/ns/us_news-security/.

47. Observation de l'auteur.

48. « 9/11 Commission Report », p. 255-258, 534.

49. *Ibid.*, p. 215 et p. 267.

50. Cabinet de l'inspecteur Général, « Report on CIA Accountability with Respect to the 9/11 Attacks », 21 août 2007, www.cia.gov/library/reports/Executive%20Summary_OIG%20Report.pdf.

51. « 9/11 Commission Report », p. 267.

52. Defendants' exhibit 950 in *U.S. v. Moussaoui*, Cr. No. 01-455-A, « FBI's Handling of Intelligence Information Related to Khalid al-Mihdhar and Nawaf al-Hamzi », rapport de l'inspecteur général du département de la Justice, Glenn A. Fine, obtenu *via* INTELWIRE.com, p. 29.

53. *Ibid.*, p. 54.

54. Cabinet de l'inspecteur général, « Report on CIA Accountability ». Également utile, le Defendants' exhibit 950 in *U.S. v. Moussaoui*, p. 26 et le document de manière générale.

Chapitre 7. Obama s'en va-t-en guerre

1. Discours de Barack Obama au Woodrow Wilson Center, Washington, DC, 1er août 2007, www.cfr.org/uselection-2008/obamas-speech-woodrow-wilson-center/p13974.

2. « Je pense être le démocrate le plus efficace dans la confrontation avec John McCain, ou avec n'importe quel autre républicain – parce que ce qu'ils veulent tous, fondamentalement, c'est la continuité avec la politique de George Bush –, parce que je me démarquerai nettement, comme celui qui n'a jamais soutenu cette guerre, qui a toujours considéré que c'était une mauvaise idée », Barack Obama, débat des primaires démocrates, Los Angeles, Californie, 31 janvier 2008, articles.cnn.com/2008-01-31/politics/dem.debate.transcript_1_hillary-clinton-debate-stake/29?_s=PM:POLITICS.

3. Conseil national du Renseignement, « National Intelligence Estimate : The Terrorist Threat to the US Homeland », juillet 2007, www.c-span.org/pdf/nie_071707.pdf.

4. Ben Rhodes, entretien avec l'auteur, Washington, DC, 15 août 2011.

5. Entretien de l'auteur avec des hauts responsables de l'administration.

6. Discours d'Obama au Woodrow Wilson Center.

7. AFL-CIO Presidential Democratic Forum, Chicago, IL, 7 août 2007, www.msnbc.msn.com/id/20180486/ns/msnbc_tv-hardball_with_chris_matthews/t/afl-cio-democraticpresidential-forum-août—pm-et/#.TwXh111AIj8.

8. Ariel Alexovich, « Clinton's National Security Ad », *New York Times*, 29 février 2008, thecaucus.blogs.nytimes.com/2008/02/29/clintons-national-security-ad/.

9. « Transcript : The Republican Candidates Debate », *New York Times*, 5 août 2007, www.nytimes.com/2007/08/05/us/politics/05transcript-debate.html ?pagewanted=all.

10. « Transcript : John McCain Speech After His Win in the Wisconsin Primary », C-SPAN, 19 février 2008, www.c-spanvideo.org/appearance/290354897.

11. Jonathan Alter, *The Promise : President Obama, Year One*, Simon and Schuster, New York, 2009, p. 2.

12. Matthew M. Aid, *Intel Wars : The Secret History of the Fight Against Terror*, Bloomsbury, Londres, 2012, p. 119.

13. R. Jeffrey Smith, Candace Rondeaux et Joby Warrick, « 2 U.S. Airstrikes Offer a Concrete Sign of Obama's Pakistan Policy », *Washington Post*, 24 janvier 2009, www.washington-post.com/wp-dyn/content/article/2009/01/23/AR2009012304189.html.

14. « The Nobel Committee Explains Its Choice », *Time*, 9 octobre 2009, www.time.com/time/politics/article/0,8599,1929399,00.html.

15. « Remarks by the President in Address to the Nation on the Way forward in Afghanistan and Pakistan », communiqué de presse de la Maison-Blanche, 1er décembre 2009, www.whitehouse.gov/the-press-office/remarks-president-address-nation-way-forwardafghanistan-and-pakistan.

16. Voir Peter Bergen et Katherine Tiedemann, « The Year of the Drone », New America Foundation, 24 février 2010, counterterrorism.newamerica.net/sites/newamerica.net/files/policydocs/bergentiedemann2.pdf

17. « Obama's Nobel Remarks [transcription] », *New York Times*, 10 décembre 2009, www.nytimes.com/2009/12/11/world/europe/11prexy.text.html?pagewanted=all.

18. Bruce Riedel, entretien avec Tresha Mabile, Washington, DC, juillet 2011.

19. Somini Sangupta, « Dossier Gives Details of Mumbai

Attacks », *New York Times*, 6 janvier 2009, www.nytimes.com/2009/01/07/world/asia/07india.html.

20. Juan Zarate, entretien avec l'auteur, Washington, DC, 2010.

21. « Obama on Bin Laden : The Full *60 Minutes* Interview », CBS, 8 mai 2011, www.cbsnews.com/8301504803_162-20060530-10391709.html.

22. Entretien avec Bruce Riedel.

23. Ken Dilanian, « In Finding Osama Bin Laden, CIA Soars from Distress to Success », *Los Angeles Times*, 8 mai 2011, articles.latimes.com/2011/may/08/nation/la-na-bin-laden-cia-20110508.

24. Entretien de l'auteur avec des responsables de l'antiterrorisme américain impliqués dans la traque de Ben Laden.

25. J. Warrick, *The Triple Agent, op. cit.*, p. 117.

26. *Ibid.*, p. 40-41.

27. *Ibid.*, p. 115-16.

28. *Ibid.*, p. 114.

29. *Ibid.*, p. 126.

30. John Marzulli, « Najibullah Zazi Pleads Guilty to Plotting NYC Terror Attack, Supporting al Qaeda », *New York Daily News*, 22 février 2010.

31. Josh Meyer, « Urgent Probe Underway of Possible al Qaeda linked Terror Plot », *Los Angeles Times*, 21 septembre 2009, articles.latimes.com/2009/sep/21/nation/na-terror-arrests21.

32. *U.S. v. Najibullah Zazi*, Eastern District of New York, 09-CR-663, mémorandum juridique à l'appui de la requête gouvernemental d'ordre de détention permanente, obtenue *via* INTELWIRE.com.

33. « Yemen Can Carry out Airstrikes against Al Qaeda » CNN.com, 30 Décembre 2009, www.cnn.com/2009/WORLD/meast/12/30/U.S.yemen.strikes/index.html.

34. Jake Tapper, Karen Travers et Huma Khan, « Obama : System Failed in a "Potentially Disastrous" Way », ABC News, 5 janvier 2010, abcnews.go.com/print?id=9484260.

35. J. Warrick, *The Triple Agent, op. cit.*, p. 160.

36. *Ibid.*, p. 162.

37. *Ibid.*, p. 143.

38. *Ibid.*, p. 179.

39. John Brennan, entretien avec l'auteur, Washington, Washington, DC, 6 décembre 2011.

40. Warrick, *The Triple Agent, op. cit.*, p. 189-90.

41. Vali Nasr, entretien avec l'auteur, Washington, DC, 31 mai 2011.

42. Shamila Chaudhary, entretien avec l'auteur, Washington, DC, 1er novembre 2011.

43. Bob Woodward, *Obama's Wars*, Simon and Schuster, New York, 2010, p. 365.

44. Entretien de l'auteur avec des reponsables du Conseil national de sécurité.

Chapitre 8. Anatomie d'une piste

1. Bob Woodward, « Death of Osama Bin Laden : Phone Call Pointed U.S. to Compound – and to "the Pacer" », *Washington Post*, 6 mai 2011, www.washingtonpost.com/world/national-security/death-of-osama-bin-laden-phone-callpointed-us-to-compound-and-to-the-pacer/2011/05/06/AFnSVaCG _ story.html ; entretien de l'auteur avec des agents fédéraux américains.

2. Entretien de l'auteur avec un agent du renseignement du Pakistan, juillet 2011.

3. Entretien de l'auteur avec un haut responsable du renseignement américain.

4. Mazzetti, Cooper et Baker, « Behind the Hunt for Bin Laden » ; entretien de l'auteur avec des agents du renseignement américain.

5. Agent du renseignement américain, entretien avec l'auteur, Washington, DC, 20 décembre 2011.

6. History Channel, « Targeting Bin Laden », 6 septembre 2011.

7. Entretien de l'auteur avec un agent du renseignement américain.

8. *Ibid.*

9. Saeed Shah, « CIA Organised Fake Vaccination Drive to Get Bin Laden's Family DNA », *Guardian*, 11 juillet 2011, www.guardian.co.uk/world/2011/jul/11/cia-fake-vaccinations-osamabin-ladens-dna.

10. Entretien de l'auteur avec des agents de l'antiterrorisme américain engagés dans la traque de Ben Laden.

11. Goldman & Apuzzo, « Meet "John" : The CIA's Bin Laden Hunter-in-Chief ».

12. Entretien de l'auteur avec des agents de l'antiterrorisme américain engagés dans la traque de Ben Laden.

13. *Ibid.*

14. Edward Helmore, « US Relied on "Drunken Liar" to Justify War », *Guardian*, 2 avril 2005.

15. Comité pour le renseignement au Sénat, « Report on Prewar Intelligence Assessments on Postwar Iraq, together with Additional Views », 12 février 2004, p. 87, intelligence.senate.gov/prewar.pdf.

16. Entretien de l'auteur avec des agents de l'antiterrorisme américain engagés dans la traque de Ben Laden.

17. *Ibid.*

18. *Ibid.*

19. *Ibid.*

20. *Ibid.*

21. C. Lamb, *Revealed : The SEALs' Secret Guide.*

22. Entretiens de l'auteur avec des agents de l'antiterrorisme américain engagés dans la traque de Ben Laden.

23. Entretien de l'auteur avec l'ancien officier chargé des opérations de la CIA en poste au Pakistan après les attaques du 11 Septembre.

24. Entretien de l'auteur avec un agent fédéral américain.

25. *Ibid.* Voir aussi B. Woodward, « Death of Osama Bin Laden ».

26. Entretiens de l'auteur avec des agents de l'antiterrorisme américain engagés dans la traque de Ben Laden.

27. *Ibid.*

28. Denis McDonough interviewé par l'auteur, Washington, DC, 6 décembre 2011.

29. *Ibid.*

30. « Part One of Series of Reports on Bin Ladin's Life in Sudan », *Al Quds Al-Arabi*, 24 novembre 2001.

31. Entretien de l'auteur avec des agents de l'antiterrorisme américain engagés dans la traque de Ben Laden.

Chapitre 9. Les dernières années de Ben Laden

1. C. Lamb, *Revealed : The SEALs' Secret Guide.*

2. Saeed Shah, « At End, Bin Laden Wasn't Running Al-Qaida, Officials Say », McClatchy Newspapers, 29 juin 2011, www.mcclatchydc.com/2011/06/28/116666/at-end-binladen-wasnt-running.html.

3. Munir Ahmed, « AP Exclusive : Doc Recalls Kids from Bin Laden Home », Associated Press, 1er juin 2011.

4. Observation par l'auteur de la maquette du complexe de Ben Laden.

5. Shabbir, un voisin de Ben Laden, interviewé par l'auteur, Pakistan, 20 juillet 2011.

6. Nahal Toosi & Zarar Khan, « Bin Laden's Neighbors Noticed Unusual Things », Associated Press, 4 mai 2011.

7. Zahid Hussain, « Investigators Track Bin Laden Couriers », *Wall Street Journal*, 1er juin 2011, online.wsj.com/article/SB10001424052702304563104576357601886423360.html ; entretien de l'auteur avec un agent du renseignement du Pakistan, juillet 2011.

8. Michael Isikoff, « How Profile of Bin Laden Courier Led CIA to Its Target », NBC News, 4 mai 2011, today.msnbc.msn.com/id/42906157/ns/today-today_news/t/how-profile-bin-lad encourier-led-cia-its-target/.

9. Entretien de l'auteur avec un agent du renseignement du Pakistan, juillet 2011.

10. Peter Walker, « Osama Bin Laden "Closely Involved in al-Qaida Plots" », *Guardian*, 6 mai 2011, www.guardian.co.uk/world/2011/may/06/osamabinladen-al-qaida.

11. Sebastian Rotella, « New Details in the Bin Laden Docs : Portrait of a Fugitive Micro-Manager », Pro-Publica, 11 mai 2011, www.propublica.org/article/bin-laden-documentsportrait-of-a-fugitive-micro-manager.

12. Entretien de l'auteur avec un agent du renseignement américain.

13. Lolita C. Baldor et Kimberly Dozier, « Source : Bin Laden Was Directing Al-Qaeda Figures », Associated Press, 7 mai 2011. Entretien de l'auteur avec un agent du renseignement pakistanais, juillet 2011.

14. Ministère des Finances des États-Unis, « Treasury Targets Key Al-Qaida Funding and Support Network Using Iran as a Critical Transit Point », 28 juillet 2011, www.treasury.gov/presscenter/pressreleases/Pages/tg1261.asp x ; voir aussi Matt Apuzzo, « Atiyah Abd al-Rahman Dead : Al Qaeda Second in Command Killed in Pakistan », Associated Press, 28 août 2011, www.huffingtonpost.com/2011/08/27/atiyah-abd-al-rahman-al-qaeda-dead_n_939009.html.

15. Entretien de l'auteur avec un agent pakistanais, juillet 2011.

16. Atiyah abd al-Rahman, « Note to Zarqawi », 12 novembre 2005, accessible à www.ctc.usma.edu/wp-content/uploads/2010/08/CTC-AtiyahLetter.pdf ; sur le rôle d'Abdul al-Rahman dans la communication avec Al-Qaïda en Irak, voir Brian Fishman, « Redefining the Islamic State : The Fall and Rise of Al-Qaeda in Iraq », *New America Foundation*, 18 août 2011, newamerica.net/publications/policy/redefining_the_islamic_state.

17. Entretien de l'auteur avec un agent pakistanais, juillet 2011.

18. Fawaz Gerges, *The Rise and Fall of Al-Qaeda*, Oxford University Press, 2011, New York, p. 120.

19. Ken Dilanian et Brian Bennett, « Osama Bin Laden's

Surrender Wasn't a Likely Outcome in Raid, Officials Say »,
Los Angeles Times, 3 mai 2011, articles.latimes.com/2011/may/
03/world/la-fg-bin-laden-us-20110504/2.

20. Rotella, « New Details in the Bin Laden Docs » ; Siobhan
Gorman, « Petraeus Named in Bin Laden Documents », *Wall
Street Journal*, 23 juin 2011, online.wsj.com/article/SB10
001424052702304231204576404222056912648.html.

21. Michael Leiter, entretien avec l'auteur, Washington, DC,
29 août 2011.

22. Il faut remarquer que pendant que Ben Laden continuait à prôner des attaques de grande envergure contre les
États-Unis, il soutenait aussi l'évolution d'Al-Qaïda dans la
péninsule Arabe vers des attaques plus modestes contre des
cibles américaines. Voir Kimberly Dozier, « Bin Laden Trove
of Documents Sharpen US Aim », Associated Press, 8 juin
2011, www.msnbc.msn.com/id/43331634/ns/us_news-securi
ty/t/bin-laden-trove-documents-sharpen-us-aim/.

23. Pierre Thomas et Martha Raddatz, « Osama Bin Laden
Operational Journal Among Evidence from SEAL Raid », ABC
News, 11 mai 2011, abcnews.go.com/Blotter/osama-bin-laden-
diary-evidence-seal-raid/story ?id=13581186.

24. Mark Mazzetti et Scott Shane, « Data Show Bin Laden
Plots ; C.I.A. Hid Near Raided Houses », *New York Times*, 5 mai
2011, www.nytimes.com/2011/05/06/world/asia/06intel.html.

25. Greg Miller et Karen DeYoung, « Bin Laden's Preoccu-
pation with U.S. Said to Be Source of Friction with Followers »,
Washington Post, 11 mai 2011.

26. Pour en savoir plus sur Vinas, voir Michael Powell, « U.S.
Recruit Reveals How Qaeda Trains Foreigners », *New York
Times*, 23 juillet 2009, www.nytimes.com/2009/07/24/
nyregion/24terror.html?pagewanted=all.

27. Siobhan Gorman, « Bin Laden Plotted New Attack »,
Wall Street Journal, 15 juillet 2011, online.wsj.com/article/SB1000
14240527023045213045764462130985822284.html.

28. K. Dozier, « Bin Laden Trove of Documents Sharpen
U.S. Aim. »

29. Damien Pearse, « Al-Qaida Hoped to Blow Up Oil Tankers, Bin Laden Documents Reveal », *Guardian*, 20 mai 2011, www.guardian.co.uk/world/2011/may/20/al-qaida-oil-tankers-bin-laden.

30. « Top Terrorist Had Ties to Düsseldorf Cell », *Der Spiegel*, 6 mai 2011, www.spiegel.de/international/germany/0,1518,761101,00.html.

31. Entretiens de l'auteur avec des agents de la Sécurité nationale américaine, décembre 2010.

32. Matt Apuzzo, « Osama Wanted New Name for al-Qaida to Repair Image », Associated Press, 24 juin 2011, www.salon.com/2011/06/24/us_al_qaida_new_name. Monothéisme et Djihad était un peu paradoxalement, le nom du groupe terroriste d'Abou Moussab al-Zarqaoui avant de devenir Al-Qaïda en Irak. Il y avait déjà eu un Al-Qaïda dans la péninsule Arabe qui avait été réprimé par les autorités saoudiennes ; la nouvelle formule fut annoncée en 2009 quand Al-Qaïda dans le sud de la péninsule Arabe fusionna avec son homologue saoudien.

33. S. Rotella, *New Details in the Bin Laden Docs*.

34. Entretien de l'auteur avec un haut fonctionnaire du renseignement américain.

35. Greg Miller, « Bin Laden Document Trove Reveals Strain on Al-Qaeda », *Washington Post*, 1er juillet 2011, www.washingtonpost.com/national/national-security/bin-ladendocument-trove-reveals-strain-on-al-qaeda/2011/07/01/AGdj0GuH_story.html.

36. Peter Bergen & Katherine Tiedemann, « Washington's Phantom War : The Effects of the U.S. Drone Program in Pakistan », Foreign Affairs (juillet/août 2011), www.foreignaffairs.com/articles/67939/peter-bergen-and-katherine-tiedemann/washingtons-phantom-war.

37. Entretien de l'auteur avec un haut fonctionnaire du renseignement américain.

38. Entretiens de l'auteur avec des agents du renseignement pakistanais, juillet 2011 ; Greg Miller, Bin Laden Document Trove, art. cit.

39. Jason Burke, « Osama Bin Laden Tried to Establish "Grand Coalition" of Militant Groups », *Guardian*, 30 mai 2011, www.guardian.co.uk/world/2011/may/30/osama-bin-laden militant-alliance.

40. Mark Mazzetti, « Signs That Bin Laden Weighed Seeking Pakistani Protection », *New York Times*, 26 mai 2011, www.nytimes.com/2011/05/27/world/middleeast/27binladen.html.

41. Salman Masood, « Pakistan Leader Escapes Attempt at Assassination », *New York Times*, 26 décembre 2003, www.nytimes.com/2003/12/26/world/pakistani-leader-escapes-attempt-at-assassination.html?pagewanted=all&src=pm.

42. « Letter to Mullah Mohammed Omar from Bin Laden », sans date, AFGP-2002-600321, à consulter sur www.ctc.usma.edu/posts/letter-to-mullah-mohammed-omar-frombin-laden-english-translation.

43. Osama ben Laden, « The Wills of the Heroes of the Raids on New York and Washington », vidéo diffusée le 11 septembre 2011, transcription accessible à abcnews.go.com/images/Politics/transcript2.pdf.

44. Mazzetti & Shane, « Data Show Bin Laden Plots », art. cit.

45. Inal Ersan, « Bin Laden Warns EU over Prophet Cartoons », Reuters, 20 mars 2008, www.ft.com/intl/cms/s/0/08d9a978-f60e-11dc-8d3d-000077b07658.html#axzz1jqoWHZmu.

46. Jane Perlez et Pir Zubair Shah, « Embassy Attack in Pakistan Kills at Least 6 », *New York Times*, 3 juin 2008, www.nytimes.com/2008/06/03/world/asia/03pakistan.html.

47. « Bin Laden "Tape" Calls Israel Offensive in Gaza a Holocaust », Associated Press, 14 mars 2009, www.guardian.co.uk/world/2009/mar/14/osama-bin-laden-gaza-Israel.

48. Leela Jacinto, « Bin Laden Targets France, Blasts Burqa Ban˜ and Afghan War », France24.com, 28 octobre 2010, www.france24.com/en/20101027-osama-bin-laden-terrorism france-al-qaeda-burqa-ban.

49. Scott Shane, « In Message, Bin Laden Praised Arab

Revolt », *International Herald Tribune*, 18 mai 2011, www.nytimes.com/2011/05/19/world/middleeast/19binladen. html?gwh=BD6FB65DDBFB14D2218387E70809F0D5.

Chapitre 10. Les soldats de l'ombre

1. Robert D. McFadden et Scott Shane, « In Rescue of Captain, Navy Kills 3 Pirates », *New York Times*, 12 avril 2009, www.nytimes.com/2009/04/13/world/africa/13pirates.html? pagewanted=all.

2. *Ibid.*

3. Entretien de l'auteur avec un agent du département de la Défense, décembre 2011.

4. Mark Bowden, « The Desert One Debacle », *The Atlantic*, mai 2006, www.theatlantic.com/magazine/archive/2006/ 05/the-desert-one-debacle/4803/2/?single_page=true.

5. Holloway Report, 23 août 1980, www.gwu.edu/~nsar chiv/NSAEBB/NSAEBB63/doc8.pdf.

6. Steven Emerson, « Stymied Warriors », *New York Times*, 13 novembre 1988, www.nytimes.com/1988/11/13/magazi ne/stymied-warriors.html.

7. Voir par exemple, Michael Smith, *Killer Elite : The Inside Story of America's Most Secret Special Operations Teams*, St. Martin's Press, New York, 2011, p. 215.

8. Voir Mark Bowden, *Black Hawk Down : A Story of Modern War*, Atlantic Monthly Press, New York, 1999.

9. « 9/11 Commission Report », p. 60.

10. Coll, *Ghost Wars*, p. 498.

11. Interview de Michael Scheuer.

12. Document 19, National Security Archives, George Washington University, www.gwu.edu/~nsarchiv/NSAEBB/NSAEB B358a/index.htm#19.

13. Bradley Graham, *By His Own Rules : The Ambitions, Successes, and Ultimate Failures of Donald Rumsfeld*, Public Affairs, New York, 2009, p. 369.

14. H. Smith, *Killer Elite*, *op. cit.*, p. 233.

15. *Ibid.*

16. Richard Shultz Jr., « How Clinton Let al Qaeda Go », *Weekly Standard*, 19 janvier 2004, www.archive.frontpagemag. com/readArticle.aspx ?ARTID=14524.

17. M. Smith, *Killer Elite, op. cit.*, p. 258.

18. Dana Priest et William M. Arkin, *Top Secret America : The Rise of the New American Security State*, Little, Brown and Co., New York, 2011, p. 236.

19. Dexter Filkins, « Stanley McChrystal's Long War », *New York Times Magazine*, 14 octobre 2009, www.nytimes.com/2009/ 10/18/magazine/18Afghanistan-t.html?pagewanted=all.

20. D. Priest et W. Arkin, *Top Secret America, op. cit.*, p. 227 ; voir Marc Ambinder & D. B. Grady, *The Command : Deep Inside the President's Secret Army*, John Wiley & Sons, ebook.

21. Agent du renseignement américain, interview de l'auteur, Washington DC, décembre 2011.

22. Spencer Ackerman, « How Special Ops Copied Al-Qaida to Kill It », Danger Room, *Wired*, 9 septembre 2011, www.wired. com/dangerroom/2011/09/mcchrystal-network/all/1.

23. Voir P. Bergen, *Holy War, Inc., op. cit.*, p. 132.

24. *Ibid.* p. 132-133.

25. L. Wright, *The Looming Tower, op. cit.*, p. 181.

26. Entretien de l'auteur avec d'anciens officiers du JSOC.

27. *Ibid.*

28. *Ibid.*

29. Entretien de l'auteur avec un haut fonctionnaire du département de la Défense.

30. Entretien de l'auteur avec d'anciens officiers du JSOC.

31. *Ibid.* ; voir aussi D. Priest et W. Arkin, *Top Secret America, op. cit.*, p. 244-255.

32. Eric Schmitt et Thom Shanker, *Counterstrike : The Untold Story of America's Secret Campaign Against Al Qaeda*, Times Books, New York, 2011, p. 93.

33. D. Priest et W. Arkin, *Top Secret America, op. cit.*, p. 244.

34. Entretien de l'auteur avec un agent du Conseil national de sécurité.

35. Bob Woodward, « Why Did Violence Plummet ? It

Wasn't Just the Surge », *Washington Post*, 8 septembre 2008, www.washingtonpost.com/wp-dyn/content /article/2008/09/07/AR2008090701847.html?hpid=topnews.

36. Eric Schmitt et Carolyn Marshall, « In Secret Unit's "Black Room", a Grim Portrait of Detainee Abuse », *New York Times*, 19 mars 2006, www.nytimes.com/2006/03/19/international/middleeast/19abuse.html?ei=5088&en=e8755a4b031b64a1&ex=1300424400&partner=rssnyt&emc=rss&pagewanted=all.

37. Scott Lindlaw et Martha Mendoza, « General Suspected Cause of Tillman Death », Associated Press, 4 août 2007, www.washingtonpost.com/wp-dyn/content/article/2007/08/03/AR2007080301868.html.

38. Entretien de l'auteur avec un haut fonctionnaire du renseignement américain.

39. D. Priest et W. Arkin, *Top Secret America, op. cit.*, p. 240.

40. M. Smith, *Killer Elite, op. cit.*, p. 276.

41. D. Priest et W. Arkin, *Top Secret America, op. cit.*, p. 238.

42. Entretien de l'auteur avec un haut fonctionnaire du département de la Défense.

43. Eric Greitens, *The Heart and the Fist : The Education of a Humanitarian, the Making of a Navy SEAL*, Houghton Mifflin Harcourt, New York, 2011, p. 144-63.

44. Eric Greitens, interview de l'auteur, Washington, DC, août 2011.

45. *Ibid.*

46. *Ibid.*

47. Mir Bahmanyar avec Chris Osman, *SEALs : The US Navy's Elite Fighting Force*, Osprey Publishing, Oxford, Royaume-Uni, 2008, p. 22.

48. Observations de l'auteur lors d'une visite de la base en 2010.

49. E. Schmitt et T. Shanker, *Counterstrike, op. cit.*, p. 31-32.

50. Entretien de l'auteur avec un haut fonctionnaire du renseignement américain.

51. Evan Thomas, « Into Thin Air », *Newsweek*, 2 septembre 2007.

52. Mark Mazzetti et David Rohde, « Amid U.S. Policy Disputes, Qaeda Grows in Pakistan », *New York Times*, 30 juin 2008, www.nytimes.com/2008/06/30/washington/30tribal.html ?pagewanted=all.

53. Voir JTF-GTMO Detainee Assessment for Harun al-Afghani, ISN US9AF-003148DP, 2 août 2007.

54. Entretien de l'auteur avec un haut fonctionnaire du renseignement américain.

55. *Ibid.* ; Eric Schmitt et Thom Shanker, « In Long Pursuit of Bin Laden, the '07 Raid, and Frustration », *New York Times*, 5 mai 2011, www.nytimes.com/2011/05/06/world/asia/06 binladen.html?pagewanted=1&hp.

56. Entretien de l'auteur avec un haut fonctionnaire du renseignement américain.

Chapitre 11. Les plans d'action

1. Entretien de l'auteur avec un haut fonctionnaire du gouvernement, Washington, DC, août 2011.

2. John Brennan in *Targeting Bin Laden.*

3. Barack Obama in *Targeting Bin Laden.*

4. Chris Brummitt et Adam Goldman, « Indonesia : Terror Suspect Went to Meet Bin Laden », Associated Press, 4 mai 2011, www.foxnews.com/world/2011/05/04/indonesiaterror-suspect-went-meet-bin-laden/#ixzz1kCVvHPfP.

5. Adam Goldman et Matt Apuzzo, « AP Enterprise : The Man Who Hunted Osama Bin Laden », Associated Press, 5 juillet 2011, news.yahoo.com/ap-enterprise-man-hunted-osama-binladen-040627805.html.

6. John Brennan dans *Targeting Bin Laden.*

7. Shane Harris, « Bin Laden Death Planned Out in Miniature », *Washingtonian*, 5 mai 2011, www.washingtonian. com/blog articles/19328.html.

8. Observation de parties de la maquette par l'auteur.

9. James Cartwright, interviewé par l'auteur, Washington, DC, 30 septembre 2011.

10. Michael Vickers, interviewé par l'auteur, Washington, DC, 15 novembre 2011.

11. *Ibid.*

12. Entretien de l'auteur avec un haut fonctionnaire du renseignement américain.

13. Entretien de l'auteur avec un haut fonctionnaire du département de la Défense.

14. B. Woodward, « Death of Osama Bin Laden », art. cit.

15. Con Coughlin, « Karzai Must Tell Us Which Side He's On in Afghanistan », *Telegraph*, 18 novembre 2010, www. telegraph.co.uk/comment/columnists/concoughlin/8144423/ Karzai-must-tell-us-which-side-heson-in-Afghanistan.html.

16. Craig Whitlock, « Adm. William McRaven : The Terrorist Hunter on Whose Shoulders Osama Bin Laden Raid Rested », *Washington Post*, 4 mai 2011.

17. Siobhan Gorman et Julian E. Barnes, « Spy, Military Ties Aided Bin Laden Raid », *Wall Street Journal*, 23 mai 2011, onli ne.wsj.com/article/SB100014240527487040839045763341 60172068344.html.

18. Entretien de l'auteur avec un agent du Pentagone.

19. Entretien de l'auteur avec un agent du renseignement américain.

20. *Ibid.*

21. S. Gorman et J. E. Barnes, « Spy, Military Ties Aided Bin Laden Raid », art. cit.

22. Interview de Michael Vickers ; interview de Michael Leiter.

23. Nicholas Schmidle, « Getting Bin Laden », *New Yorker*, 1er août 2011, www.newyorker.com/reporting/2011/08 /08/110808fa_fact_schmidle?currentPage=all.

24. *Ibid.*

25. « Biography : Admiral William H. McRaven, United States Special Operations Command », mise à jour 8 août

2011, http://www.navy.mil/navydata/bios/navybio.asp?bioid= 401.

26. *Ibid.*

27. William H. McRaven, *Spec Ops : Case Studies in Special Operations Warfare : Theory and Practice*, Random House, New York, 1996.

28. « Of all the men studied so far no one exhibits as much leadership ability as Jonathan Netanyahu », écrit McRaven. *Ibid.*, p. 342.

29. *Ibid.*, p. 345.

30. Entretien de l'auteur avec un agent du Pentagone.

31. Entretien de l'auteur avec un haut fonctionnaire du Pentagone.

32. Emily Wax, « Michele Flournoy, Pentagon's Highest-Ranking Woman, Is Making Her Mark on Foreign Policy », *Washington Post*, 6 novembre 2011, www.washington post.com/lifestyle/style/Michele-flournoy-pentagonshighest-ranking-woman-is-making-her-mark-on-foreignpolicy/2011/10/27/gIQAh6nbtM_story.html. Trois des personnes du Pentagone profondément impliquées dans l'opération Ben Laden ont grandi dans le milieu peu militaire d'Hollywood : le père de Michele Flournoy y était cinéaste, celui de Michael Mullen agent d'Hollywood et celui de Michael Vicker décorateur.

33. Interview de James Cartwright.

34. Entretien de l'auteur avec Michele Flournoy, Washington, DC, 18 novembre 2011.

35. « Pervez Musharraf on U.S.-Pakistan Relations », Council on Foreign Relations, 26 octobre 2011, carnegieendowment.org/files/1026carnegie-musharraf.pdf.

36. Déclaration de l'amiral Michael Mullen, chef du bureau Marine auprès du chef d'état-major interarmées devant le Comité pour les forces armées au Sénat, 22 septembre 2011, armedservices.senate.gov/statemnt/2011/09 %20September/ Mullen %2009-22-11.pdf.

37. Greg Miller, « U.S. Officials : Raymond Davis, Accused in Pakistan Shootings, Worked for CIA », *Washington Post*,

22 février 2011, www.washingtonpost.com/wp-dyn/content/article/2011/02/21/AR2011022102801.html.

38. « Rallies Demand Public Execution of Davis », *Dawn*, 12 février 2011, www.dawn.com/2011/02/12/rallies-demand-public-execution-of-davis.html.

39. Muhammad Tahir, « Central Asia Stands to Gain as NATO Shifts Supply Lines Away from Pakistan », *Radio Free Europe/Radio Liberty*, 22 mars 2011, www.rferl.org/content/central_asia_supply_lines_afghanistan/2345994.html.

40. Interview de Michele Flournoy.

41. Remarques par le secrétaire à la Défense Robert Gates, Académie navale Kuznetsov, Saint-Pétersbourg, Russie, 21 mars 2011.

42. Entretien de l'auteur avec Hillary Clinton, Washington, DC, 23 janvier 2012.

43. Interview de Nick Rasmussen.

44. S. Gorman et J. E. Barnes, « Spy, Military Ties Aided Bin Laden Raid », art. cit.

45. Yochi J. Dreazen, « Man Most Likely to Take Top Military Job Has Never Seen War », *The National Journal*, 2 mai 2011.

46. Entretien de l'auteur avec un agent du Pentagone.

47. Entretien de l'auteur avec un agent du renseignement américain.

48. Entretien de l'auteur avec un haut fonctionnaire du gouvernement, Washington, DC.

49. Interview de James Cartwright.

50. Tony Blinken, conseiller du vice-président Joseph Biden sur la sécurité nationale, interview par l'auteur, Washington, DC, 3 novembre 2011.

51. Interview de James Cartwright.

52. Entretien de l'auteur avec un agent du Conseil national de sécurité.

53. Observations de l'auteur lors de visites à Abbottabad, juillet 2011 et février 2012.

54. Entretien de l'auteur avec un haut fonctionnaire du gouvernement.

55. *Ibid.*

56. Entretiens de l'auteur avec plusieurs hauts fonctionnaires du gouvernement.

57. Entretien de l'auteur avec des agents de l'antiterrorisme impliqués dans la traque de Ben Laden ; voir aussi B. Woodward, « Death of Osama Bin Laden », art. cit.

58. Entretien de l'auteur avec un haut fonctionnaire du gouvernement.

59. *Ibid.*

60. Entretien de l'auteur avec Michael Mullen, Annapolis, MD, 20 janvier 2012.

61. Interview de Michele Flournoy.

62. John Brennan in *Targeting Bin Laden.*

63. Entretien de l'auteur avec un agent fédéral américain.

64. Entretien de l'auteur avec un agent de la Maison-Blanche.

65. Entretien de l'auteur avec un agent du renseignement américain ; interview de James Cartwright.

66. Entretien de l'auteur avec un agent du renseignement américain.

67. Interview de Hillary Clinton.

68. M. Mazzetti, H. Cooper, et P. Baker, « Behind the Hunt for Bin Laden », art. cit.

69. Entretien de l'auteur avec haut fonctionnaire du renseignement américain.

70. *Ibid.*

71. Jake Tapper, « President Obama to National Security Team : "It's a Go" », ABC News, 2 mai 2011, abcnews.go.-com/blogs/politics/2011/05/president-obamato-national-secu rity-team-its-a-go/.

72. Interview de Michele Flournoy.

73. Robert M. Gates, *From the Shadows : The Ultimate Insider's Story of Five Presidents and How They Won the Cold War*, Simon and Schuster, New York, 2006, p. 154-55.

74. Interview de Michele Flournoy.

75. Entretien de l'auteur avec un haut fonctionnaire du renseignement américain.

76. Entretien de l'auteur avec un haut fonctionnaire du gouvernement.

77. *Ibid.*

78. *Ibid.*

79. *Ibid.*

80. Entretien de l'auteur avec des hauts fonctionnaires du gouvernement, Washington, DC.

81. *Ibid.*

82. *Ibid.*

83. Interview de Michael Mullen.

84. Entretien de l'auteur avec un agent pakistanais.

85. *Ibid.*

86. Jane Perlez, « Denying Links to Militants, Pakistan's Spy Chief Denounces U.S. Before Parliament », *New York Times*, 13 mai 2011, www.nytimes.com/2011/05/14/world/asia/14-pakistan.html.

87. Schmidle, « Getting Bin Laden », art. cit.

88. Entretien de l'auteur avec un haut fonctionnaire du renseignement américain.

89. *Ibid.*

90. *Ibid.*

91. Interview de James Cartwright.

92. Interview de Michele Flournoy.

93. Interview de Eric Greitens.

94. N. Schmidle, « Getting Bin Laden », art. cit.

95. Entretien de l'auteur avec un haut fonctionnaire du renseignement américain.

96. *Ibid.*

97. Entretien de l'auteur avec un haut fonctionnaire du gouvernement américain.

98. Interview de Michael Mullen.

99. *Ibid.*

100. Interview de Tony Blinken.

101. Entretien de l'auteur avec un haut fonctionnaire du renseignement américain.

102. Khalid al Hammadi, « Bin Laden's Former "Bodyguard" Interviewed », *Al-Quds Al-Arabi*, 3 août 2004, et du 20 mars au 4 avril 2004.

103. Le site du *Guardian* donne une chronologie utile des déclarations de Ben Laden et de Zawahiri à www.guardian.-co.uk/alqaida/page/0,,839823,00.html. On peut y trouver la déclaration de Ben Laden du 20 février 2006.

104. Interview de Leon Panetta avec *NBC Nightly News*, 3 mai 2011, www.msnbc.msn.com/id/42887700/ns/world_news-death_of_bin_laden/t/transcriptinterview-cia-director-panetta/# .TwHRIiNAYfU.

105. Interview de James Cartwright. Voir aussi Eric Schmitt, Thom Shanker & David E. Sanger, « U.S. Was Braced for Fight with Pakistanis in Bin Laden Raid », *New York Times*, 9 mai 2011, www.nytimes.com/2011/05/10/world/asia/10intel.html? emc=na#.

106. Interview de James Cartwright ; E. Schmitt, T. Shanker et E. Sanger, « U.S. Was Braced for Fight », art. cit.

107. Entretien de l'auteur avec un haut fonctionnaire du renseignement américain.

108. Interview de Tony Blinken.

109. S. Gorman & J. E. Barnes, « Spy, Military Ties Aided Bin Laden Raid. »

110. Interview de Ben Rhodes dans *Targeting Bin Laden*.

111. *Ibid.*

112. *Ibid.*

113. Entretien de l'auteur avec un haut fonctionnaire du gouvernement.

114. *Ibid.*

115. *Ibid.*

116. Entretien de l'auteur avec un agent du renseignement américain.

117. Interview de Michael Leiter.

118. *Harvard Gazette*, 25 février 1999, news.harvard.edu/ga
zette/1999/02.25/news.html.

119. Fox Butterfield, « First Black Elected to Head Harvard's Law Review », *New York Times*, 6 février 1990, www.nyti
mes.com/1990/02/06/us/fi rst-black-elected-to-headharvard-
s-law-review.html.

120. Témoignage de l'ancien sénateur Charles S. Robb
devant le Comité pour le renseignement au Sénat, « Nomination of Michael Leiter to Be Director, National Counterterrorism Center », p. 3, www.fas.org/irp/congress/2008_hr/
leiter.pdf.

121. Interview de Michael Leiter.

122. *Ibid.*

123. *Ibid.*

124. *Ibid.*

125. *Ibid.*

126. *Ibid.*

127. *Ibid.*

128. Entretien de l'auteur avec un haut fonctionnaire du
renseignement américain.

129. *Ibid.* ; interview de James Cartwright.

130. Interview de Michael Leiter.

131. *Ibid.*

132. *Ibid.*

133. *Ibid.*

134. *Ibid.*

135. *Ibid.*

136. Alan Silverleib, « Obama Releases Original Long-Form
Birth Certificate », CNN, 27 avril 2011, edition.cnn.com/
2011/POLITICS/04/27/obama.birth.certificate/index.html.

137. N. Schmidle, « Getting Bin Laden », art. cit.

Chapitre 12. La décision

1. Entretien avec Michael Leiter.

2. Entretien avec Michael Vickers.

3. Entretien avec Michael Leiter.

4. John Brennan in *Targeting Bin Laden*.

5. Ben Rhodes in *Targeting Bin Laden*.

6. Entretien avec Tony Blinken.

7. Entretien avec Michael Leiter.

8. Entretien de l'auteur avec un haut responsable du renseignement américain. Voir aussi Massimo Calabresi, « CIA Chief : Pakistan Would Have Jeopardized Operation", *Time*, 3 mai 2011, swampland.time.com/2011/05/03/cia-chief-breaks-silence-u-s-ruledout-involving-pakistan-in-bin-laden-raid-early-on/.

9. Entretien avec Michael Leiter.

10. Entretien avec Ben Rhodes pour *Targeting Bin Laden*.

11. Entretiens avec de hauts responsables de l'administration.

12. *Ibid.*

13. *Ibid.* Entretien avec Michael Leiter. Entretien avec James Cartwright.

14. Entretien avec Michael Leiter et entretien avec de hauts responsables de l'administration.

15. Entretien avec Tom Donilon pour *Targeting Bin Laden* ; entretien avec Michael Leiter.

16. Entretien avec Michael Mullen.

17. *Ibid.*

18. V. J. Hennigan, « Pentagon Seeks Mini-Weapons for New Age Warfare », *Los Angeles Times*, 30 mai 2011.

19. Entretien de l'auteur avec de hauts responsables de l'administration.

20. Entretien avec Michael Leiter.

21. Entretien de l'auteur avec Leon Panetta, Washington, DC, 16 février 2012.

22. Entretien de l'auteur avec de hauts responsables de l'administration.

23. Entretien avec Michael Leiter.

24. Entretien de l'auteur avec chacun d'eux.

25. Entretien avec Tony Blinken.

26. Entretien avec Barack Obama pour *Targeting Bin Laden*.

27. Entretien avec John Brennan pour *Targeting Bin Laden.*

28. « Obama on Bin Laden : The Full *60 Minutes* Interview. » Interview pour l'émission *60 Minutes.*

29. Entretien avec Barack Obama pour *Targeting Bin Laden.*

30. Entretien de l'auteur avec de hauts responsables de l'administration, Washington, DC, août 2011.

31. Entretien avec Barack Obama pour *Targeting Bin Laden.*

32. « Obama on Bin Laden : The Full *60 Minutes* Interview. » Interview pour l'émission *60 Minutes.*

33. « Remarks by the President in Address to the Nation on the Way Forward in Afghanistan and Pakistan. »

34. Entretiens de l'auteur avec Jake Tapper, « After Thursday Speech, White House Pushed Mubarak : You Must Satisfy the Demonstrators in the Street », ABC News, 11 février 2011, abcnews.go.com/blogs/politics/2011/02/after-thursday-speechwhitehouse-pushed-mubarak-you-must-satisfy-the-demonstrators-in-thestreet/ ; entretien de l'auteur avec un haut responsable de l'administration.

35. Paul Richter et Christi Parsons, « Obama Faces Growing Criticism for Libya Campaign », *Los Angeles Times*, 21 mars 2011, articles.latimes.com/2011/mar/21/world/la-fg-us-libya-20110322.

36. Michael Hastings, « Inside Obama's War Room », *Rolling Stone*, 13 octobre 2011, www.rollingstone.com/politics/news/inside-obamas-war-romm-20111013.

37. Entretiens de l'auteur avec de hauts responsables de l'administration, Washington, DC, décembre 2011.

38. « Obama on Bin Laden : The Full *60 Minutes* Interview. »

39. Tom Donilon in *Targeting Bin Laden.*

40. *Ibid.*

41. Tom Donilon in *Targeting Bin Laden*, partie non diffusée de son entretien.

42. Entretien avec Tony Blinken.

43. « Obama on Tornado Devastation in the South : "It's Heartbreaking" », *Los Angeles Times*, 29 avril 2011, latimes blogs.latimes.com/washington/2011/04/obama-visitstornado-devastation.html.

44. Tom Donilon in *Targeting Bin Laden.*

45. Saeed Shah, « U.S. Officials Escape Bin Laden Revenge Bombing in Pakistan », *McClatchy Newspapers*, 4 octobre 2011, www.mcclatchydc.com/2011/05/20/v-print/114485/us-officials survive-bomb-attack.html.

46. Devin Dwyer, « President Obama, Gabrielle Giffords Meet after Shuttle Launch Postponed », ABC News, 29 avril 2011, abcnews.go.com/US/president-obamagabrielle-giffords-meet-florida-scrubbed-shuttle/story ?id=13478147# .Tx3niV1AI j8.

47. Entretien avec Michael Leiter ; Tom Donilon in *Targeting Bin Laden.*

48. M. Mazzetti, H. Cooper et P. Baker, « Behind the Hunt for Bin Laden », art. cit.

49. Jake Tapper, « President Obama to National Security Team : "It's a Go" », ABC News, 2 mai 2011, abcnews.go.com/blogs/politics/2011/05/president-obama-tonational-security-team-its-a-go/.

50. « Obama on Bin Laden : The Full *60 Minutes* Interview. »

51. Transcription du discours d'Obama au dîner des correspondants de presse, *Wall Street Journal*, 1er mai 2011, blogs.wsj.com/washwire/2011/05/01/transcript-of-obamas-remarks-at-thecorrespondents-dinner/.

52. Le cable-satellite Public Affairs Network (« Réseau câblé-satellite Affaires publiques ») est la chaîne officielle d'information continue pour toutes les actualités gouvernementales et parlementaires. En France, La Chaîne parlementaire en serait un lointain équivalent, plus limité. *(N.d.T.)*

53. George Stephanopoulos n'était pourtant pas un novice, puisqu'il fut le directeur de la campagne présidentielle de Bill Clinton en 1992, puis le directeur de la communication de la Maison-Blanche, et enfin le conseiller principal de Politique et de Stratégie jusqu'en décembre 1996, terme du premier mandat de Clinton. *(N.d.T.)*

Chapitre 13. N'allume pas la lumière

1. Entretien de l'auteur avec un responsable pakistanais informé du contenu des interrogatoires des épouses de Ben Laden.

2. *Ibid.*

3. Ihsan Mohammad Khan, entretien avec l'auteur, Abbottabad, Pakistan, 21 juillet 2011.

4. Entretien de l'auteur avec de hauts responsables de l'administration Obama.

5. Entretien avec Michael Leiter.

6. *Ibid.*

7. Marc Ambinder in *Targeting Bin Laden*.

8. Entretien de l'auteur avec un haut responsable de l'administration.

9. Entretien de l'auteur avec un haut responsable du Pentagone.

10. Marc Ambinder in *Targeting Bin Laden*.

11. Entretien avec Ben Rhodes.

12. Ben Rhodes in *Targeting Bin Laden*.

13. Entretien avec James Cartwright.

14. *Ibid.*

15. Entretien de l'auteur avec un haut responsable de l'administration.

16. *Ibid.*

17. Entretien avec Michael Leiter.

18. M. Calabresi, « CIA Chief : Pakistan Would Have Jeopardized Operation », art. cit.

19. Entretien de l'auteur avec un officier supérieur du renseignement.

20. *Ibid.*

21. M. Mazzetti, H. Cooper et P. Baker, « Behind the Hunt for Bin Laden », art. cit.

22. N. Schmidle, « Getting Bin Laden », art. cit.

23. C. Lamb, *Revealed : The SEALs' Secret Guide.*

24. Ben Forer, « Osama Bin Laden Raid : Navy SEALs Brought Highly Trained Dog with Them into Compound », ABC News, 5 mai 2011, abcnews.go.com/US/osama-binladen-raid-navy-seals-military-dog/story ?id=13535070#.TtaMrF1AIj8.

25. N. Schmidle, « Getting Bin Laden », art. cit.

26. Irfan Ghauri, « Abbottabad Incursion : US Took Advantage of "Peacetime Mode" », *Express Tribune*, 12 juillet 2011, tribune.com.pk/story/207808/abbottabadincursion-us-took-advantage-ofpeacetime-mode/.

27. Chris Marvin, ancien pilote de Black Hawk, entretien pour *The Last Days of Osama Bin Laden*, National Geographic Channel, 9 novembre 2011.

28. Entretien de l'auteur avec un haut responsable du renseignement américain.

29. Paula Broadwell et Vernon Loeb, *All In : The Education of General David Petraeus*, Penguin Press, New York, 2012, p. 255-259.

30. *Ibid.*

31. *Ibid.* ; David Petraeus, entretien avec Tresha Mabile, Washington, août 2011.

32. N. Schmidle, « Getting Bin Laden », art. cit.

33. « OBL Operation : Helicopters Landed in Kala Dhaka Before Proceeding to Abbottabad », *Express Tribune*, 14 mai 2011, tribune.com.pk/story/168573/osama-bin-ladenopera tionhelicopterslanded-in-kala-dhaka-before-proceeding-to-abbo ttabad/.

34. Observation de l'auteur.

35. Greg Miller, « CIA Flew Stealth Drones into Pakistan to Monitor Bin Laden House », *Washington Post*, 17 mai 2011, www.washingtonpost.com/world/national-security/cia-flewste alth-drones -into-pakistan- to-monitorbin-ladenhouse/2011/0 5/13/AF5dW55G_story.html.

36. Entretien avec Michael Leiter.

37. *Ibid.*

38. N. Schmidle, « Getting Bin Laden », art. cit.

39. Entretien avec James Cartwright.

40. Entretien avec Michael Leiter.

41. *Ibid.*

42. Entretien de l'auteur avec un ancien officier du JSOC, Washington.

43. Chris Marvin, ancien pilote de Black Hawk dans *The Last Days of Osama Bin Laden*.

44. Entretien de l'auteur avec un officier du renseignement américain.

45. *Ibid.*

46. « Sources : Raiders Knew Mission a One-Shot Deal », Associated Press, 17 mai 2011, www.navytimes.com/news/2011/05/ap-raiders-knew-mission-a- oneshot-deal - 051711/.

47. Barack Obama in *Targeting Bin Laden*.

48. Entretien de l'auteur avec Hillary Clinton, Washington, DC, 23 janvier 2012.

49. Entretien de l'auteur avec un haut responsable de l'administration.

50. Entretien avec James Clapper.

51. Entretien de l'auteur avec un officier de renseignement américain.

52. *Ibid.*

53. *Ibid.*

54. Laura Blumenfeld, « The Sole Survivor », Washington Post, 11 juin 2007, www.washington post.com/ wpdyn/content/article/2007/06/10/AR2007061001492_pf.html.

55. Christina Lamb et Nicola Smith, « Geronimo ! EKIA 38 Minutes to Mission Success », *The Australian*, 9 mai 2011, www.theaustralian.com.au/news/world/geronimo-ekia-38-minutes-to-mission-success/story-e6frg6so-1226052094513 ; Philip Sherwell, « Osama Bin Laden Killed : Behind the Scenes of the Deadly Raid », www.telegraph.co.uk/news/world news/al-qaeda/8500431/Osama-bin-Ladenkilled-Behind-the - scenes-of-the-deadlyraid.html.

56. N. Schmidle, « Getting Bin Laden », art. cit. ; entretien de l'auteur avec un haut responsable pakistanais.

57. Entretien de l'auteur avec des responsables américains ; entretiens avec des officiers du renseignement américain.

58. Gardiner Harris, « A Bin Laden Hunter on Four Legs », *New York Times*, 4 mai 2011, www.nytimes.com/2011/05/05/science/05dog.html.

59. Entretien de l'auteur avec un officier de renseignement pakistanais.

60. Entretien de l'auteur avec de hauts responsables du département de la Défense.

61. Entretien de l'auteur avec un officier du renseignement américain.

62. Entretien de l'auteur avec des responsables pakistanais.

63. Barack Obama in *Targeting Bin Laden*.

64. Entretien de l'auteur avec des officiers du renseignement américains.

65. Entretien avec Michael Leiter.

66. John Brennan in *Targeting Bin Laden*.

67. K. Dozier, « Bin Laden Trove of Documents Sharpen US Aim », art. cit.

68. Cet AK-47 et le pistolet Makarov de fabrication russe seront conservés au musée de la CIA, à Langley, en Virginie.

69. Entretien de l'auteur avec un officier du renseignement américain.

70. N. Schmidle, « Getting Bin Laden », art. cit.

71. *Ibid.*

72. Observations de l'auteur dans la résidence de Ben Laden à Abbottabad.

73. Entretien avec Leon Panetta, *Charlie Rose*, PBS, 6 septembre 2011, www.defense.gov/transcripts/transcript.aspx?transcriptid=4872.

74. Entretien de l'auteur avec un haut responsable du Pentagone, 10 février 2012.

75. Ben Rhodes in *Targeting Bin Laden*.

76. Entretien avec Michael Leiter.

77. Entretien de l'auteur avec un officier du Pentagone.

78. Entretien avec Michael Leiter.

79. Reuters a publié des photographies de trois des cadavres.

80. CNN, 12 mai 2011, jeune habitant : « Nous avons essayé d'aller là-bas et ils ont braqué des pistolets laser sur nous, et ils nous ont dit : "Non, vous ne pouvez pas y aller." Ils parlaient pachtoune, donc on a cru qu'ils venaient d'Afghanistan, pas d'Amérique. »

81. N. Schmidle, « Getting Bin Laden », art. cit.

82. Robert Windrem et Alex Johnson, « Bin Laden Aides Were Using Cell Phones, Officials Tell NBC », NBC News, www.msnbc.msn.com/id/42881728/ns/world_news-death _of _ bin_laden/t/bin-laden-aides-were-using-cellphonesofficials-tell-nbc/#.TyBX1l1AIj8.

83. Entretien de l'auteur avec des officiers du contreterrorisme impliqués dans la traque de Ben Laden.

84. Entretien de l'auteur avec un responsable de la Sécurité nationale américaine.

85. Entretien de l'auteur avec un haut responsable de l'administration américaine.

86. *Ibid.*

87. Entretien avec un officier du renseignement américain.

88. Entretien de l'auteur avec un haut responsable du renseignement américain.

89. Barack Obama in *Targeting Bin Laden.*

90. Entretien de l'auteur avec des officiers du renseignement américain.

91. *Ibid.*

92. Entretien avec James Clapper.

93. Entretien de l'auteur avec un haut responsable de l'administration.

94. Entretien avec Michael Leiter.

Chapitre 14. Après coup

1. Entretien de l'auteur avec un responsable pakistanais.

2. Asad Munir, ancien officier de l'ISI, entretien avec l'auteur, Pakistan, 15 juillet 2011.

3. *Ibid.*

4. Robert Booth, Saeed Shah et Jason Burke, « Osama Bin Laden Death : How Family Scene in Compound Turned to Carnage », *Guardian*, 5 mai 2011, www.guardian.co.uk/world/2011/may/05/bin-laden-death-family-compound.

5. Entretien avec Ihsan Mohammed Khan.

6. E-mail d'Ihsan Mohammed Khan à Voice of America, à Washington, DC, 2 mai 2011.

7. Entretien de l'auteur avec des officiers du renseignement américain.

8. *Ibid.*

9. Entretien de l'auteur avec des responsables militaires américains engagés dans la chasse de Ben Laden.

10. Entretien avec Ben Rhodes.

11. *Ibid.*

12. Entretien avec Michael Leiter.

13. Entretien avec Michael Mullen.

14. Najam Sethi, « Operation Get OBL », 6 mai 2011, *Friday Times*, www.thefridaytimes.com/06052011/page1.shtml.

15. Zahid Hussain, Matthew Rosenberg et Jeremy Page, « Slow Dawn After Midnight Raid », *Wall Street Journal*, 9 mai 2011.

16. Entretien de l'auteur avec un haut responsable de l'administration américaine.

17. *George W. Bush : The 9/11 Interview*, National Geographic Channel, 28 août 2011.

18. Entretien de l'auteur avec un responsable du Conseil national de sécurité.

19. Entretien de l'auteur avec un responsable américain.

20. Entretien avec Michael Leiter ; entretien de l'auteur avec des responsables américains.

21. Entretien de l'auteur avec un haut responsable de l'administration américaine.

22. *Ibid.*

23. *Ibid.*

24. *Ibid.*

25. *Ibid.*

26. Ed Henry, correspondant de CNN à la Maison-Blanche, CNN, 1er mai 2011.

27. Geraldo Rivera, « Geraldo at Large », *Fox News*, 1er mai, 2011.

28. Entretien avec Ben Rhodes.

29. *Ibid.*

30. *Ibid.*

31. Entretien avec Tony Blinken.

32. Entretien avec Michael Vickers.

33. Entretien avec James Clapper.

34. « Full Text of Obama's Speech on Bin Laden's Death », CBS, 2 mai 2011, www.cbsnews.com/8301-503544_162-20058783-503544.html.

35. Brian Stelter, « Obama's TV Audience Was His Largest », *New York Times*, 3 mai 2011, www.nytimes.com/2011/05/04/arts/television/bin-laden-speech-drew-obamas lar gest-audience-as-president.html.

36. Entretien de l'auteur avec un haut responsable de l'administration américaine.

37. N. Schmidle, « Getting Bin Laden », art. cit.

38. « DOD Background Briefing with Senior Defense Officials from the Pentagon and Senior Intelligence Officials by Telephone on U.S. Operations Involving Osama Bin Laden », 2 mai 2011, www.defense.gov/transcripts/transcript.aspx?transcriptid=4818.

39. Entretien de l'auteur avec un haut responsable de l'administration américaine.

40. « DOD Background Briefing with Senior Defense Officials from the Pentagon and Senior Intelligence Officials by Telephone on U.S. Operations Involving Osama Bin Laden », 2 mai 2011, www.defense.gov/transcripts/transcript.aspx?transcriptid=4818.

41. « Transcript of White House Press Briefing on Bin Laden's Death », *Wall Street Journal*, 2 mai 2011, blogs.wsj.com/washwire/2011/05/02/transcript-ofwhite-house -pre ss -briefing-on-bin-ladens-death/

42. Robert Booth, « The Killing of Osama Bin Laden : How the White House Changed Its Story », *Guardian*, 4 mai 2011, www.guardian.co.uk/world/2011/may/04/osama-binladen-killing-us-story-change.

43. « Transcript of Interview with CIA Director Panetta », NBC News, 3 mai 2011, www.msnbc. msn.com /id/4288 7700/ns/world_newsdeath_of_bin_laden/t/transcriptinterview-cia-director-panett a/#.TxclzV1AIj8.

44. « Obama on Bin Laden : The Full *60 Minutes* interview », CBS News, 8 mai 2011, www.cbsnews.com/8301-504803_162-20060530-10391709.html.

45. *Ibid.*

46. *Ibid.*

47. Entretien avec Tony Blinken.

48. Entretien de l'auteur avec un haut responsable de l'administration américaine.

49. Entretien de l'auteur avec un haut responsable du Renseignement américain.

50. M. Calabresi, « CIA Chief : Pakistan Would Have Jeopardized Bin Laden Operation », art. cit.

51. Entretien de l'auteur avec un responsable américain.

52. Entretien de l'auteur avec un responsable américain.

53. *Ibid.*

54. « Altaf Asks Military, Govt to Apologise Over US Raid », Dawn, 5 mai 2011, www.dawn.com/2011/05/05/altaf-asks-military-govt-to-apologise-over-us-raid.html.

55. Entretien de l'auteur avec des officiers supérieurs de l'armée pakistanaise et un responsable de la diplomatie américaine.

56. Entretien de l'auteur avec un officier pakistanais.

57. Entretiens de l'auteur avec des responsables américains.

58. Entretien de l'auteur avec un responsable pakistanais.

59. Eli Lake, « Rogers : Pakistani Intelligence Services Aided Bin Laden », *Washington Times*, 14 juin 2011, www.washingtontimes.com/news/2011/jun/14/rogers-pakistanmilitary-intel-aided-bin-laden/

60. Entretien avec Michael Leiter ; entretiens de l'auteur avec plusieurs autres officiers du renseignement.

61. Augustine Anthony, « Al-Qaeda Confirms Bin Laden Is Dead, Vows Revenge », Reuters, 6 mai 2011, www.reuters. com/article/2011/05/06/usobama-statement-idUSTRE 74107 920110506.

62. Jake Tapper, Nick Schifrin et Jessica Hopper, « Obama Thanks SEALs, Troops Back from Afghanistan », ABC News, abcnews.go.com/Politics/obamaseals-troops-back-afghanistan-job-well-done/story ?id=13543148#.TxdJtV1AIj8.

63. Entretiens de l'auteur avec de hauts responsables de l'administration américaine.

64. *Ibid.*

65. *Ibid.*

66. *Ibid.*

67. *Ibid.*

68. Entretien de l'auteur avec un responsable du gouvernement américain, à Washington.

69. *Ibid.*

70. Entretien de l'auteur avec un officier du renseignement pakistanais ayant pris part aux interrogatoires des épouses de Ben Laden.

71. Transcription des propos du président Obama devant la communauté du Renseignement, 20 mai 2011.

72. *Ibid.*

Épilogue : Le crépuscule d'Al-Qaïda

1. Peter Bergen, *The Osama Bin Laden I Know*, Free Press, New York, 2006, p. 74–82.

2. John Esposito et Dalia Mogahed, *Who Speaks for Islam ? What a Billion Muslims Really Think* , Gallup Press, New York, 2007.

3. Al Goodman, « 11 on Trial Over Alleged Barcelona Terror Plot », CNN.com, 13 novembre 2009, http://edition. cnn.com/2009/WORLD/europe/11/12/spain.terror.trial/.

4. *United States of America v. Faisal Shahzad*, Plea, 10-CR-541

(MGC), United States District Court, Southern District of New York, 21 juin 2010, http://www.invest igativeproject.org/docu ments/case_docs/1435.pd.

5. Somini Sangupta, « Dossier Gives Details of Mumbai Att acks », *New York Times,* 6 janvier 2009, www.nytimes. com/2009/01/07/world/asia/07india.html.

6. « Magazine Details Al-Qaeda Cargo Plane Plots », CNN.com, 21 novembre 2010, http://articles.cnn.com/2010-11-21/world/al.qaeda.magazine_1_cargo-plane-aqapplane-cr ash?_s=PM:WORLD.

7. Katherine Houreld, « Somali Militant Group al-Shabaab Formally Joins Al-Qaeda », Associated Press, 9 février 2012, http://www.guardian.co.uk/world/2012/feb/09/somali-al-sh abaab-join-al-qaida.

8. Jane Ferguson, « Violent Extremists Calling Fighters to Somalia », CNN.com, 27 avril 2010, http://arti cles.cnn.com/2010-04-27/world/somalia.al.shabaab_1_somali-american-transitional-federal-government-foreign-fighters?_s=PM :WORLD.

9. Lee Keath, « Al Qaeda Is Close to Defeat in Iraq, US Ambassador Says », Associated Press, 25 mai 2008, http://arti-cles.boston.com/2008-05-25/news/29268149_1_shi-ite-sadr-ci ty-maliki.

10. « US Official Says Al-Qaeda Involved in Syria », Al Jazeera, 17 février 2012, http://www.aljazeera.com/news/ middleeast/2012/02/201221794018300979.html.

11. « Terror Suspect Went to Meet Bin Laden », Associated Press, 4 mai 2011, www.foxnews.com/world/2011/05/04/in donesia-terror-suspect-went-meet-binladen/#ixzz1kCVvHPfP.

12. David Frum et Richard Perle, *An End to Evil : How to Win the War on Terror,* Random House, New York, 2003, p. 7. Voir aussi Dana Milbank, « Prince of Darkness Denies Own Exis-tence », *Washington Post,* 20 février 2009.

13. Charles Feldman et Stan Wilson, « Ex-CIA Director : US Faces "World War IV" », CNN.com, 3 avril 2003, http://

www.cnn.com/2003/US/04/03/sprj.irq.woolsey.world.war/ ; James Woolsey sur CNN, 2 juin 2002.

14. Voir en général *The Black Book of Communism*, Harvard University Press, Cambridge, Massachusetts, 1999.

15. En moyenne annuelle, environ trois cents Américains se noient accidentellement dans leur baignoire, http://danger. mongabay.com/injury_death.htm.

16. Saeed Shah, « Ayman al- Zawahiri Takes Over Al Qaeda Leadership », McClatchy, 17 juin 2011, http://www.sfgate. com/cgi-bin/article.cgi?f=/c/a/2011/06/16/MNLH1JUT4A.D TL.

17. John Marzulli, « Najibullah Zazi Pleads Guilty to Plotting NYC Terror Att ack, Supporting Al Qaeda », *New York Daily News*, 22 février 2010.

18. « Terror Suspects "Were Tipped Off" », CNN.com, 10 septembre 2007, http://articles.cnn.com/2007-09-10/ world/ germany.terror_1_joerg-ziercke-terror-plot- training cam ps?_s=PM:WORLD.

19. Katherine Tiedemann et Peter Bergen, « The Year of the Drone », New America Foundation, 24 février 2010, http://counterterrorism.newamerica.net/sites/newamerica. net /files/policydocs/bergentiedemann2.pdf.

20. « Atiyah Abd al-Rahman Dead : Al Qaeda Second in Command Killed in Pakistan », Associated Press, 28 août 2011, http: //www.huffingtonpost.com/2011/08/27/atiyah-abd-al-rahman-al-qaeda-dead_n_939009.html.

21. Douglas Farah et Dana Priest, « Bin Laden Son Plays Key Role in Al-Qaeda », *Washington Post*, 14 octobre 2003, http://www.washingtonpost.com/wp-dyn/content/article/2007 /08/20/AR2007082000980.html.

22. « Two Islamist Parties Win Big in Egypt Election », CNN.com, 21 janvier 2012, http://articles.cnn.com/2012-01-21/africa/world_africa_egypt-elections_1_egypt-electionegyptia n-election-conservative-al-nour-party?_s=PM:AFRICA.

23. « Intel Chief : U.S. Faces Many Interconnected Foes », Associated Press, 31 janvier 2012, http://www.cbs news.com/

8301-201_162-57368904/intel-chiefu.s-faces-many-interconnec
ted-foes/.

24. Oussama ben Laden, « Exposing the New Crusader
War », sur des sites Internet de djihadistes, février 2003.

25. « Osama Bin Laden Compound Being Demolished in
Pakistan », Reuters, 25 février 2012. http://www.guardian.
co.uk/world/2012/feb/26/osama-bin-ladencompound-demo
lished.

26. « President Bush Addresses the Nation », *Washington
Post*, 20 septembre 2001, http://www.washingtonpost.com/
wpsrv/nation/specials/attacked/transcripts/bushaddress_092
001.html.

27. Intervention du président lors de la cérémonie de
remise des diplômes à l'École militaire de West Point, West
Point, New York, 22 mai 2010.

Remerciements

L'écriture d'un ouvrage de non-fiction est un mélange étrange de solitude intense – personne n'écrira le livre pour vous – et de profond engagement collectif. Andrew Lebovich a travaillé à toutes les étapes de ce projet, il a mené et organisé des recherches, vérifié les faits, rédigé les notes de cet ouvrage, et traduit des sources françaises. Jennifer Rowland a aussi effectué ce même travail, et traduit des sources arabes, sans compter ses excellentes recherches photographiques. J'ai eu la chance de pouvoir compter sur deux documentalistes aussi intelligents et aussi bien organisés qu'Andrew et Jennifer pour travailler sur ce livre, et ils ont collaboré avec moi au quotidien, à la New America Foundation. Andrew a ensuite rejoint un cabinet d'analystes spécialisé dans l'Afrique du Nord, à Washington, et nous entendrons de nouveau parler de lui dans le futur.

La New America Foundation, à Washington, a été ma maison, depuis dix ans. J'ai beaucoup de chance de pouvoir travailler avec son président, Steve Coll, qui sait toujours être le garçon à la fois le plus intelligent et le plus modeste qui soit. Son éthique dans le travail, son intégrité et son autorité représentent pour moi une vraie source d'inspiration. Merci également à mes collègues de la New America, Patrick Doherty et Brian Fishman, qui travaillent avec moi au programme de sécurité nationale de New America. Et merci à Simone Frank,

363

Danielle Maxwell, Troy Schneider, Stephanie Gunter, Faith Smith, et Rachel White, qui contribuent à notre programme de recherches à divers titres. Merci aux stagiaires Tristan Berne, Galen Petruso, Kelsy Greenwald et Eric Verdeyen, qui ont aussi participé aux recherches de ce livre. Merci enfin à Christina Satkowski.

Ken Ballen, qui est à la fois un auteur et un spécialiste émérite des sondages dans le monde musulman, a lu attentivement le manuscrit et m'a proposé d'importantes suggestions pour en améliorer le contenu. De même, Andrew Marshall, expert des questions de sécurité, m'a fait des observations éditoriales essentielles sur la manière de mieux exposer les notions que comporte ce texte. Merci à vous deux pour vos avis éclairés et votre amitié.

Le travail de journaliste de Nick Schmidle au *New Yorker* et celui de Kimberly Dozier et d'Adam Goldman chez Associated Press méritent une mention particulière pour l'éclairage qu'ils m'ont apporté sur le raid d'Abbottabad et les percées en matière de renseignement qui l'ont rendu possible.

Au Pakistan, j'ai bénéficié de l'aide précieuse du major général Nazir Biutt et du commodore (à la retraite) Zafar Iqbal. Merci à vous deux pour vos sages conseils et votre amitié. Merci aussi à Khalid Khan Khesgi et Ishan Khan.

Merci également à l'équipe de Free Press, qui a publié mes trois précédents livres sur Al-Qaïda et Ben Laden, volumes qui ont été les fondements nécessaires à l'écriture du présent volume, et en particulier mon éditeur, Dominick Anfuso. Merci aussi à Will Sulkin et à Stuart Williams, de chez Bodley Head, qui publient ce livre au Royaume-Uni. Merci également à Politikens Forlag au Danemark, the House of Books en Hollande, Verlagsgruppe Random House GmbH en Allemagne, Cappelen Damm AS en Norvège, et Publicações Dom Quixote, Lda., au Portugal, pour avoir publié ce livre dans leurs pays respectifs.

À la Maison-Blanche, merci à Ben Rhode et à Jamie Smith, pour l'aide que vous m'avez apportée. Au département de la

Défense, merci à Doug Wilson, au professeur George Little, à Carl Woog, au capitaine John Kirby, à Tara Rigler, à Bob Mehal, et au lieutenant-colonel James Gregory pour le soutien que vous m'avez apporté. À la CIA, merci à Preston Golson, à Cynthia Rapp, à Jennifer Youngblood et à Marie Harf ; au Centre national du contre-terrorisme, merci à Carl Kropf ; au cabinet du directeur du Renseignement national, merci à Shawn Turner et à Mike Birmingham ; au Commandement des opérations spéciales, merci à Ken McGraw ; au cabinet du vice-président, merci à Alexandra Kahan ; au Département d'État, merci à Philippe Reines et à Caroline Adler ; à l'Agence de renseignement de la défense, merci à Susan Strednansky ; au cabinet de l'amiral Mullen, merci à Sarah Chayes et à Sally Donnelly ; au cabinet du général McChrystal, merci à Duncan Boothby et à Samuel Ayres, et merci également au colonel Erik Gunhus en Afghanistan. Merci au lieutenant-colonel Patrick Buckley, au lieutenant-colonel Joel Rayburn, à Ferial Govashiri, et à Tommy Vietor.

Chez Nutopia Productions, merci à Jane Root et à Phil Craig, qui m'ont permis d'accéder aux transcriptions intégrales des entretiens de la Maison-Blanche qu'ils ont filmés pour leur précieux documentaire, *Targeting Bin Laden*, diffusé sur History Channel. Merci à Christina Lamb du *Sunday Times*, qui m'a permis de consulter l'une des fiches que les Seals emportaient sur eux la nuit du raid, et qui est reproduite dans ce livre. Merci à Gene Thorp pour ses cartes remarquables. Merci aussi à Keith Sinzinger.

Merci à Anderson Cooper, à Eric Greitens et à Steve Coll, trois gentlemen dont j'admire grandement le travail et la personnalité, et qui ont tous revu le manuscrit. Merci aussi à tous ceux qui ont accepté d'être interviewés pour ce livre. Ceux qui ont acceptés d'être mentionnés apparaissent dans la liste de la page 303.

J'ai travaillé à CNN, à un titre ou un autre, depuis 1990, et je suis heureux de pouvoir continuer mon travail pour cette chaîne avec tant de journalistes remarquables, de dirigeants, de producteurs et de rédacteurs en chef, en particulier Pamela Sellars, Richard Galant, Charlie Moore et Anderson Cooper. Merci aussi à Henry Schuster, désormais chez CBS, où il produit l'émission *60 Minutes,* et qui est mon collègue et ami depuis près de quinze ans.

Merci à Storyhouse Productions et au producteur Simon Epstein pour leur travail sur le documentaire du *National Geographic, The Last Days of Osama Bin Laden,* qui m'a aidé à documenter ce livre. Et surtout, merci à mon épouse, Tresha Mabile, qui a été coproductrice exécutive de ce documentaire et qui a effectué le voyage au Pakistan pour le produire, alors qu'elle était enceinte de cinq mois. À National Geographic Television, merci à Michael Cascio, à Kim Woodward et à Jack Smith, qui ont permis de perfectionner ce film.

Merci à Marin Strmecki, à la Smith Richardson Foundation et à Nancy Chang à l'Open Society Institute, pour le financement de notre travail à la New America Foundation. Merci également à Chip Kaye et à Fareed Zakaria, qui président le comité consultatif du programme de sécurité nationale au sein de New America et qui se sont montrés des soutiens inconditionnels. Merci aussi aux autres membres du comité consultatif, Anne-Marie Slaughter, Fred Hassan, Tom Freston, Bob Niehaus et Chris Niehaus. Merci également à Liaquat et à Meena Ahamed.

Une partie des reportages inclus dans cet ouvrage sont d'abord parus dans un certain nombre de magazines et de journaux. Je suis reconnaissant à l'ancien rédacteur en chef de *The New Republic,* Franklin Foer, d'avoir publié mes travaux et à l'actuel rédacteur en chef, Richard Just, d'avoir encore amélioré mes articles. Merci à Cullen Murphy à l'*Atlantic* et à Wayne Lawson chez *Vanity Fair,* à Carlos Lozada au *Washington Post,* à Rick Stengel à *Time,* à Alan Hunter au *Sunday Times,* et à Robert Colvile, Con Coughlin et Sally Chatterton au *Daily Telegraph.*

Merci au réalisateur Greg Barker, qui a acheté les droits de ce livre afin d'en tirer un documentaire qui sera diffusé en salle pour HBO, et aux producteurs John Battsek et Julie Goldman. J'attends avec impatience de voir le résultat ! Merci également à Colin Callender et à Marc Gordon de Playground Entertainment pour l'intérêt qu'ils ont manifesté envers ce livre.

Merci à Susan Glasser, à Blake Hounshell et à Benjamin Pauker de Foreign Policy pour votre collaboration à l'AfPak Channel. Merci à Chris Clifford et à Shannon Calabrese chez Keepler Speakers et à Clark Forcey pour vos conseils et votre aide depuis toutes ces années. Merci à Karen Greenberg du Center on National Security de la Fordham Law School pour ses conseils et son amitié.

Depuis dix ans, cela a été pour moi un plaisir de travailler avec mon agent, Tina Bennett, de l'agence Janklow & Nesbitt : elle a su être à la fois une amie et une juge éclairée de mes idées. Tina est largement considéré comme la meilleure agent de non-fiction de la profession, à juste titre – et je mesure la chance que j'ai de faire partie des auteurs qu'elle représente. Et, chez Janklow, je veux aussi remercier Svetlana Katz.

Merci aux familles Bergen, Mabile, Goulkd, Takacs et Coughlin pour tout leur soutien. Je veux tout particulièrement remercie ma belle-mère, Albertha Mabile, qui est venu habiter chez nous le premier mois après la naissance de Pierre et qui nous a aidés à tenir la maison. Sans vous, comment aurions-nous fait ? (Mais comment dormiez-vous, la nuit ?)

Chez Crown, merci à la magnifique équipe de Molly Stern, David Drake, Annsley Rosner, Jay Sones, Julie Cepler, Matthew Martin, Robert Siek, Linda Kaplan et Rachel Berkowitz. Des remerciements tout particuliers à notre assistante d'édition, Stephanie Chan, qui a travaillé avec minutie sur le cahier photos. À Jenna Nolan, qui a édité le manuscrit pour rendre le livre plus précis sous d'innombrables aspects. Et mon attachée de presse, Penny Simon, a mis toute son efficacité et sa bonne humeur à faire connaître ce volume.

À bien des égards, cet ouvrage est une coproduction avec ma merveilleuse éditrice, Rachel Klayman, qui a publié mon premier livre sur Ben Laden, dont je lui ai soumis le manuscrit une semaine à peu près avant les attaques du 11 Septembre. Rachel a jeté toute son intelligence redoutable dans la balance pour soutenir ce nouveau projet, auquel elle a aussi apporté son immense attention au moindre détail, qualité indispensable pour un livre dont il a fallu boucler les recherches, les reportages et l'écriture en dix mois. Véritable « rédactrice en chef », elle y a travaillé avec beaucoup de soin en se penchant sur chaque phrase. Elle l'a aussi fait avec beaucoup d'élégance et d'humour, malgré les autres ouvrages de taille auxquels elle devait s'atteler simultanément. J'espère que nous pourrons bientôt publier un autre livre ensemble !

Et, par-dessus tout, merci à ma femme, Tresha Mabile. Merci à elle d'avoir lu ce livre à maintes reprises et d'en avoir discuté le contenu avec moi, en allant bien au-delà de ce que j'aurais pu demander. Et merci encore à elle d'avoir bien voulu effectuer ce voyage avec moi jusqu'au Pakistan pour conduire les recherches nécessaires, alors qu'elle était enceinte de notre petit Pierre. Ce livre lui est dédié, à lui, notre œuvre commune la plus importante. Je l'aime, je t'aime, énormément.

Table

L'auteur

Peter Arnett et Peter Bergen de CNN avec le caméraman Peter Jouvenal (à droite) ont réalisé la première interview télévisée d'Oussama ben Laden au printemps 1997. Ils ont rencontré le chef d'Al-Qaïda dans une hutte en en terre séchée des montagnes de l'est de l'Afghanistan, où cette photographie a été prise.

Peter Bergen est l'auteur de trois précédents ouvrages sur Oussama ben Laden et Al-Qaïda. Son premier livre, *Guerre sainte, multinationale*, a été un best-seller international traduit en dix-huit langues. Son ouvrage le plus récent, *The Longest War*, également dans les meilleures ventes du *New York Times*, a remporté le prix du Washington Institute du meilleur livre sur le Moyen-Orient. Analyste sur la sécurité nationale à CNN et directeur du programme d'études sur la sécurité nationale de la New America Foundation, il publie régulièrement dans le *New Republic* et il a été correspondant de National Geographic Television, de Discovery et CNN. Il a enseigné à la Kennedy School of Government de Harvard et à la School of Advanced International Studies de l'université Johns Hopkins. Ses articles sont parus dans le *New York Times*, le *Washington Post*, le *Wall Street Journal, Foreign Affairs, Atlantic, Rolling Stone, Time* et *Vanity Fair*, et dans beaucoup d'autres quotidiens et magazines dans le monde. Membre du National Security Preparedness Group, successeur de la commission du 11 Septembre, il est aussi rédacteur en chef à AfPak Channel, chaîne fondée sur le sitewww.foreignpolicy.com/afpak. Il a témoigné devant plusieurs commissions du Congrès sur l'Afghanistan, le Pakistan et Al-Qaïda. Bergen est titulaire d'une maîtrise en histoire moderne de New College, Oxford. Il vit à Washington, DC, avec son épouse Tresha Mabile, productrice de documentaires, et leur fils, Pierre.

Pour plus d'informations, rendez-vous sur le site :
peterbergen.com

*Ce volume a été composé et mis en pages
par ÉTIANNE COMPOSITION
à Montrouge.*

Dépôt légal : septembre 2012
N° d'édition : 52636/01
Imprimé au Canada.